Christopher Phillips, Ph.D

Desperte a criança interior *e seja feliz*

Desperte a criança interior e seja feliz
1ª edição: Novembro 2019

Autor:
Christopher Phillips

Tradução:
Mayã Guimarães

Preparação de texto:
Pamela Oliveira

Revisão:
3GB Consulting

Criação e diagramação:
Jéssica Wendy

DADOS INTERNACIONAIS DE CATALOGAÇÃO NA PUBLICAÇÃO (CIP)

P558d Phillips, Christopher

Desperte a criança interior e seja feliz / Christopher Phillips. – Porto Alegre : Citadel, 2019.

256 p. ; 23 cm.

ISBN: 978-65-50470-25-8

1. Psicologia. 2. Criatividade. 3. Imaginação - Crianças. 4. Pensamento Criativo. I. Título.

CDD 153.35

Ficha catalográfica elaborada pela bibliotecária Cíntia Borges Greff - CRB 10/1437

Produção editorial e distribuição:

contato@citadeleditora.com.br
www.citadeleditora.com.br

Sumário

Para os amores da minha vida,

Cecilia, Cali e Cybele,

que me ensinam todos os dias.

Prefácio

por Clóvis de Barros Filho

Prefaciar a edição brasileira deste novo livro de Christopher Phillips é uma honra. Convite do autor. Chancelado por Marcial, seu brilhante editor. Ousadia aceitá-lo. Por falta assumida de repertório para dar conta do desafio. Maior ousadia ainda teria sido recusá-lo. Porque a oportunidade de estar lado a lado, em páginas sobrepostas, deste grande pensador não se deixa escapar impunemente.

Christopher é um socrático. Discípulo assumido do pai fundador da filosofia ocidental. Não só como docente, professor universitário, especialista dessa filosofia antiga. O autor é muito mais do que um profissional da academia. Faz de Sócrates e de seu método um jeito de pensar a própria vida. E de viver de acordo com esse pensamento.

Não há, no caso do autor deste livro, ruptura alguma entre as aulas e o resto. Por onde passa, é um instrutor. Ensina a pensar. Fazendo as boas perguntas. E permitindo a seus afortunados interlocutores refletir sobre suas respostas. Aperfeiçoando passo a passo sua produção de pensamento.

Em seu mais recente trabalho, dedicado ao pensamento das crianças, Christopher parte de uma constatação. A curiosidade infantil pelo mundo dispõe meninos e meninas a fazer indagações perfeitamente alinhadas com o trabalho intelectivo sugerido pela filosofia e seus maiores representantes. Seja quanto ao seu objeto, o mundo, o homem, sua vida e as questões metafísicas correlatas, seja quanto ao método, indagativo, e exigente, em busca da verdade.

Um prefácio, por sorte raramente lido, deve evitar alguns pecados. Dentre eles a repetição ou o mero resumo. Disso o leitor se encarrega com maior competência. A pretensão deve ser de complementaridade. O que a torna literalmente pretensiosa. Mas é esse o desafio.

Não há que esperar a idade adulta para filosofar. E, portanto, para se interessar por filosofia. O conhecimento, ainda que superficial, do que disseram grandes pensadores é contributivo, ou condição mesmo, para um pensar melhor. A formação moral dos infantes faz figura de nobre exemplo.

Rousseau se interessou pela educação. A obra *Emílio* ensina a pensar e a viver. Mas aqui a bibliografia sugerida é outra. O *Discurso sobre a origem e os fundamentos da desigualdade entre os homens*. Leitura obrigatória para todos que se interessem pela questão moral. Daqueles textos que levaria na mala, no caso de ruptura compulsória e definitiva com a civilização. E que recomendaria a todo adolescente para sua degustação e deleite.

Nele o filósofo de Genebra explica que um gato, qualquer um, vive ao longo de toda a vida, a cada segundo, controlado por seu instinto de gato. Como se nascesse com um programa de gato. Um jeito felino de viver do qual ele não escaparia um único segundo.

Logo, todas as condutas do gato estariam previstas por seu instinto. Ele tem resposta ao nascer para todas as situações de uma vida de gato. Por isso, explica Rousseau, o gato morrerá de fome, mas não comerá um prato de cereais. Pois não está programado para isso.

Da mesma forma, um pombo não comerá filé. Pela mesma razão.

Ora, o importante na lição de Rousseau é perceber que 100% da vida do gato e do pombo é regida pelo instinto. Portanto, não há nem um fiapo de liberdade em relação às suas naturezas. Não há descolamento. Há determinação.

Assim, da mesma forma, um pássaro só seria livre para voar na poesia. Porque, na vida que é a sua, ele é escravo do voo, vítima da sua condição, incapaz de escolher, de deliberar por uma vida estritamente terrestre.

Rousseau dirá que, no caso do homem, esse instinto não dá conta das necessidades da vida. Para nós, o instinto é insuficiente. Basta olhar um recém-nascido na maternidade, e a fragilidade salta aos olhos. O mesmo não acontece com uma tartaruga que sai do ovo e é engolida pela primeira onda. Ela tartarugueia segundos depois de nascer.

No nosso caso, haverá uma competência que vai além do instinto. E toda criança pode ser levada por seus educadores a refletir sobre isso, servindo-se dos episódios de seu dia a dia.

Para sobreviver, o homem é convidado a transcender a própria natureza, o que lhe permite fazer escolhas. E, certamente, não precisa esperar a fase adulta para se dar conta disso. Ele inventa, cria, improvisa, inova, empreende. Inclusive intervém sobre a própria natureza, como no caso de homens que viram mulheres, e vice-versa.

Assim podemos dizer que existe uma parte do homem que funciona regida pela natureza em relação à qual ele não tem transcendência, que é o sangue que circula, o ar que respira, o intestino que peristalta, e existe uma parte da vida do homem que resulta das suas escolhas e decisões. Nesse último caso, o homem se descolaria da sua natureza.

Ou seja, ser-lhe-ia facultado, soberanamente, agir ou não de acordo com suas pulsões, inclinações e apetites. É exatamente essa faculdade de recuo, ponderação e reflexão sobre as próprias pulsões que lhe permite deliberar em respeito a deveres que Rousseau vai chamar de vontade, termo depois reaproveitado por Kant.

Então, parte da vida rodaria na mão da natureza, e outra parte na mão da vontade. Parte da vida escaparia às escolhas, e outra resultaria delas. Diante desse quadro, a bela frase de Rousseau esclarece: "No homem a vontade fala ainda quando a natureza se cala."[1] Existem situações para as quais a natureza não tem resposta, e o homem reflete encontrando uma saída.

E o leitor sabe bem disso, porque se vê constrangido, como qualquer um, a eleger a vida de cada instante e a jogar no lixo todas as outras, muitas, que lhe passaram pela cabeça. Entende bem as angústias de um ser livre e descolado.

---

1 ROUSSEAU, Jean-Jacques. *A origem da desigualdade entre os homens.* 1 ed. São Paulo: Companhia das letras, 2017.

Sobre a pertinente aproximação da filosofia da educação infantil, o especialista é o autor da obra. As páginas que importam são as que se seguem. Mas você, leitor, começa a imaginar. Se ginastas, nadadores, jogadores de futebol, músicos, desenhistas, pintores alcançaram a excelência trilhando desde muito cedo os passos de um fazer difícil, por que com o pensamento seria diferente?

Resta desejar uma leitura feliz. Porque você, o autor e o excelente editor merecem.

01

Vamos virar criança

Crianças e adultos primeiro!

"Quem nasceu primeiro, o ovo ou a galinha?"

Acabei de propor essa questão filosófica antiga, mas excelente, para uma turma de terceiro ano em Iowa. Escolas fundamentais são pontos de parada frequentes em minhas temporadas de trocas socráticas pelo mundo. Como comentei em *Sócrates Café – o delicioso sabor da filosofia!*, primeiro livro sobre minhas aventuras filosóficas, "preciso de crianças com quem filosofar. Ninguém questiona, especula e analisa como as crianças. Não é simplesmente que as crianças amam perguntar, é que elas vivem as perguntas". Meu ponto de vista é semelhante ao do influente filósofo existencialista alemão Karl Jaspers (1883–1969), que sustentava que a "filosofia espontânea" – a urgência inevitável de fazer perguntas profundas e procurar respostas que levem a uma coleção de perguntas e respostas inteiramente novas – está no DNA das crianças. Para os pequenos, "socratizar" é uma fascinante viagem existencial. Quanto mais curvas e desvios inesperados, mais surpreendentes e novos os *insights*, mais animados eles ficam.

Eu mesmo contraí o vírus socrático aos doze anos, depois que minha avó grega, minha *yaya*, Kalliope Casavarakis Philipou, me deu uma bela tradução inglesa encadernada em couro de *Os diálogos de Platão*. Ela beliscou minha bochecha, como fazem as avós gregas, disse que eu tinha o sangue de Sócrates e previu que um dia eu repetiria seus feitos com contextos modernos, envolvendo pessoas de qualquer lugar e todos os lugares em investigações filosóficas. Li o livro do começo ao fim, algumas vezes. Sócrates era demais. Sua ideia de que cada um de nós pode e deve se tornar seu próprio questionador e pensador me convenceu.

Martin Heidegger (1889–1976), o filósofo alemão que construiu um nome duradouro com suas explorações existenciais, considerava Sócrates "o mais puro pensador do Ocidente", porque o ateniense acreditava que as questões propostas eram mais importantes que as respostas a que se chegava. Minha afinidade com Sócrates está mais em que, para ele, nem as respostas mais convincentes deveriam ser definitivas, mas só uma parada no caminho para usar a imaginação e as experiências e desenvolver todo um novo conjunto de questões. Resumindo, minha *yaya* acabou com a minha vida. Desse momento em diante, a ideia de ter aspirações profissionais normais se tornou impossível. Eu queria ser um pesquisador socrático. E foi isso que me tornei.

Comecei o primeiro grupo de diálogo Sócrates Café em 1996 em uma aconchegante cafeteria em Montclair, Nova Jersey. Compartilhava da sensibilidade do filósofo do século 5 a.C. sobre encontros próximos e contínuos com outras pessoas do tipo filosófico – em que houvesse apaixonadas, mas compenetradas, trocas de ideias e ideais – serem um portal para esculpir o que os antigos gregos chamavam de *aretê* – um tipo de excelência geral que é uma busca individual e coletiva ao mesmo tempo. O Sócrates Café acabou se tornando um fenômeno, um oásis de razoabilidade em um deserto de intolerância e fundamentalismo crescentes. Centenas de grupos no mundo todo hoje se reúnem em lugares e espaços públicos, inclusive no ciberespaço, mas também em locais de tijolos e cimento, como escolas, igrejas, centros comunitários, clínicas, penitenciárias, abrigos para famílias sem teto, bibliotecas e até creches.

O Sócrates Café ainda tem impulso, depois de todo esse tempo. Pessoas muito diferentes compartilham o pão filosófico regularmente, e conexões próximas se formam com frequência entre os mais estranhos parceiros. Se você fosse uma mosca em uma dessas reuniões, veria que os integrantes do Sócrates Café formam um grupo inquisitivo, aberto, curioso e brincalhão – infantil, em uma palavra. Gosto de dizer quc Sócrates Café é para "crianças de todas as idades", porque essas reuniões provocam a curiosidade e o fascínio. A propósito das crianças, ao longo dos anos eu tive milhares de diálogos pelo mundo com nossos pequenos, dentro e fora das paredes sagradas da educação formal. A mente bonita dessas crianças pensa em cores variadas e fortes, e seus *insights*, muitas vezes chocantes e persuasivos, me ajudam a ver velhos enigmas sob novas luzes.

Nessa última reunião filosófica, assim que propus a questão sobre o ovo e a galinha, Eva, uma menina de oito anos, me disse: "Olha, sei que estamos em Iowa, e tem essa coisa de fazenda, mas eu não sei nada sobre galinhas e ovos. Eu sei alguma coisa sobre como nascem os bebês humanos. Minha mãe é obstetra. Se eu puder falar sobre o *Homo sapiens*, em vez de galinhas, talvez eu consiga responder quem vem primeiro".

Sem esperar minha permissão, Eva continuou com um tom professoral: "Um membro adulto masculino e um feminino da espécie têm que copular para fertilizar o óvulo da fêmea – e quando falo adultos, estou falando dos *biológicos*, que podem produzir óvulos e esperma e fazer bebês". E olhou para a Sra. Bunn: "É esperma ou espermas?". Sem obter uma resposta imediata da professora desconcertada, ela continuou: "Na vida real, o que acontece é o seguinte: o macho tem que engravidar a fêmea com seu esperma. Se a fertilização for por inseminação artificial, ainda é necessário o esperma dc um macho maduro. Assim que o esperma se funde a um dos óvulos da fêmea – seja no tubo uterino, seja no tubo de ensaio –, começa o processo de fertilização. No fim, se tudo sair de acordo com o planejado, as células unidas formam um zigoto, ou ovo fertilizado, que continua se dividindo de maneiras cada vez mais especializadas. Depois, mais ou menos nove meses mais tarde, nasce um bebê completamente desenvolvido".

Ela olha de novo para mim: "Não faço a menor ideia de onde saíram os primeiros fazedores de bebê, muito menos os de galinha. Mas eles devem ter vindo primeiro, porque são os processadores dos ovos e do esperma, ou espermas – a menos que aconteça alguma coisa como partenogênese, reprodução assexuada, como é o caso dos vermes e tubarões, em que criador e criatura são um só e o mesmo".

Seth assente sem convicção. Ele não tem certeza de que entendeu Eva, por quem é encantado, mas está decidido a apoiá-la mesmo assim. "Galinhas adultas e humanos adultos devem vir primeiro, porque bebês e pintinhos não durariam muito sem eles. Quando o bebê humano ou pintinho chega ao mundo, tem de ter pelo menos um adulto para ser o pai e cuidar dele. Bebês humanos, tais como pintinhos, são criaturas impotentes e indefesas. Alguém tem de dar comida, cuidar deles, defendê-los, ou eles não duram muito nesse mundo. No caso dos humanos, às vezes o adulto ou os adultos que criam um bebê não são os mesmos que fizeram o bebê. Às vezes nem é um adulto, mas uma criança mais velha. Mas, normalmente, é um ou são os dois pais originais."

Katrina diz: "Seth tem razão. Os pais humanos têm um trabalho para fazer: chama *criar* – educar os filhos desde que são bebês, para que possam crescer e se tornar adultos felizes e saudáveis. Você nem escuta alguém falando sobre criação, não é?".

"*Deve* existir uma para criação ao contrário. *Criançar*?", diz Lauren. "Crianças dando à luz pais. Não existiriam pais sem as crianças. Não só isso, as crianças *criam* os pais. Minha mãe e meu pai estão sempre dizendo que aprendem lições de vida importantes comigo. Eles dizem que eu ajudo os dois a crescerem como seres humanos."

"As crianças não educam apenas os pais; elas ensinam a todos nós, adultos, que temos o privilégio de fazer parte da vida delas", diz a Sra. Bunn. Depois ela se dirige a mim: "No começo do ano, dividi com meus alunos a alegre notícia de que estava esperando um bebê. Quando sofri um aborto espontâneo, tentei pensar como contar a eles. Fui adiando. Então, cada um deles me procurou em um momento particular. Sabiam exatamente o que dizer e o que não dizer. Vários contaram que as mães tinham sofrido abortos, mas tiveram outros bebês depois disso. Eu me senti fortalecida e confortada por eles. As crianças me animaram, me tiraram da tristeza. O jeito como me estenderam a mão me ensinou muito sobre como estender a mão para outras pessoas em momentos de necessidade".

Ficamos sentados em um silêncio breve e confortável, até Eva dizer: "Meus pais não são os únicos que me criam. A Sra. Bunn também. E outros adultos. Deve ter uma palavra para isso – adultar!". Ela pensa mais um pouco.

"Meus amigos também me criam. Eles me defendem, me protegem, dão bronca quando não sou muito boa. São como uma parte da minha família."

E Lauren responde: "Essa história de criar os outros, estamos todos juntos nisso, crianças e adultos. Precisamos uns dos outros para não murchar como uvas-passas".

Isso inspira Seth a dizer: "Então, quer dizer que todos nós viemos primeiro?".

Vamos virar criança

Essas crianças têm razão? Muitos adultos falam radiantes sobre como a vida deles é incalculavelmente melhor por causa dos pequenos entre nós. Mas realmente consideramos nossas crias no outro extremo do espectro etário como parceiros na criação uns dos outros? Nossos atos desmentem constantemente nossas palavras?

Quando digito a palavra adultar, meu corretor automático a substitui por "adular". A ousadia. Como se os adultos merecessem adulação. Quando impeço o corretor de fazer a substituição, ele protesta sublinhando a palavra com um furioso ondulado vermelho. A mensagem: essa palavra não existe. Só para ter certeza, faço uma pesquisa ampla em vários dicionários. É verdade, "adultar" não integra o nosso léxico.

Depois digito criançar, que em inglês é *childing.* Mais uma vez, o corretor automático avisa que estou latindo para a árvore etimológica errada. Dessa vez, eu me sinto inclinado a aceitar o veredicto. Mas vou pesquisar. Na verdade, um enorme dicionário *Merriam-Webster*, presente de Natal que ganhei na infância, revela que essa palavra existe no inglês. Descubro que *childing* existe há séculos, embora tenha caído em desuso há muito tempo.

O termo *childing* surgiu por volta de 1250. De acordo com o *Merriam-Webster*, a palavra significa "estar grávida" ou "ter um filho". Robert Southey fez uso da palavra em seu tocante poema "*The Battle of Blenheim*" (A Batalha de Blenheim), publicado pouco antes da virada do século 19. Nele duas crianças com "olhos à espera de fascínio" perguntam a um homem chamado Velho Kaspar o que se disputava na guerra de 1704 – em que tropas aliadas do Duque de Marlborough derrotaram os franceses e bávaros comandados pelo marechal francês Camille d'Hostun, Duque de Tallard. Ele responde:

Com fogo e espada a estrada
Foi devastada ao longe e ao largo
E muitas mães grávidas (childing mother)
E bebês recém-nascidos morreram;
Mas coisas como essa, vocês sabem, têm que estar
Em toda vitória famosa.

Cerca de um século antes de Southey, William Shakespeare fez usos incomparáveis do termo em *Sonho de uma noite de verão*. Oberon e Titânia, rei e rainha das fadas, disputam com fervor se um pequeno menino da Índia que Titânia tomou sob sua proteção e criou desde a infância pertence a ela ou a Oberon, que se refere ao menino como seu "talismã", como algo sem muita importância. As ofensas ácidas que os imortais trocam ultrapassam tantos limites que a mãe natureza perde a paciência. Quando Titânia faz uma pausa para recuperar o fôlego, ele avalia o resultado.

O outono procriador e o inverno furioso trocaram
As vestes habituais, de forma tal que o mundo confuso,
Por seu aumento, para identificá-los não tem meios.
Toda essa prole de infortúnios tão só provém
De nossas dissensões e debates;
Somos seus pais e geradores.

Bem quando o outono está surgindo, o inverno força sua descontente entrada em cena. Não só Titânia e Oberon conseguiram alterar a ordem das estações, como também confundiram outono e inverno em tamanho frenesi que é impossível distinguir os dois. Titânia reconhece que ela e Oberon deram origem (*childed*, no sentido de serem os pais) a essa confusão. A moral da história: esteja atento aos seus atos, ou vai acabar "procriando" de maneira não intencional, se não desastrosa. Se Titânia concorda com a hipótese de Gaia, que diz que todas as criações do mundo, inorgânicas e orgânicas, são intimamente entrelaçadas, deve ter ficado aflita por sua habilidade imortal de causar confusão nas estações ter confundido as criações do mundo.

Eu vou mais fundo. Desenterrei em uma velha edição de *Collins American Dictionary* outra definição de *childing*: "ter um grupo de flores mais novas nascendo em torno de outra mais velha". Essa versão, se aplicada à condição humana, indica que não há remoção do velho quando adicionamos o novo, mas uma contínua e imensa adição do novo ao velho.

Como podemos garantir que vamos desabrochar como flores, em vez de murchar como uvas-passas? Precisamos de uma filosofia do criançar, como propôs Lauren, da escola fundamental em Iowa?

Nossa cultura nunca foi tão centrada na criança como é hoje, e, no entanto, nunca a infância foi tão pressionada e tensionada. Sua casualidade e espontaneidade desaparecem rapidamente em nossa cultura tão carregada de ocupações e vocações. Espera-se que as crianças sejam adultos em treinamento e que, no terceiro ano, estejam pensando na faculdade. Ao acatar essa ideia tão utilitária da infância, causamos um tremendo prejuízo não só aos nossos filhos, mas também a nós mesmos, pois limitamos seriamente as possibilidades de sermos tudo o que podemos ser.

Sir Isaac Newton (1643–1727), um dos mais importantes cientistas de todos os tempos, escolheu falar sobre René Descartes (1596–1650), chamado de pai da filosofia moderna, por aprofundar e expandir seus horizontes a fim de conhecer o cosmos interno e externo. "Se enxerguei um pouco mais longe", diz Newton, "foi porque subi nos ombros de gigantes."

E se, para enxergar mais longe sobre as questões do crescimento humano, tivermos de subir nos ombros dos nossos pequenos?

Um grupo de filósofos de várias eras defende que, às vezes, precisamos entender as dicas dos mais jovens. A afirmação inquietante desse grupo é que, com a passagem do tempo, temos a propensão para encolher mental, emocional e cognitivamente. Se não formos vigilantes, nossa ideia de quem somos pode ficar mais confusa com o passar do tempo, diminuindo as perspectivas de mais desenvolvimento. Se insistirmos em desnaturar nossa natureza original, vamos confundir podridão com maturidade.

Crianças desafiam e desmentem boa parte da sabedoria que recebem a respeito do desenvolvimento humano. Elas têm até a ousadia de desafiar três dos mais aclamados luminares filosóficos e humanísticos de todos os tempos – Platão (427/428–347/348 a.C.), Aristóteles (384–322 a.C.) e Michel de Montaigne (1533–1592) –, cujas perspectivas sobre temas centrais ao florescimento humano – sobre idades e etapas humanas, crescimento e regressão, brincar e trabalhar, identidade e vigor – continuam desempenhando um enorme papel. Especialistas em desenvolvimento de todas as disciplinas (sem mencionar gurus da autoajuda) há muito tempo são enganados por seus preconceitos persuasivos, mas sem fundamento, sobre os mais novos (e também, às vezes, os mais velhos) entre nós e o que eles têm a oferecer para nosso progresso individual e como grupo.

Mas esses filósofos não só descontroem; eles constroem. Não apenas reavaliam radicalmente ideias dominantes do que pode tratar o "ser ser humano" de maneira ideal; eles fazem tudo isso de forma a apresentarem novas possibilidades a serem consideradas. Suas perspectivas iconoclastas, se não heréticas, pressagiam muitas das descobertas hoje inovadoras feitas por cientistas na ciência cognitiva, psicologia e neurociência, entre outras disciplinas das ciências humanas, que confirmam empiricamente alguns de seus *insights* mais empolgantes e desconcertantes. Longe de encerrar as questões, isso abre novas linhas de investigação de como podemos fazer crescer um ao outro idealmente.

Por que "crescer" em vez de "criar"? O verbo "criar" supre a necessidade em muitos aspectos: elevar, erguer, endireitar. O verbo "crescer" incorpora vários significados a "criar", mas também oferece caminhos adicionais para a evolução na esfera humana. A definição de "crescer" que é mais rentável para os meus propósitos é "desenvolver a partir de uma origem parental". Uma origem parental que "gera".

Para melhor entender nosso potencial para a criação, eu me reúno com pessoas de muitas idades e várias posições na vida com um amor insaciável por perguntar: "Por quê? Por quê? Por quê?". Por experiência, digo que é em certo tipo de cenário de grupo, com um método de investigação que requer a atenta e embasada consideração de uma variedade de objeções e alternativas a qualquer ponto de vista dado, que podemos debater efetivamente nossos mais elevados valores, ideias, visões de nós mesmos e do outro, nesse caso, sobre como nos desenvolvemos melhor. Meu objetivo como filósofo especulativo no molde socrático não é encontrar a última palavra, muito menos ter a pretensão de ser completamente abrangente. A intenção é apresentar novos pontos interessantes a serem considerados.

Nos aclamados diários da autora Anaïs Nin (1903–1977), que ela começou a escrever aos onze anos de idade, Anaïs observa que "algumas pessoas me lembram diamantes ofuscantes. Valiosos, mas sem vida e sem amor. Outras, o mais simples campo de flores, com corações cheios de orvalho e com todas as tintas da beleza celestial refletidas em suas pétalas mais modestas". Ela deixa clara a preferência pelo último, que tem um "calor e uma suavidade" que faltam àqueles com "mero brilho e frieza" e que são pais e originadores de uma série de males. As aparências indicam que podem ter crescido e se desenvolvido de maneira brilhante, mas, como sabemos, as aparências enganam.

Como podemos desenvolver uns aos outros de forma que não sejamos esmagados, transformados em diamantes, mas capacitados a florescer? Quando me lanço na busca de respostas promissoras, vou como marido e pai de uma jovem família que espera construir a partir de seu modesto esforço para ajudar a tornar esse mundo incerto um pouco mais habitável e amável, de forma que aqueles "com o coração cheio de orvalho e com as tintas da beleza celestial refletidas em suas modestas pétalas" possam brilhar.

02

Idades e fases

Criador de estágios

O que é o homem? Um criador de estágios, para começar. Veja as incansáveis tentativas ao longo dos milênios para criar conjuntos de eras e estágios que contem a história definitiva do nosso crescimento e desenvolvimento. Dois dos mais influentes criadores modernos de estágios focaram apenas a infância, por presumirem que os primeiros anos de vida são determinantes para a formação de nossa personalidade adulta.

A teoria do desenvolvimento psicossexual de Sigmund Freud (1856–1939) descreve um processo durante o qual personalidade e impulsos sexuais, instintos e apetites evoluem em uma série de cinco estágios fixos entre o nascimento e a adolescência. Os oito estágios cognitivos estabelecidos pelo psicólogo suíço Jean Piaget (1896–1980) detalham o progresso intelectual da infância até os últimos anos da juventude. Por outro lado, o psicólogo do desenvolvimento e psicanalista Erik Erikson (1902–1994) e o psicanalista suíço Carl Jung (1875–1961) criaram estágios humanos que cobrem todo o tempo de nossa vida; eles afirmavam que continuamos a crescer e mudar de maneira distinta mesmo na vida adulta. Erik distinguiu oito estágios do desenvolvimento psicossocial, cada um com sua crise única que se deve confrontar e superar a fim de ter uma noção saudável de *self* (o eu). Jung delimitou quatro grandes estágios no progresso da personalidade em níveis diferentes de consciência, que começa imprecisa, mas se torna cada vez mais enfatizada, até a velhice. Embora não sejam muito conhecidos, mais tipos de estágios foram "descobertos" desde então. Por exemplo, o psicólogo de Yale Daniel Levinson (1920–1994) identificou quatro estágios adultos – pré-adulto, adulto jovem, meia-idade e idade avançada –, e em cada um deles a vida do indivíduo e seus compromissos mudam acentuadamente.

Ao dividir a vida em etapas a fim de encontrar características distintivas para cada uma, esses teóricos seguem padrões científicos e, como tal, fornecem uma explicação teórica e uma base para determinar a melhor maneira de abordar um desenvolvimento ideal. De acordo com cada teórico, só a conclusão bem-sucedida de cada estágio nos dá um elevado sentimento de bem-estar e uma autoimagem saudável. Por outro lado, deixar de concluir estágios costuma causar dificuldades duradouras e resulta em comportamento anômalo.

Houve um tempo em que os filósofos entraram na cena da criação de estágios em grande estilo, emprestando à empreitada suas visões peculiares sobre o mundo da experiência humana. Ptolomeu (90–168 d.C.), filósofo, matemático e astrônomo grego, afirmou que as sete esferas celestiais do universo se relacionavam a sete estágios da vida humana. Ele estava convencido de que cada planeta influenciava nossos estágios de vida com sua velocidade de movimento pelo zodíaco, com o mais rápido – a luz, que gira veloz em torno da Terra – associado ao nascimento, e o mais lento, Saturno, ligado aos últimos anos de vida. O iluminista Jean-Jacques Rousseau (1712–1778), por sua vez, identificou seis estágios do amadurecimento humano – a idade da infância (até os dois anos), a idade da sensação ou natureza (três aos doze), a idade das ideias (treze à puberdade), a idade do sentimento (puberdade aos vinte), a idade do casamento e responsabilidade social (a partir dos 21 anos) e, finalmente, a idade da felicidade. Rousseau acreditava que, quanto mais velho ficamos, mais rica e profunda é nossa experiência da vida – até os sessenta anos, mais ou menos quando começamos a perder as forças. O filósofo liberal espanhol José Ortega y Gasset (1883–1995) acreditava que quatro estágios biológicos espelhavam nosso avanço no "conhecimento da vida". Segundo ele, "O que se chama de as idades do homem – infância, juventude, maturidade, velhice –, mais que diferenças nas condições do corpo, significam diferentes estágios na experiência da vida", e cada um oferece seu conjunto singular de *insights*. O filósofo, teólogo e crítico social dinamarquês Soren Kierkegaard (1813–1855) afirmava que os humanos percorrem potencialmente três estágios: um estético, um ético e, no auge, um estágio religioso. Para Kierkegaard, passamos por esses estágios – que representam modos de ser – "no caminho da vida" em direção à percepção do nosso verdadeiro eu. Mas podemos não ir além do primeiro ou do segundo. Os estágios de Kierkegaard são aspirações; só podemos cumpri-los com vontade, propósito e direção. O último estágio de Kierkegaard, o religioso, continha os estágios subordinados de formação menor. Mesmo que esses ensaios de criação de estágios revelem tanto ou mais sobre os indivíduos que os criaram do que sobre o restante das pessoas, eles têm direcionado a maneira como nos relacionamos uns com os outros, governamos uns aos outros, criamos e educamos nossos pequenos. O objetivo típico é "universalizar" a equação humana de algum jeito. Isso facilita, para o bem ou para o mal, a criação em tempos modernos de modelos padronizados para avaliação de nosso desenvolvimento e para a implementação de medidores universais de nosso desenvolvimento cognitivo, emocional, mental e motor.

A escolha da teoria ou teórico dos estágios que você segue pode ser uma espécie de profecia autorrealizável. Se a teoria do estágio que você adota traz a promessa de que você pode continuar se desenvolvendo, adaptando e criando até o último dia de vida – talvez de maneiras não antecipadas e diferentes de quando você era mais jovem –, isso pode ter uma influência decisiva em como você vive. Contudo, se isso o leva a concluir que seu caminho para o crescimento é, em grande parte, pré fabricado, isso pode se tornar uma muleta conveniente para justificar poucas realizações na vida ou, no mínimo, menos do que poderiam ter acontecido.

Quando se trata do desabrochar humano, tem alguma teoria do desenvolvimento inventada até agora que se aproxima de circunscrever nosso crescimento e desenvolvimento? Seriam elas excessivamente constritas, distorcidas, ou algumas – ou alguma combinação – se aproximam da resposta certa?

Saída do estágio à esquerda

Nos dias anteriores a essa reunião, eu estava imerso nas obras de luminares que haviam construído importantes teorias do estágio. Quando cheguei, minha mente nadava em teoria do estágio. Examinei a plateia, distribuída em mesas de quatro pessoas – dois adultos e duas crianças –, bebendo café, chá ou suco. E me peguei pensando se alguma das teorias de estágio que li chegava sequer perto de fazer justiça a eles. Antes que percebesse, perguntei: "Em que estágio da vida vocês estão?".

Assim que a pergunta sai da minha boca, Whitney, onze anos, diz: "Eu estou no estágio do esquecimento. Quando minha mãe, meu pai ou a professora pedem para eu fazer alguma coisa – desligar o iPod, entregar uma tarefa de casa no nosso *site* Blackboard, tirar o lixo –, quando percebo, já esqueci tudo. Não é para ser do contra, como eles preferem acreditar. É só que tem muito mais na minha cabeça. É a primeira vez que me apaixono, e não consigo pensar em nada e em ninguém que não seja meu verdadeiro amor". Se não estou enganado, o amor em questão se traiu ficando vermelho e mudando de posição na cadeira.

"Você não está no estágio do esquecimento", rebate Isadora, 83 anos. "Quando eu tinha sua idade, passei pela mesma coisa. Meus pais me chamavam de 'avoada'. Minha cabeça ia a um milhão de lugares ao mesmo tempo. As maravilhas do mundo, o despertar do amor e do romance, minha consciência crescente de que era um ser humano vivo, pensante, criativo... puxa, é suficiente para fazer qualquer um esquecer as tarefas corriqueiras. Com o tempo, você vai aprender a organizar melhor seus pensamentos e sentimentos."

"Você não está em estágio nenhum. Está passando por uma fase que é uma parte normal do seu estágio de vida, o começo da juventude", Isadora continua dizendo a Whitney. "Um estágio marca uma transição clara, enquanto uma fase é parte de uma série de passagens dentro de um estágio. Por exemplo, há fases nos três estágios do parto."

As crianças (que, como a maioria nessa idade, eram fascinadas pelo assunto nascimento) pedem a Isadora, que foi parteira por mais de quarenta anos, para contar mais.

"O primeiro estágio marca o início do trabalho de parto", ela diz. "Tem as fases inicial, ativa e de transição, que acontece antes da mudança para o segundo estágio, quando a mãe começa a empurrar o bebê para fora. No terceiro estágio, o bebê chega ao mundo, e depois vem a placenta. O quarto estágio é a recuperação, quando, se não houver questões médicas a resolver, mãe e bebê passam momentos tranquilos se conhecendo."

"Não tem um quinto estágio?", pergunta Maia. "Depois que o bebê nasce e se torna oficialmente membro da família? Essa foi uma transição clara para mim. Fui filha única por sete anos, antes do nascimento das minhas irmãs trigêmeas."

"Ah, é verdade", concorda Isadora. "Não tinha pensado nisso, mas esse também deve ser considerado um estágio." Ela pensa um pouco mais. "Podemos dizer a mesma coisa para outras mudanças distintas na vida – tornar-se pai ou avô, perder um pai ou avô, casar, divorciar-se. Todos esses acontecimentos podem ser considerados estágios."

"São estágios ou marcos?", pergunto.

"Talvez marcos", ela responde depois de pensar um pouco. "Ou etapas, divisores de águas que levam a novas possibilidades de desenvolvimento."

"Não consigo decidir se estou no estágio ou fase do 'o que eu quero ser quando crescer'", digo a seguir. "Nunca saí disso. Será que é uma fase que se estende pela vida toda? Entre outras vocações, espero ainda ter tempo para ser advogado, fabricante de brinquedos, ator, astrônomo, romancista."

"Eu me pergunto o tempo todo o que quero ser quando crescer", conta Harry, dez anos. "Para alguns pode ser um estágio, e para outros, como você, é uma fase permanente. Para o meu pai, foi um estágio. Ele decidiu que queria ser bombeiro quando tinha a minha idade, e foi o que se tornou. Ele nunca sonhou ser outra coisa."

"Para mim, é uma fase recorrente", diz Isadora. "Aparece pontualmente com grande intensidade em intervalos de alguns anos, depois volta para a hibernação. Ainda sonho ser veterinária, atriz, cantora." Ela suspira. "Mas esses vão ser só sonhos." E olha para Whitney. "Enquanto você está passando por uma fase do esquecimento no estágio da infância que vai superar, eu me torno cada vez mais esquecida. E só vai piorar. Faz parte do envelhecimento, o processo em que suas peças biológicas, incluindo as que pensam, vão se desgastando com o passar do tempo. É um estágio do qual não vou sair até morrer."

"E pode ser um estágio, então?", pergunta Whitney. "Um estágio não é algo pelo qual passamos?"

"Um estágio é algo em que você entra, às vezes por opção, às vezes não, como também nem sempre é algo de que você sai, mesmo quando poderia, se quisesse", diz Ahmed. "Você pode entrar ou sair de alguns estágios esperneando e gritando. Entrei no estágio da velhice assim, não queria saber desse estágio biológico, mesmo que ele seja inevitável para quem vive pelo tempo necessário."

"Com cada vez mais enfermidades para cuidar, ele me limita e impede de fazer muitas coisas de que gosto. Por outro lado, o fato de estar nesse estágio não significa que devo me tornar um velho rabugento e me conformar com a ideia de que, agora que estou do lado escuro da montanha biológica, não posso ter uma vida prazerosa. Leio mais, penso mais. Comecei a pintar, até me arrisco na poesia. Se fosse tão ativo agora quanto era há alguns anos, não estaria fazendo essas coisas, de que passei a gostar muito. Planejo deixar este mundo como entrei nele – gritando e esperneando. Amo cada dia, e me revolto contra a ideia de que esse estágio de minha vida não pode ser tão significativo à sua maneira como foram os estágios anteriores."

Isso faz Chad se manifestar. "Meu pai diz que estou no 'estágio da rebeldia'. Isso quer dizer que questiono e desafio autoridade – a dele. Eu nunca o questionava antes. Mesmo que ele falasse alguma coisa ofensiva, como 'nunca vou confiar em um muçulmano', eu deixava passar. Hoje em dia, eu o desafio. Estou em um estágio da vida em que quero razões. Meu pai prefere achar que estou só passando por uma fase. Ele diz que agora é mais cuidadoso com o que fala perto de mim, por medo que eu pule em seu pescoço. Nunca fiz isso. Ele deve saber que o que quero é entender por que ele tira essas conclusões. Isso me ajuda a entender melhor minhas visões de mundo."

Virginie, 79 anos, dedicou sua atenção integral a Chad enquanto fazia um xale de crochê de desenho complicado. "Meu marido também acha que estou em um estágio de rebeldia. Meu lema era 'concordar para ter sossego'. Nosso relacionamento percorria um caminho conhecido e sólido de quarenta e três anos. Nunca parei para pensar se era bom ou ruim. Era o que era. Isso começou a mudar depois que uma de minhas netas me convidou para uma sessão de 'agulhas e fofoca' na casa dela. No começo, quase morri de vergonha de algumas coisas que elas discutiam abertamente. Não me colocava nas conversas – o que poderia ter de interessante para falar? –, mas era uma boa ouvinte. Elas me convidaram para outras sessões, e logo comecei a me abrir. Logo me tornei uma excelente 'fofoqueira' do meu jeito. Meu marido é distraído, mas até ele começou a perceber a mudança em mim. Eu me tornei o que ele chama de 'atrevida', o que muitos de vocês aqui chamariam de encrenqueira. Quero no meu relacionamento o que aquelas jovens têm, uma parceria igualitária em um relacionamento íntimo. Meu marido continua convencido de que o que está acontecendo comigo é 'só uma fase' que vai passar. Não no sentido de ir em frente, mas de voltar atrás, regredir ao que eu era antes. Se é para mudar, vou me tornar ainda mais encrenqueira. Eu sei o que quero. Ele está no estágio da Idade da Pedra. Vou continuar tentando trazê-lo para o que é chamado, normalmente, de século 21. Se ele não quiser me acompanhar, eu me separo e vou morar em um lar comunitário com outras senhoras encrenqueiras e rebeldes."

Todo mundo aplaude.

Pouco depois, Meng, 79 anos, diz: "Minha esposa e eu nos separamos há vários anos, depois de meio século juntos. Desde que entrei no estágio da velhice, tenho vivido em estado de crise. Passei tranquilamente pela meia-idade, sem nenhuma crise. Mas tive uma crise da terceira idade que começou, mais ou menos, quando fiz 65 anos. Eu tinha saudade da juventude. Lamentava o que não fiz, em vez de lembrar minhas conquistas e pensar no que ainda podia fazer. A terapia me ajudou a entender que passei por diferentes estágios dentro desse estágio – negação, raiva e um estágio que ela chama de 'reprise', em que tento voltar à minha juventude perdida. Minha esposa me amava, demonstrava grande compreensão do que eu estava enfrentando e das minhas fragilidades, mas até ela tinha limites. Não a culpo por ter me deixado. Ela me perdoou depois do primeiro caso extraconjugal, mas não perdoou o seguinte. Só depois do divórcio eu procurei ajuda e comecei a lidar com a crise. Finalmente, posso dizer com segurança que entrei no estágio de aceitação – mas não de resignação".

O rosto enrugado relaxa com um sorriso. "Ainda procuro meu caminho, mas agora estou gostando desse estágio de vida. Em alguns aspectos, sem fingir ser cronologicamente mais novo do que sou, chegar aos setenta é a 'nova terceira idade'. Com a expectativa de vida tão mais alta hoje em dia por causa dos avanços da medicina e dos cuidados preventivos, ainda tenho tempo para escrever o grande romance americano com que sempre sonhei. Estou tentando tornar meu segundo ato na vida memorável. *Carpe diem* é meu lema atualmente. Espero ter um belíssimo fechar de cortinas."

Esse tema do "segundo ato" na vida está no centro da cena de *O My America!: Six Women and Their Second Acts*. A biógrafa Sara Wheeler registra as crônicas de seis mulheres do século 19 que, aos cinquenta e poucos anos – naquela época, os "últimos capítulos cinzentos da vida feminina" –, reinventaram-se inteiramente. Por exemplo, Frances Trollope partiu para a Europa aos cinquenta anos, e embora tivesse "sido criada com a ideia firme de que a vida estava mais ou menos encerrada para uma mulher aos cinquenta", ela escreveu um *best-seller* sobre as maneiras americanas e diversos romances aclamados de protesto social. Ela desmentiu a afirmação de F. Scott Fitzgerald em um romance não terminado de que não havia segundo ato na vida americana, e inspirou seu filho Anthony a se tornar autor (e um autor aclamado e prolífico, aliás).

"Quando eu nasci, minha mãe tinha 47 anos", conta Harry. "Quando eu fiz dez, ela teve uma crise da terceira idade. Fez cirurgia plástica. Isso a deixou feliz, e eu e toda a minha família também ficamos felizes. Agora ela tem um namorado que é só alguns anos mais velho que meu irmão mais velho. Acho que está no estágio 'jovem para sempre'. Pelo bem dela, espero que seja uma fase passageira. Só quero que ela seja feliz. Não posso dizer que ela não é, não mesmo. O namorado vai acabar sumindo, em algum momento. Fico triste por pensar que ela tinha uma família que a amava como ela era, mas isso não foi suficiente para fazê-la feliz."

"Ela vai acabar encontrando o caminho nesse estágio", diz Virginie. "Uma das minhas irmãs passou por algo muito semelhante quando tinha a idade da sua mãe. Ela não se vestia de um jeito que tivesse a ver diretamente com a idade, mas se envolvia em coisas importantes o bastante para fazê-la esquecer a idade. Se tem um protesto por uma causa em que acredita, ela está lá. Não tenho dúvida de que, se ficar fraca demais para marchar, ela vai arrumar alguém para empurrar a cadeira de rodas. Ela acabou de entrar na faculdade de Direito, assim vai poder ser ainda mais útil para as causas que defende. Talvez não passe no exame da ordem, mas pelo menos vai terminar seus dias cheia de vida e força para lutar."

Depois de um breve intervalo, Christine olha para Meng e diz: "Meu irmão mais novo foi diagnosticado com autismo. Todos nós tivemos dificuldades para aceitar. Especialmente meus pais. Eles passaram por estágios parecidos com os que você contou para nós – negação, raiva, confusão, depressão. Estudamos as desordens do espectro autista. Aprendemos que os estágios do desenvolvimento de crianças com autismo são diferentes dos das outras crianças, mas que, exceto nos casos mais severos, elas podem ter uma vida rica e plena com a ajuda de especialistas e o amor e apoio da família. Meu irmão é incrível com arte. Os cômodos da casa são revestidos com as coisas que ele produz. Queria ter um centésimo do talento que ele tem. Agora a família toda está no estágio da aceitação. Ainda não é fácil, mas algum estágio, seja negação, seja aceitação, é totalmente fácil? Passar de um estágio a outro quer dizer que há mudança, e isso pode significar que temos que enfrentar algum tipo de transição. Passar de bebê a criancinha e criança maior não foi fácil. Tenho certeza de que ser adolescente não vai ser fácil, pelo que vejo dos meus irmãos mais velhos".

Isso faz Chad dizer: "Como seria estar em um estágio fácil da vida, com todas as peças no lugar, sem estresse, sem problemas, sem grandes mudanças a temer ou esperar com ansiedade?".

"Acho que isso deixaria a vida menos interessante", opina Phil. "Ou depende. Um dos meus amigos de infância foi embora de Jersey pouco depois de fazer dezoito anos e passou quase seis décadas em Surfrider Beach, em Malibu. Ele ainda surfa, ainda toca bateria com jovens e velhos companheiros à noite. De vez em quando eu vou visitá-lo. Ele sonhava ter uma vida do tipo verão interminável, e foi isso que fez."

"O romance com meu marido foi do tipo verão interminável – se é que se pode usar essa expressão para descrever uma vida em comum de felicidade quase infinita e amor profundo, verdadeiro, imutável", diz Isadora. "Nunca estagnou, nunca ficou chato. Era um terreno para crescimento interminável." Ela olhou para Christine, depois para Meng. "Esses estágios que vocês descreveram se enquadram quase perfeitamente nos estágios do luto. Meu marido – meu melhor amigo, minha alma gêmea – morreu há quinze anos. Não tivemos filhos. Éramos só Frank e eu. Amávamos nossa vida em comum. Não queríamos dividir o outro com filhos. Viajamos, fizemos todo tipo de cursos, de confeitaria a aulas de salsa. Aprendemos idiomas, fomos aqui e ali, o mundo era nossa concha. Eu não mudaria nada em como vivemos. Só queria que nossa vida juntos tivesse durado mais."

"Pessoas bem-intencionadas me deram livros que tratavam dos estágios do luto", ela continua, "para eu poder reconhecer e tratar cada um deles conforme se sucediam. Garantiram que eu não só aprenderia a viver com o luto, mas também 'passaria' por ele. Segui em frente, mas nunca superei meu luto. Por que superaria? Ele é um estado permanente, não um estágio. Frank foi o amor da minha vida. Sério, o termo luto não faz justiça à enormidade da perda."

Até então, Anna tinha escutado com atenção as declarações dos outros, mas não falara nada. Ela olha para Isadora e diz: "Queria ter tido esse tipo de relacionamento. O meu foi mais parecido com o de Virginie, sempre seguindo pelos mesmos sulcos da estrada. Meu marido, Herbert, e eu construímos uma família – nove filhos! – e estávamos casados havia 57 anos quando ele morreu. Eu passei pelos estágios do luto como são descritos no livro de Elizabeth Kübler-Ross *Sobre a morte e o morrer* – negação, raiva, barganha, depressão –, às vezes, por vários ao mesmo tempo. Finalmente, entrei no último estágio, aceitação. Mas, mesmo assim, não foi fácil. Houve um ir e voltar, alguma recusa da minha parte em seguir em frente – às vezes nadando com a correnteza, outras vezes resistindo à corrente. Depois de mais de um ano, comecei a refletir mais honestamente sobre a vida que tivemos juntos. Percebi que nunca fui apaixonada por Herbert. Sim, gostávamos muito um do outro, éramos comprometidos, dedicados à nossa família. Havia um tipo de amor, mas ele não cresceu. De início, eu me senti culpada por reconhecer tudo isso, mas a verdade sempre aparece".

Apesar do tom sério, ela sorri. "Eu tive um namorado, Henry, nos últimos anos do ensino fundamental. Como os jovens aqui sabem, é possível amar profundamente na juventude. A família de Henry teve que se mudar para a Califórnia. O pai dele era militar, e sua nova base era lá. Fiquei arrasada. Meus pais achavam que eu ia superar, que nem sabia o que era estar apaixonada. A família dele mudou-se mais duas vezes nos anos seguintes, e acabamos perdendo contato. Há uns nove meses, Henry me encontrou. Não tenho conta no Facebook, mas ele tem, e foi assim que localizou uma das nossas amigas em comum, que também tem uma página no Facebook. Quando Henry perguntou se essa amiga sabia onde me encontrar, ela deu minhas informações de contato. Quando ele telefonou e ouvi sua voz de novo, meu coração disparou. A esposa dele tinha falecido vários anos antes. Eles criaram uma bonita família, tinham uma vida boa. O relacionamento era melhor que o que eu tive com meu marido, mas Henry disse que, durante todos aqueles anos, nunca deixara de pensar em mim. Ele começou a telefonar regularmente. Depois, criamos uma conta no Skype para conversar por vídeo. Tive medo de que, quando me visse, ele desistisse de manter contato. Mas não foi assim. Ele ainda é bonito, ainda tem um sorriso bondoso e simpático. Ainda é o mesmo Henry que conheci e amei há tantos anos. No próximo fim de semana, ele vem me visitar. É a quarta visita em dois meses e meio. Henry me pediu em casamento na última visita. Vocês imaginam o que eu respondi? Meus filhos não aprovam – exceto o caçula. Para os outros, isso é só uma fase. Eles acham que estou me comportando como uma colegial boba. O que não entendem é que meu amor por Henry é do tipo permanente. Tem raízes profundas, e agora está crescendo de novo. O melhor amor tem estágios, estágios de crescimento."

Whitney aplaude encantada. "Sim! O amor que sinto por determinada pessoa é eterno, como o seu. Minha mãe e meus irmãos acham que nosso amor é só uma fase, como meu amor pelas princesas. Mas meu amor e eu – não vou dizer o nome dele aqui, não quero que ele fique constrangido

– sabemos que não é assim. Ontem mesmo ele me disse que serei sua princesa para sempre."

Um mundo de estágios

Quase todas as teorias de estágio se baseiam na convicção de que o crescimento e o desenvolvimento são progressivos em trechos alternados – ou melhor, uma subida antes de uma descida – e que, se e quando passamos com sucesso por cada estágio, aumentamos nossa capacidade de apreender domínios de experiência ainda mais complexos. Em alguns casos, essa capacidade pode chegar ao auge na meia-idade ou pouco depois dela, mas, em quase todos os casos, esses teóricos do estágio defendem que começamos a vida na base da montanha do desenvolvimento, e que a única direção a seguir a partir daí é para cima.

Uma exceção é Shakespeare, cujas peças o famoso filósofo e crítico social alemão Friedrich Nietsche (1844–1900) diz serem "tão cheias de ideias que fazem todas as outras parecerem vazias". Quando ele escreveu seu famoso solilóquio "o mundo todo é um estágio" para *Do jeito que você gosta*, a ideia de que a jornada do homem do berço ao túmulo tinha sete estágios já era antiga. Uma versão popular do século 14 os descrevia assim: a idade dos brinquedos, a idade do amor, a idade da guerra e cavalaria (considerada o auge), a idade do amor pelo aprendizado, a idade do acadêmico respeitável e, por fim, a idade da enfermidade e morte. Nas mãos do irascível Jacques de Shakespeare, essas idades do homem ganham uma nota cínica: o homem estreia "choramingando e vomitando no braço de sua ama". Depois torna-se um "escolar chorão". Daí, ele passa para a idade do amante e sua aspiração à fama e capacidade de suspirar "como uma fornalha, como uma balada aflita". Ele segue e se torna um soldado, todo empertigado e cheio de si, "em busca da bolha de reputação". A quinta idade é comparada a uma justiça bem alimentada, bem conduzida, "cheia de sábios axiomas e argumentos modernos". Quando ele chega à sexta idade, é reduzido a "calças e chinelos", sua voz é um "agudo infantil". Sua "história estranha e cheia de acontecimentos" termina no estágio sete, marcado por uma "segunda infância e mero esquecimento", "sem dentes, sem paladar, sem nada". Para Jacques, isso é o mais baixo que podemos descer – mas não é como se começássemos no alto.

Jacques não traça a trajetória dos estágios para as mulheres, mas é seguro presumir que elas seriam igualmente miseráveis. A filosofia dos estágios de Jacques desafia qualquer ideia de que cada estágio sucessivo do homem representa algum tipo de avanço para a experiência vivida. O que ele nos oferece é uma teoria do "encolhimento humano": começamos insignificantes, depois temos um tempo no qual nos dedicamos a um pouco de publicidade exagerada para nos enganarmos, pensarmos que estamos crescendo, quando, na verdade, permanecemos insignificantes e, se possível, nos tornamos ainda mais insignificantes. Não há progresso, nem ascensão, nem auge.

Para aqueles que insistem na existência de um estágio mais elevado, ele normalmente surge quando estamos no chamado auge da vida. Mas e se acontecer de, em muitos aspectos, estarmos no nosso ponto mais alto quando estamos no ponto mais baixo do totem humano, quando somos bebês que choramingam e vomitam e escolares chorões?

Karl Jaspers, por exemplo, afirma que adultos "ignoram que crianças muitas vezes têm dons que perdem ao crescer". Em comparação aos adultos, "a criança ainda reage espontaneamente à espontaneidade da vida; a criança sente e vê e investiga coisas que logo desaparecem de seu campo de visão". De mancira similar, o lendário filósofo social e reformista educacional John Dewey (1859–1952) se pergunta por que a "reação fresca" de nossas crianças e jovens ao mundo "se apaga tão cedo", e "por que ela é encoberta tão precocemente e substituída por uma espécie de carimbo mental de borracha ou disco de fonógrafo" quando entramos na vida adulta. Dewey afirma que fazemos nossa entrada no mundo com um superávit de hábitos benéficos clamando para serem cultivados. Porém, frequentemente, eles são negligenciados a ponto de serem suplantados por "hábitos de um olhar apressado, vago e impaciente apenas para a superfície... ou suposições casuais, saltitantes como gafanhotos... de credulidade que se alterna com irreverente incredulidade, crença ou dúvida baseadas, em ambos os casos, em capricho, emoção ou circunstâncias acidentais". A filosofia do use ou perca de Dewey é que "o único jeito de desenvolver características de cuidado, atenção e continuidade... é pelo exercício dessas características desde o início" – características que temos desde o começo, mas devemos aperfeiçoar para que permaneçam em boas condições. Ele lamenta que muitos pareçam exorcizar intencionalmente essas características em si mesmos, e causem ainda maior dano permitindo que atrofiem em crianças aos seus cuidados.

Seguindo Dewey, um de meus estimados mentores, o lamentavelmente não reconhecido Matthew Lipman (1922–2010), fundador do Institute for the Advancement of Philosophy for Children (Instituto para o Progresso da Filosofia para Crianças) na Montclair State University, se opôs ao fato de estágios humanos serem criados de forma a colocar a vida adulta como o pináculo e a infância na base, como se a infância devesse "ser vista apenas como um meio para um fim, ou uma condição incompleta se movendo para a completude". A ideia operante, de acordo com Lipman – que deixou de lecionar na Colombia University para dedicar-se a nutrir as habilidades naturais das crianças para filosofar – é que "adultos sabem e crianças não sabem":

> *Crianças devem, portanto, adquirir o conhecimento de que os adultos são tão ricamente dotados. Então... se as crianças não caminham na direção do que os adultos sabem, em que acreditam e que valorizam, deve haver algo errado com seu "desenvolvimento".*

Lipman não chegou a essa perspectiva iconoclasta intuitivamente, mas se baseou em experiência abrangente. Depois de muito filosofar com crianças, ele percebeu que, em muitos aspectos, elas eram mais adeptas de argumentações que seus alunos na universidade e adultos mais velhos. Lipman ridiculariza ideais prevalecentes de que o avanço estágio a estágio é progressivo *ipso facto*. Ele comenta que teorias de estágios do desenvolvimento baseadas em hierarquia "têm sempre o cuidado de selecionar aqueles critérios que reforçam o ponto de vista que estão tentando provar, enquanto ignoram outros critérios que poderiam enfraquecer esses pontos".

Os que apoiam a tese do desenvolvimento tomam o cuidado de não selecionar critérios como expressão artística ou *insight* filosófico, porque isso poderia fazer seu ponto de vista parecer menos convincente. Por que crianças criam pinturas tão impressionantes quando são pequenas? Por que fazem tantas perguntas metafísicas quando ainda são novas, depois parecem sofrer um declínio em suas capacidades ao entrar na adolescência? Como as crianças podem aprender vocábulos, sintaxe e lógica de um idioma completo – na verdade, com frequência, de vários idiomas – enquanto ainda estão aprendendo a andar, um feito que está além do escopo da maioria dos adultos?

Para Lipman, o desafio que precisamos reconhecer e enfrentar é "*sustentar* o desenvolvimento da criança nas linhas meteóricas em que ele começa, em vez de permitir que ele perca força, como acontece agora com tanta frequência, e se transforme em apatia e amargura" quando nos tornamos adultos. Precisamos nutrir sua maestria inata para alcançar uma vida bem equilibrada. Para isso, os principais encarregados da criação de nossas crianças devem antes reconhecer e apreciar a alta velocidade em que elas começam a vida. A visão de Lipman, cuja especialidade filosófica era a estética – seu pouco conhecido *What Happens in Art* é um *tour de force* –, é reminiscente da afirmação de Pablo Picasso de que "toda criança é um artista. O problema é como permanecer artista quando ela cresce".

Há mais de um século, Ralph Waldo Emerson (1803–1882) definiu bem o principal obstáculo para apoiar o jeito especial e a abordagem da criança para o desenvolvimento. O dilema, ele comenta, é que "crianças são estrangeiros" – ou, pelo menos, "nós as tratamos como se fossem. Não conseguimos entender seu discurso ou modo de vida e, assim, nossa educação é distante e acidental, não é aplicada diretamente ao fato". O médico, pesquisador e etimologista Lewis Thomas (1913–1993) concorda. O poético filósofo da ciência e medicina, reverenciado por suas impressionantes meditações sobre as inesperadas ou até então inexploradas implicações da pesquisa nas ciências humanas e biológicas, reclama em *The Fragile Species* que "parecemos ter esquecido ou nunca aprendido o que de fato são as crianças pequenas, e como sua mente é especial". Ele escreveu:

> *A maioria tende a pensar na primeira infância como um estágio primitivo da vida, uma espécie de deficiência na mente que vai, com o tempo, ser superada. O que sempre ignoramos é o poder intenso e único no cérebro da criança pequena, algo que nunca mais será alcançado na vida, para aprendizado.*

Ao falar em aprendizado, Thomas não se refere apenas ou primariamente ao tipo formal, e não está, de maneira nenhuma, aludindo apenas à conhecida capacidade das crianças de dominar diferentes linguagens, se tiverem uma oportunidade. Ele está "convencido, por coisas escritas por alguns especialistas que passaram a vida estudando crianças pequenas, e também por minhas observações, de que crianças pequenas são extraordinariamente habilidosas em toda forma de façanhas". Ele afirma que isso é consequência dos "receptores preparados para receber o mundo todo que as crianças têm".

Os *insights* especulativos de Thomas, compartilhados há mais de vinte anos, foram precisos. Alison Gopnik, professora de psicologia e professora afiliada de filosofia na Universidade da Califórnia, em Berkeley, está entre esses especialistas cognitivos cuja pesquisa inovadora está derrubando pressupostos muito antigos de que "bebês e crianças pequenas são limitados ao aqui e agora – a suas sensações, percepções e experiências imediatas" e que "bebês e crianças pequenas são basicamente adultos defeituosos – irracionais, egocêntricos e incapazes de pensamento lógico". Gopnik, autora de *The Philosophical Baby* ("O bebê filosófico") e coautora de *Scientist in the Crib* ("Cientista no berço"), afirma que, pelo contrário, "novos estudos... demonstram que bebês e crianças muito pequenas sabem, observam, exploram, imaginam e aprendem mais do que jamais teríamos pensado ser possível". Uma extensa coleção de dados de disciplinas de ciência e ciências sociais evidencia que "o cérebro dos bebês é, na verdade, muito mais conectado que o dos adultos; há mais caminhos neurais disponíveis para os bebês do que para os adultos". Longe de serem "adultos primitivos atingindo gradualmente nossa perfeição e complexidade", Gopnik afirma que os mais novos entre nós são "em alguns aspectos... mais espertos que os adultos".

Gopnik tem motivos ulteriores aos de Jean Piaget, o fundador da psicologia do desenvolvimento e desenvolvimento cognitivo, cuja visão de que "crianças eram egocêntricas, amorais e tinham uma capacidade muito limitada para entender ou perceber ideias abstratas como casualidade" se impõe há muito tempo. O problema dela com Piaget e sua legião de seguidores sempre foi que eles observam e avaliam as crianças usando métodos com viés embutido – inclusive fazendo perguntas que são desconcertantes e intimidadoras, até incompreensíveis para uma criança. Assim, apenas confirmam suas visões preexistentes sobre as limitações da criança.

Boa parte da pesquisa empírica atual contradiz Piaget e seus acólitos. Gopnik aponta estudos que provam que "até as crianças mais novas sabem, experimentam e aprendem muito mais que os cientistas jamais imaginaram ser possível". Pesquisa abundante hoje mostra que as crianças são adeptas de deduzir probabilidades e prever acontecimentos futuros, que conseguem desenvolver pensamento lógico, que brincar é um exercício de exploração profunda, que elas entendem causa e efeito, e que consideram a perspectiva do outro[2]. Se é assim, é difícil refutar a afirmação de que a infância é nosso trampolim primário para pesquisa e desenvolvimento, um tempo da vida quando o aprendizado é mais intenso que em qualquer outro, quando crianças conquistam o conhecimento crítico e as habilidades que podem ajudar a garantir que a espécie humana como um todo permaneça adaptável. Porém, as crianças são frequentemente impedidas de fazer o que fazem melhor, e continuarão sendo, até removermos as viseiras e encararmos o fato de que elas têm capacidades incomuns e, assim, deixarmos de vê-las como um grande fardo de déficits.

---

2 Por exemplo, um estudo de Fei Xu e Vashti Garcia na Universidade de British Columbia, relatado no jornal *Nature*, mostra que bebês têm uma apreensão intuitiva de estatística que lhes permite prever a ocorrência de acontecimentos. Gopnik aprendeu com sua pesquisa que pré-escolares não só aplicam probabilidade para entender como as coisas funcionam, mas também levam isso um passo adiante e usam sua habilidade inata para imaginar novas possibilidades. Um estudo conduzido por Laura Schulz e Elizabeth Baraff Bonawitz no Massachusetts Institute of Technology demonstra que, quando crianças pequenas se dedicam a brincadeira exploratória – deduzir como as coisas funcionam –, estão, para todos os efeitos, examinando causa e efeito. Em outro estudo, mostram às crianças o que parece ser uma caixa de doce. Como a caixa está fechada, elas não têm como saber se tem doce lá dentro. O que elas *podem* compreender é que outra pessoa pode deduzir de forma legítima que a caixa contém outra coisa, além de doce, revelando uma compreensão aguçada de que pessoas diferentes têm diferentes perspectivas das coisas.

Déficit? Bobagem

Não é preciso culpar Piaget. A principal responsabilidade pela ainda prevalecente "visão de déficit" das crianças é do sábio grego Aristóteles. Aluno de Platão e professor de Alexandre, o Grande, sem dúvida uma das figuras mais influentes na história intelectual do Ocidente, ele relega as crianças à base da pirâmide humana. Crianças, ele afirma em dois de seus clássicos, *Ética a Nicômaco* e *Política*, são um amálgama de apetites desgovernados, incapazes de argumentar mesmo de modo rudimentar. Ele considera as crianças tão dissolutas que tem certeza de que elas dizimariam a civilização sem a vigilância contínua dos adultos, encarregados de arrancá-las de seus hábitos maléficos e inculcar nelas virtude, sabedoria e felicidade. O melhor que Aristóteles pode dizer sobre os mais novos entre nós é que são *capazes* de se tornar humanos decentes, com a adequada nutrição e orientação de adultos, seus superiores em todos os aspectos. Suas ideias negativas sobre as crianças desde então influenciam aspirantes a teóricos do estágio.

Hoje há evidências convincentes de que começamos a vida com uma explosão moral e intelectual. É claro, se os adultos querem se certificar de que as crianças cresçam de maneira ideal, devem estar disponíveis para elas e garantir que atravessem a rua com segurança, não tropecem nos cadarços dos sapatos, não toquem no fogão quente, durmam o suficiente. Isso as liberta para fazer o que fazem melhor – explorar, experimentar, aprender, entender, imaginar, criar. Porém, do mesmo modo que as crianças são frágeis em alguns aspectos e precisam ser protegidas para que tenham um ótimo desenvolvimento, também são os adultos. De fato, adultos entram em contratos sociais (inclusive tratados) e em muitos outros tipos de acordos vinculativos para garantir que estarão protegidos dos piores impulsos uns dos outros. Progressos humanísticos são esporádicos, na melhor das hipóteses, enquanto a constante é que adultos compliquem tudo, com as crianças sendo as maiores vítimas disso. Crianças precisam ser protegidas, sim, mas principalmente dos disparates trágicos dos adultos.

Superávit de déficit

Uma das grandes razões para as crianças alcançarem excelência em certos aspectos é que elas têm uma mistura de muito e pouco desenvolvimento cerebral. Embora tenham um lobo pré-frontal não desenvolvido, elas têm um córtex occipital (na parte de trás do cérebro) extraordinariamente ativo. Isso permite que a mente sobrecarregada faça tudo, desde ver o mundo do jeito mais holístico até se ajustar e adaptar mais prontamente a acontecimentos imprevistos e novas informações. Esse é o manancial de sua abordagem única de raciocínio, imaginação e empatia. Isso as faz ser desinibidas, abertas à experimentação. Essas qualidades beneficiam as crianças com o que poderíamos chamar de "ordem de superávit de atenção", qualidades que podem ser de imensa utilidade para suas contrapartes mais velhas no mapeamento de novas estratégicas para tudo, de crescimento pessoal a solução de problemas de muitos tipos.

O que essas excepcionais capacidades da criança comum fazem de nós, adultos? Patetas, comparados a elas? Ou apenas diferentes, com outros pontos fortes e fracos? Um dos aspectos mais importantes que Alison Gopnik aponta em *The Philosophical Baby* é que "crianças e adultos são formas diferentes de *Homo sapiens*. Têm mentes, cérebros e formas de consciência muito diferentes, embora igualmente complexos e poderosos, projetados para atender a diferentes funções evolutivas". Crianças brilham em suas "distintivas capacidades para mudar, especialmente imaginação e aprendizado". Adultos, por outro lado, se destacam em "planejamento de longo prazo, mudança e execução automática, reação habilidosa rápida". Isso cria uma "divisão do trabalho evolutivo". Crianças e adultos precisam igualmente dos talentos e das habilidades uns dos outros para um desenvolvimento completo.

E se começarmos a olhar para a vida adulta não tanto como o fim de certos déficits e incapacidades, mas como o começo de um novo repertório que difere daqueles da infância? Quais qualidades, virtudes e habilidades diferentes faltam aos adultos, e as crianças têm em abundância? Adultos perdem "naturalmente" a vantagem de certas capacidades com o passar do tempo, e até regridem? Se isso é verdade, pode ser adiado, ou mesmo reduzido? Gostaríamos de prevenir esse acontecimento, se pudéssemos, ou alguns déficits adultos podem ser considerados superávits? Entre outras coisas, eles são oportunidades para cooperar com os mais novos?

Quando Alison Gopnik compara crianças e adultos, trata estes últimos como uma categoria única. Porém, há sempre notáveis semelhanças entre crianças e adultos mais velhos, que tendem a questionar, aprender e experimentar de formas mais fluidas que os de meia-idade. Os que fazem comparações cognitivas entre pessoas mais velhas e mais novas começam a distinguir entre inteligência fluida, demonstrada por memória precisa de curto prazo e habilidade analítica, e inteligência cristalizada, que tem a ver com depósitos de conhecimento e habilidades. Esses estudos indicam que temos a inteligência mais fluida quando somos novos, tornando a memória mais fluida, e que, quanto mais velhos ficamos, mais cristalizada ela se torna. Então, por exemplo, um idoso pode demorar mais para resgatar uma palavra da memória, mas, longe de ser um indicador automático de que sua memória está em declínio, esse processo mais lento e deliberativo de recuperação da palavra pode ser consequência, principalmente, de uma pessoa bem-educada e de idade avançada ter muito mais palavras armazenadas no cérebro para analisar[3].

Embora essas descobertas comecem a destruir ideias mantidas por muito tempo sobre os idosos e sua reduzida capacidade cognitiva[4], acre-

---

3 Ver, por exemplo, *Topics in Cognitive Science*, "The Myth of Cognitive Decline: Non-Linear Dynamics of Lifelong Learning" (O Mito do Declínio Cognitivo: Dinâmicas Não Lineares para Aprendizado Vitalício), de Michael Ramscar*, Peter Hendrix, Cyrus Shaoul, Peter Milin e Harald Baayen. Artigo publicado primeiramente *online*: 13 de janeiro de 2014. O pesquisador Michael Ramscar disse a Benedict Carey, repórter de medicina e ciência do *New York Times*, que, antes de conduzir esse estudo, ele "comprava completamente a ideia do declínio cognitivo relacionado à idade em adultos saudáveis". Mas o estudo "me forçou lentamente a aceitar essa ideia de que eu não precisava invocar declínio [cognitivo] de jeito nenhum", ao descrever o que acontece com a capacidade cognitiva na maioria dos idosos. Isso não só cria o cenário para o desenvolvimento do equivalente a um século em pesquisa cognitiva com idosos, como aponta Carey, mas também serve para abalar o antigo preconceito com idosos, existente desde que Aristóteles exagerou seus déficits pela primeira vez. Carey acredita que essas novas descobertas vão "colaborar para um ceticismo crescente sobre a verdadeira intensidade do declínio relacionado à idade".

4 Estudos sobre Alzheimer e outras formas de demência começam a questionar se o início acontece em uma idade muito mais jovem, embora não seja ainda possível detectar externamente os sintomas. Nesse caso, isso desafiaria a ideia de que o gatilho desse tipo de quadro é, principalmente, a velhice. Como aponta Benedict Carey, redator de medicina e ciência do *New York Times*, "dúvidas

dito que um dia vamos descobrir que os mais velhos e os mais novos têm alguns tipos semelhantes de fluidez. Não importa quantas vezes eu erre na educação de minha filha em qualquer dia, ela acorda na manhã seguinte e, embora nem tudo seja esquecido, tudo é perdoado e superado. Quando apagamos as luzes à noite, ela também dá boa-noite a todo e qualquer dissabor causado por seus entes queridos. A partir da manhã seguinte, tenho uma nova chance de consertar as coisas. Sei que esses dias logo vão acabar, que sua inteligência emocional vai se tornar mais cristalizada, como a minha, e isso vai afetar suas dimensões afetivas. Mas, por ora, ela tem a inteligência emocional fluida demonstrada pelos idosos, que também superam com mais facilidade mágoas e falta de consideração. Crianças e idosos não esquecem, mas, normalmente, não permitem que as dores infeccionem.

Em seus últimos anos, quando ficou conhecido como o "Velho Mestre", Picasso teve uma onda fenomenal de criatividade, o que não é pouco, considerando a quantidade de obras extraordinárias que já havia produzido. De certa forma, ele descreveu o ciclo completo, revisitando os assuntos de seus primeiros anos como pintor, mas extraindo muito mais deles, dessa vez. Quando morreu, aos 91 anos, ele havia atingido um novo auge como pintor. E se conseguíssemos, como Picasso, cultivar a inteligência fluida a vida toda, de forma que ela não cedesse tanto espaço para a inteligência cristalizada, mas se combinasse a ela? Manter uma dimensão artística seria a chave para "criançar" em todos os estágios da vida? Isso poderia levar a novos tipos de fluidez criativa, intelectual e emocional – um coração e mente abertos sempre mais cheios?

Velho rabugento

Várias culturas e eras diferem a respeito de quando começa a velhice, como diferem sobre se esse é um estágio bom ou ruim, ou as duas coisas. Para Aristóteles, porém, a meia-idade é nosso auge físico, mental e criativo. Depois

---

sobre a extensão média do declínio [cognitivo] [nos idosos] têm raízes não em diferenças individuais, mas em metodologia de estudo. Muitos estudos que comparam pessoas mais velhas e mais novas, por exemplo, não levam em conta os efeitos da doença de Alzheimer pré-sintomática.

disso, passamos do cume. Aristóteles propõe uma imagem desanimadora da velhice. Em seu *Retórica*, ele declara que não existe essa coisa de envelhecer com elegância. Para quem chega à velhice:

> *De maneira geral, a vida é um mau negócio. O resultado é que eles não têm certeza de nada e fazem tudo de menos... São cínicos, isto é, tendem a propor a pior construção de tudo... Pensam pequeno, porque foram diminuídos pela vida... São covardes e estão sempre antecipando perigo... Gostam demais de si mesmos... Não são tímidos, mas desavergonhados, na verdade... Não têm confiança no futuro... Vivem de lembrança, em vez de esperança.*

Não é difícil entender por que aqueles que acatavam a palavra de Aristóteles como verdade incontestável não mediam esforços para tentar evitar a velhice. Até Immanuel Kant (1724–1804), o filósofo emblemático do Iluminismo europeu e verdadeiro crente na possibilidade da perfeição humana, foi convencido por Aristóteles. Como o filósofo desconstrucionista Jacques Derrida (1930–2004) comenta em um raro momento de escrita clara, a visão de Kant (com a qual Derrida concorda) era de que "corrupção é coisa da velhice, e envelhecer é se tornar corrupto".

Felizmente, há outras perspectivas convincentes, como a de Epicuro (341–270 a.C.), que dedicou sua vida filosófica a entender como podemos nos tornar mais felizes (o que, para ele, significa viver livre de dor física e mental). Ele afirma que os anos da velhice podem ser felizes e plenos, mas, para isso, precisamos aprender desde cedo a manter bons hábitos de exercício, nutrição e controle de estresse. Se tivermos sucesso, Epicuro acredita, temos uma boa chance de evitar a enfermidade que nos impede de permanecer independentes na velhice, para que possamos continuar fazendo as coisas que nos dão mais prazer.

O intelectual e pau pra toda obra romano Cícero (108–43 a.C.) – um notável filósofo, estadista, orador, advogado e teórico político – reconhece que muitos pensadores de seu tempo aceitavam a norma aristotélica de que a velhice (que para eles começava por volta dos sessenta anos) é um estágio problemático e cheio de medos. Ele então refuta ponto a ponto suas "quatro razões para a velhice parecer tão infeliz: primeiro, ela nos impede de perseguir interesses ativamente, segundo, enfraquece o corpo, terceiro, nos priva de quase todos os prazeres físicos, e quarto, não está muito longe da morte".

Ao tratar do primeiro motivo, Cícero afirma que nunca se está velho demais para ser útil. Por exemplo, um idoso pode colocar sua vasta experiência a serviço da comunidade como conselheiro. Cícero acredita ainda que a perda de memória pode ser evitada pelo contínuo exercício mental. Para sustentar esse ponto, ele relata que o estadista e legislador ateniense Sólon (630–560 a.C.) nunca sofreu senilidade, mas se manteve tão produtivo quanto sempre foi durante a velhice – tanto que até "divulgava em seus versos que envelhecia aprendendo alguma coisa todo dia". E quanto à queixa número três, a de que envelhecer enfraquece o corpo? Para Cícero, tanto melhor, já que isso libera a pessoa para se concentrar no cultivo de mente e caráter. Que tal a perda de prazer físico? Também é uma vantagem, porque permite que concentremos nossas energias no cultivo de razão e virtude.

Cícero foi influenciado por Platão, o incomparável filósofo, poeta e dramaturgo, que acreditava que devíamos acolher e aceitar a velhice, determiná-la como um estágio que nos dá a última e melhor chance de conquistar sabedoria sobre o que realmente importa na vida. Para Platão, ver a velhice como vantagem ou desvantagem depende da sua ideia do que é ser jovem. Embora reconhecesse que o envelhecimento físico e mental pode levar a um enrijecimento da mente e do coração, ele apontou de forma convincente que esse enrijecimento pode acontecer também na juventude, dependendo da disposição do indivíduo.

Em seu ainda influente *República*, que Platão escreveu quando tinha 68 anos de idade, o octogenário Céfalo argumenta que a velhice é o que você faz dela. Ele não tem pena de "homens da nossa idade [que] se reúnem [e] reclamam, 'não posso comer, não posso beber, os prazeres da juventude e do amor sumiram...'. Eles se lamentam para quem quiser ouvir de todos os males dos quais a velhice é a causa". No mesmo caminho de Cícero, Céfalo defende que os prazeres intelectuais de conversar, especular e inquirir aumentam à medida que enfraquecem os desejos carnais. Sua mensagem para os idosos é que devem parar de lamentar o declínio de sua força física e comemorar o fato de a velhice tê-los libertado do libidinoso (Glória

Steinem, que completou 81 anos em março de 2015, disse que "as células do cérebro que eram obcecadas agora são livres para todo tipo de coisas boas"). Se a filosofia de "você não está ficando velho, está ficando melhor" de Platão fosse trazida aos dias de hoje, as drogas para tratar disfunção sexual talvez não tivessem vendas tão expressivas. Mas e se o prazer físico estimula buscas intelectuais? Certamente, isso depende da pessoa, como depende (em qualquer idade) de a pessoa ter aflições que dificultem ou impeçam de desfrutar ou mergulhar naquelas coisas que mais importam para ela.

Quando meu pai, Alexander Phillips, se aposentou, em 1990, aos setenta anos, esse homem, essa pessoa tão emocionalmente equilibrada, enfrentou uma depressão. No começo, estava tudo bem. Ele pôde viver uma primeira infância, já que tinha perdido a dele. Quando meu pai tinha sete anos, o dele, então aos 57, caiu morto na sua frente em consequência de um infarto. De certa forma, a infância de meu pai acabou ali. Ele teve vários empregos para ajudar a sustentar mãe, irmão e irmã. Os professores aceitaram resumir seu dia inteiro de estudos em meio período. Embora praticamente não houvesse tempo livre para brincar e explorar, ele aprendeu a tocar piano de ouvido e levava um bom dinheiro para a mãe tocando em pontos de reunião da área. Meu pai era excelente em tudo que se dispunha a fazer; tinha disciplina, impulso e determinação inabaláveis que, felizmente, eu herdei. Depois de um período no Exército, ele se tornou projetista de porta-aviões e, mais tarde, engenheiro elétrico. Depois se formou em administração de empresas, tornando-se a primeira pessoa na universidade a concluir o curso assistindo a todas as aulas no período noturno. Muito tempo depois de eu ir dormir, ele continuava estudando à mesa da sala de jantar, que era praticamente toda coberta por seus livros.

Depois de se aposentar, meu pai finalmente teve infância. Lia pilhas de livros, dava longas caminhadas na praia, dançava a noite inteira. Mas ele sentia muita falta do trabalho, como me contava frequentemente. Tempo livre fazia pouco sentido para ele, a menos que fosse limitado por trabalho. Ele decidiu voltar a trabalhar; tornou-se consultor, emprestando seu *know-how* de quarenta anos de atuação na construção de navios a empresas que mantinham negócios com o Departamento da Marinha dos Estados Unidos, onde ele havia construído sua carreira e alcançado o mais alto cargo disponível para um civil. Em seu tempo livre – que ele apreciava novamente, agora que havia uma estrutura –, voltou a tocar piano e tornou-se presença constante no início da manhã no Wendy's da região, onde os idosos se reuniam diariamente para animados debates sobre questões políticas e filosóficas. Quando eu comparecia, era convidado a mediar o debate. Era maravilhoso ver sua mente ágil em ação quando ele submetia as ideias ao moedor socrático, sempre discutindo e considerando as visões dos outros. Ele teria deixado Cícero e Platão orgulhosos.

Meu pai enfrentou tremendas oscilações da saúde física em seus últimos anos. Mas seu amor pela vida era tão grande que ele se submeteu à segunda cirurgia cardíaca de peito aberto aos 75 anos. Depois de uma demorada recuperação, foi como se tivesse rejuvenescido dez anos; a medicina moderna operou sua magia por um tempo. Quando voltou a piorar, a coisa mais desanimada que disse foi: "Ficar velho não tem graça. Mas vivo um dia de cada vez, e o aproveito da melhor maneira possível". Ele nunca teve pena de si mesmo, nunca se deixou consumir pelo pesar por coisas que ainda queria fazer mas não podia, como realizar um sonho antigo de ir à Grécia visitar a pequena ilha vulcânica de Nisyros, de onde os pais tinham emigrado. Nós nos tornamos especialmente próximos em seus dois últimos anos de vida. O carro dele até se transformou em uma biblioteca portátil para os meus livros. Por mais que ele me dissesse o quanto se orgulhava do legado que eu deixaria, eu me orgulhava ainda mais do que ele deixava para mim e para aqueles cuja vida havia tocado. Ele e minha mãe me deram uma infância e uma juventude ideais, que me permitiram imaginar e construir o tipo de vida adulta criativa com a qual ele não pôde sonhar. Meu pai me fez prometer que eu iria à Grécia no lugar dele, e que teria muitos diálogos por lá. Ele sabia que, se eu fosse, ele iria de carona, de certa forma – não só em espírito, mas também porque é uma grande parte de mim em todos os sentidos.

Estágios de idade

O teólogo cristão Santo Agostinho de Hipona (354–430), cuja escrita teve influência decisiva no rumo tomado pela filosofia ocidental nos séculos seguintes, estava longe de ser original em sua divisão do ciclo da vida em seis estágios (com a velhice começando aos sessenta). A novidade é sua ideia de como esses estágios nos afetam:

> *De acordo com essas divisões, ou estágios de idade, você não muda de um estágio para o outro, mas, permanecendo no mesmo, sempre conhecerá o novo. Não seguirá para a segunda idade para ter que pôr fim à primeira; nem usará a terceira como um meio de arruinar a segunda; nem a quarta começará para que a terceira possa morrer; nem a quinta invejará o poder de permanência da quarta; nem a sexta suprimirá a quinta. Embora esses estágios não aconteçam ao mesmo tempo, continuam em harmonia entre eles na alma... e o conduzirão à eterna paz e tranquilidade do sétimo estágio.*

Não é necessário aderir à sua fé religiosa ou a nenhuma outra para entender a importância da ideia de que esses estágios que vivemos nunca desaparecem de vez, mas permanecem conosco. E quanto à afirmação de Agostinho de que os estágios que vivemos contribuem para o desenvolvimento de um eu harmonioso e tranquilo, mas em evolução – quc cada novo estágio contribui naturalmente para o envelhecimento de tal forma que torna quem somos mais ricos, em vez de mais pobres? Cada estágio pode provocar em nós uma nova demonstração de curiosidade, racionalidade, imaginação, humor e compaixão que o anterior, e a transformação é tão suave que nem temos consciência do que aconteceu.

A filosofia de estágios de Agostinho se baseia em uma noção idealista de um tipo de eu duradouro que é solo fértil para o contínuo desabrochar ao longo da vida. Ele concebe os estágios como plataformas vizinhas, perfeitamente conectadas, que geram o novo a partir do mesmo, como os compositores criam canções ou sinfonias com os mesmos conjuntos de notas e barras.

Mesmo que algum estágio específico esteja longe de ser tranquilo, mesmo que (ou especialmente) ele tenha considerável desequilíbrio, pode oferecer material para o desenvolvimento do indivíduo e de outras pessoas. Pode levar o indivíduo a produzir uma enxurrada de trabalhos e obras que continuem tocando as pessoas por muito tempo depois de sua própria vida ter terminado. Embora muito dependa da casualidade, de circunstâncias que estão além do nosso controle, as pessoas mais admiráveis se recusam a ser definidas pelas piores coisas que acontecem com elas, e algumas conseguem extrair beleza desses acontecimentos de um jeito que transcende o eu, tempo e lugar.

Apesar de Agostinho acreditar nos estágios sem transição, o venerado médico e autor suíço Paul Tournier (1898–1986) afirma que são as transições entre um estágio e outro, não os próprios estágios, que mais importam no nosso desenvolvimento:

> *A experiência de viver no intermediário – entre o momento em que saímos de casa e aquele em que chegamos ao destino; entre o tempo em que saímos da adolescência e aquele em que chegamos à idade adulta... É como o tempo em que um trapezista solta a barra e paira no ar, pronto para se agarrar a outro apoio; é um tempo de perigo, de expectativa, de incerteza, de empolgação, de extraordinário estar vivo.*

E se você não está preparado para se soltar, mesmo que haja outro apoio a que se agarrar? E se tem "ansiedade de desligamento" e se apega ao suporte em que está? Alguns trapezistas, mesmo com anos de treino, não conseguem soltar a barra no momento crítico; percebem ou intuem que alguma coisa não está certa. Balançam de volta à plataforma original, respiram fundo e começam de novo (muito raramente, decidem não continuar provocando o destino e desistem). Tournier reconhece o perigo e a incerteza envolvidos em transições, bem como a descarga de empolgação e o sentimento de estar vivo que as acompanham. *Timing* é tudo. Porém, mesmo quando as coisas estão em sincronia ideal, algo pode dar errado. Por outro lado, mesmo quando o momento não é o ideal, ajustes quase instantâneos podem ser feitos, às vezes, e tudo dá certo. Sente-se uma euforia e um tremor de ter escapado por pouco de um tropeço trágico. Isso pode dar ao indivíduo uma nova ou renovada apreciação pela vida, pode até mudar radicalmente a visão de vida da pessoa.

Como ponte entre um e outro estágio de vida, as transições deveriam ser feitas de fases, com um começo, um trecho intermediário e um fim. Existe um estágio fisiológico e cognitivo que precede as transições, no qual é criado o trampolim para o que vem a seguir? Uma transição é considerada aquilo que vem antes de um modo de vida mais permanente. Seria a transição um estado permanente da condição humana? Transições levam a nascimento contínuo? Ou isso depende de nos afastarmos do seguro e conhecido e entrarmos em terreno desconhecido com curiosidade e encantamento, ou esperneando e gritando?

O poeta contemporâneo Alfred A. Poulin Jr., que merece uma plateia muito maior, compara, em "Saltimbanques" (ou "Acrobatas"), aqueles que são "atraídos para o tempo e o espaço do outro pela mais estranha lei da gravidade do amor" a uma "trupe de acrobatas experientes" que arrisca tudo para viver uma espécie de queda livre na qual seu único apoio é "o ar da imaginação". Mesmo que consigam essa proeza "só por um momento", que momento é esse, o de amar outra pessoa com toda a força do coração, da mente e do ser? Existem aqueles poucos fenomenais que mantêm um romance com a própria humanidade e, de algum jeito, aplicam esse tipo de amor íntimo e assertivo. Em escala pessoal ou grandiosa, nossas pétalas podem ser machucadas ou arrancadas nesse processo. Pior, podemos perder aqueles por quem ousamos arriscar ou sacrificar tudo em nome do amor e despencar no ar. O poema diz que vale a pena, que é a tentativa que mais importa e nos define – "pois o que fazemos não é por nada além de quem somos, de quem escolhemos nos tornar".

O jardim humano

Em *O videota*, de Jerzy Kosinski (*Muito Além do Jardim*, no cinema), o jardineiro conhecido como Chauncy – ou "Chance" – quase não tem contato com ninguém fora da casa onde morava e trabalhava como jardineiro desde que conseguia lembrar. Quando o dono da casa morre e ele tem de ir embora, por uma sinistra coincidência, ele passa a ser cuidado por Benjamin Rand, um dos mais influentes líderes do ramo no país, que toma as reflexões simples de Chance sobre jardinagem como sabedoria profunda. Chance acaba convivendo com a nata da sociedade. Tem até uma audiência com o presidente, que pede sua opinião sobre estímulo do crescimento. Chance responde: "Se as raízes não forem cortadas, não tem problema. E tudo vai ficar bem no jardim. Primeiro vem a primavera e o verão, mas depois temos o outono e o inverno. E depois temos primavera e verão de novo... e outono e inverno". Isso leva Rand a dizer ao presidente: "Acho que o que nosso sábio jovem amigo está dizendo é que acolhemos as inevitáveis estações da natureza".

E se aplicarmos a filosofia de Chance ao jardim humano? Os grupos de nativos maias com quem mantive diálogos frequentes quando minha esposa e eu moramos em Chiapas, México, acreditam que cada um dos quatro estágios biológicos de infância, juventude, maturidade e velhice promove importantes tipos de crescimento e mudança, que eles marcam com ritos especiais de passagem. De acordo com seu sistema de crenças, os estágios do ciclo da vida humana são mais bem representados na forma de um círculo, sem hierarquia, como os ciclos sazonais da natureza. Quando um membro do grupo morre, normalmente no inverno da vida, é um tempo do círculo não só para cerimônias de recordação, mas também de renascimento e renovação. Não é só que consideram que sua comunidade como um todo é maior que a soma de suas partes, mas, quando alguém faz parte do mundo deles, faz parte para sempre, suas raízes nunca são cortadas.

Onde estão as coisas da infância

Cerca de vinte interessados investigadores – uma mistura de crianças, jovens, pais solteiros e idosos – estão reunidos comigo em uma biblioteca pública no sul do Maine. Quando eu era recém-formado na faculdade e orientador de acampamento na área, há mais de trinta anos, visitava essa biblioteca sempre que tinha um tempo livre. Seu teto abobadado de vigas, as janelas de vitrais que fazem parte do prédio desde que ele foi construído, no começo do século 19, e a eclética coleção de livros criavam um convidativo santuário. Mais que tudo, eu apreciava a companhia e a conversa de Gaby Schaefer, bibliotecária-chefe naquela época. Gaby e eu compartilhávamos um amor por todas as coisas de Jane Austen, Charles Dickens, Edith Wharton e até Charles Portis.

Quando meu emprego de verão chegou ao fim, a saudade que eu sentia da minha terra na Virgínia tinha diminuído, e eu não estava mais ansioso para voltar tão cedo. O Maine parecia ser um lugar ideal para começar o que eu esperava que fosse uma carreira de redator. Tive um começo promissor, embora difícil, quando consegui o emprego de repórter iniciante em um jornal semanal que pertencia a uma família. Gaby me deu a dica da vaga. Quando finalmente voltei à Virgínia para mais um emprego em jornal, ela e eu mantivemos contato. Eu me tornei jornalista *freelancer* para revistas de circulação nacional. A procura por uma boa matéria – meu forte era contar histórias de nossos heróis anônimos – me levou ao outro lado da América. Mandava um cartão-postal para Gaby de qualquer lugar onde eu fosse parar. Ela guardava todos eles em um álbum de recortes, que prometeu me dar um dia para eu ter uma lembrança das minhas peregrinações.

Quando deixei o jornalismo para me dedicar ao Sócrates Café, Gaby – agora bibliotecária emérita, mas igualmente dedicada – me convidou para conduzir diálogos na biblioteca em sua cidade, antes insular, agora com uma considerável diversidade étnica e vítima do desenvolvimento urbano. Fazia mais de um ano que eu não via Gaby. Como sempre, seus olhos cor de âmbar e cheios de vida nadavam atrás dos óculos grandes, e o cabelo estava penteado em um coque comprido que descansava sobre um ombro. Em nossas correspondências, ela não havia me contado que vivia presa a uma cadeira de rodas depois de ter caído da escada em sua casa, seis meses antes. E diminuiu a importância da minha preocupação. "Não vamos falar sobre coisas que não podemos consertar." Ela perguntou sobre minha filha Cali, que encontrara duas vezes e que deveria ter ido comigo. Respondo que Cali teve febre alta e, para sua decepção, teve de ficar em casa. Antes de começar a frequentar a escola, Cali era uma companheira ainda mais frequente nas minhas viagens socráticas. Comento com Gaby sobre minha preocupação de que nossas viagens pelo mundo – que começaram quando Cali tinha dois meses de idade, sem um endereço permanente em seus primeiros seis anos de vida – tenham prejudicado seu desenvolvimento e me tornado um pai relapso. Uma vez, aos cinco anos, ela me disse com os olhos brilhando, quando nos mudamos para mais um apartamento mobiliado: "Pai, temos muitas casas!". Mas eu temia que um dia ela pensasse em sua infância e lamentasse a falta de amigos constantes e de um quarto que pudesse chamar de seu.

Como os participantes ali presentes sabem pelo anúncio da biblioteca, pretendo investigar uma questão que tem a ver com algumas facetas das idades ou dos estágios de vida. É a própria Gaby quem propõe a questão. Olhando para mim, ela pergunta: "O que é a infância ideal?".

"Tenho opiniões bem definidas sobre o que compõe uma infância ideal, e como isso pode levar a um adulto ideal", ela diz, "mas queria saber o que todos aqui pensam disso."

"Aposto que eles querem saber qual é a sua opinião", respondo.

Ela sorri. "Não vai me deixar escapar." Está preparada para a minha inquisição. "Concordo com a ideia de infância oferecida pela mãe de Jo em *Mulherzinhas*. Ela acredita que 'crianças devem ser crianças enquanto puderem'. Imagino que isso signifique que crianças devem ter uma vida tão despreocupada e descomplicada quanto for possível. Devem ter responsabilidades, sim, e, por mais que um pai seja protetor, elas certamente serão expostas a preocupações e tristezas. Mas os pais devem garantir que os filhos tenham tempo para ser apenas crianças, viver fora da rotina e explorar e descobrir quanto quiserem. Não deve haver 'mães tigresas' estalando o chicote. Nem 'pais helicópteros' pairando sobre cada movimento que fazem."

"Essa é uma boa teoria, mas o mundo atual é mais que nunca um cachorro-comendo-cachorro", diz Onika, administradora hospitalar, "com o custo de vida aumentando e os empregos bem remunerados cada vez mais escassos. Pais trabalhadores mal conseguem manter um teto decente sobre a cabeça dos filhos. Vai piorar nos próximos anos, com a globalização acirrando a competição pelos bons empregos. Nós, os pais, temos de fazer tudo que for necessário para que nossos filhos saiam na frente. Somos obrigados a explorar cada oportunidade na vida deles para desenvolver ao máximo suas habilidades."

"Isso significa que a versão atual de uma infância ideal deve ser repleta do tipo certo de atividades. Meu filho e minha filha estão matriculados em cursos extracurriculares de programação de computadores, idiomas, desenvolvimento científico, e ainda têm tempo para praticar alguns esportes. Pelos padrões antigos, talvez sejam sobrecarregados, mas esse é o novo padrão, o novo ideal."

Sua visão de quando começa a infância e termina a vida adulta pode ter coisas em comum com a de Hannah Arendt (1906–1975), uma das mais importantes filósofas do século 20, que afirmou que "onde se localiza a linha entre infância e vida adulta em cada caso não pode ser determinado por uma regra geral; ela muda com frequência, em relação à idade, de país para país, de uma civilização para outra, e também de indivíduo para indivíduo".

Onika continua: "Eu sou 'mãe tigresa'. E eu supervisiono para ter certeza de que não estão relaxando. Cabe aos pais direcioná-los, discipliná-los, moldá-los para que possam ter uma vida adulta ideal". Ela está sentada entre os dois filhos e os abraça. "Eles são bem-ajustados e felizes. De verdade, não há outro tipo de infância a que eles possam se comparar. A infância que têm é a mesma que os amigos deles têm. Eles entendem que precisam começar a se preparar agora para a vida adulta."

"E a irmã do Mason, meu melhor amigo, Mishi?", pergunta seu filho Kishan. "Ela tem leucemia. Talvez não viva para ser adulta." O menino olha para o restante do grupo. "Os pais e irmãos de Mishi se sacrificam muito para que ela possa aproveitar a vida agora. Desde o diagnóstico, os pais dela pararam de exigir tanto dos outros filhos. Entenderam que o presente é tudo que eles têm."

A mãe dele fica em silêncio por um tempo. Depois diz: "Não pensava nisso fazia tempo, mas perdi uma amiga quando tinha a idade de Kishan, mais ou menos. Um dia, Mychal parou de ir à escola. Minha mãe me contou que ela estava doente. Passei meses sem vê-la, até que minha mãe me levou à casa dela para me despedir. Pensei que Mychal ia se mudar para outro lugar. Ela estava muito doente. Quase não a reconheci. Ela morreu na semana seguinte".

Onika afaga a mão de Kishan. "É verdade, sabe, ninguém sabe se uma criança vai chegar à vida adulta. É preciso viver algumas coisas como se o hoje fosse tudo que você tem."

A conversa entre eles me faz lembrar um trecho do romancista russo e filósofo moral Leo Tolstói (1828–1910) publicado em sua autobiografia, *Adolescência*. Quando criança, ele ficou tão preso à visão filosófica de que "a morte me esperava a qualquer hora, a qualquer momento, [que] tomei a decisão... de que o homem só pode ser feliz fazendo uso do presente e não pensando no futuro". Tolstói relata sua visão da juventude sobre como essa filosofia foi mais bem aplicada: "Durante três dias... negligenciei minhas aulas e não fiz além de... me divertir lendo um romance e comendo biscoitos de gengibre com hidromel, coisas em que gastei o último dinheiro que tinha".

Onika continua: "Mas ainda é preciso prepará-los para aquilo tudo, mesmo tentando garantir que eles tenham tempo para viver cada dia. É um esforço de equilíbrio. Tenho que me esforçar mais nisso".

Eu me sinto impelido a perguntar ao grupo: "Se a infância ideal é aquela em que as crianças podem ser crianças enquanto for possível, também podemos dizer que a vida adulta é algo a ser evitado até que não seja mais possível?".

"Não se você tiver o tipo certo de vida adulta", responde Josie, 91 anos, uma dervixe rodopiante que se envolve em praticamente todas as atividades da comunidade. "Embora você não perceba, em *Ode: Intimations of Immortality from Recollections of Early Childhood* (Ode: prenúncios de imortalidade recolhidos na mais tenra infância, tradução livre), de Wordsworth, ele chamou de infância", ela se levanta, põe as mãos para trás como uma criança pronta para recitar um trecho na escola, "'um tempo quando pradaria, bosque e riacho, a terra e todo cenário comum a mim pareciam revestidos de luz celestial'. Por outro lado, ele acredita que a vida adulta é cheia de nostalgia e tristeza: 'As nuvens que se aglomeram em torno do sol poente assumem uma coloração sombria ao olhar, que esteve voltado para a observação da mortalidade humana'."

"A resposta de Wordsworth para sua pergunta", ela me diz, "seria: 'sim, mantenha a vida adulta afastada enquanto puder'." Ela balança a cabeça. "Queria agarrá-lo pelo colarinho e dizer: 'Não precisa ser assim'. A infância ideal deve evoluir para uma vida adulta ideal e, daí, para uma velhice ideal, em que curiosidade, encantamento e a ideia de que tudo é revestido por luz celestial seja mais que nunca uma parte de sua vida."

"Quando eu era criança, em minha casa na área rural da Carolina do Norte, meus pais deixavam nosso grande quintal entregue à natureza", conta Onika. "Aquilo era um universo para mim, um lugar onde eu podia explorar e entrar em contato com a natureza e comigo. Mas esqueci essa linguagem da natureza." Ela fica em silêncio, mas depois prossegue com um tom quase inaudível: "'Houve um tempo em que eu falava a linguagem das flores, entendia cada palavra da lagarta, sorria em segredo da fofoca das estrelas... houve um tempo em que eu falava a linguagem das flores... Como era isso? Como era?' Isso é de Shel Silverstein. Parte da mensagem é que você pode perceber melhor as maravilhas do mundo quando é mais novo".

Essa também é a perspectiva do filósofo pré-socrático Demócrito (470–360 a.C.) e de Platão. Nenhum dos dois considerava a sabedoria um subproduto automático de idade ou experiência.

"Não quero que meus filhos esqueçam como são essas coisas", Onika fala em seguida. "Se você perde a capacidade – ou nunca a aprende – de conversar com as coisas da natureza, muito do brilho da infância se perde. As crianças também podem perder oportunidades na vida adulta. Se elas se tornam próximas da natureza quando pequenas, podem decidir se dedicar a uma carreira nas ciências." Ela pensa um pouco mais. "Vou abandonar um pouco meu lado prático para dizer que isso também pode inspirá-los a ser poeta, ou romancista, ou explorador de algum jeito, como um astronauta. Isso não seria ruim."

Então Vitaly, que chegou ao Maine vinda da Ucrânia, sua terra natal, mais de um quarto de século atrás e tem um café e confeitaria popular administrado pela família, diz: "Meu pai nunca teve tempo para aprender outro idioma além daquele da dura realidade. Ele me pôs para trabalhar vendendo jornais em uma esquina quando eu tinha cinco anos. Mas minha mãe garantiu que eu ainda tivesse tempo para brincar. Minha vida adulta também foi de trabalho duro, mas saio cedo do emprego aos sábados e nunca trabalho aos domingos. Sempre que possível, levo meus filhos para uma aventura ao ar livre enquanto minha mãe – por insistência dela – cuida da confeitaria. Minha mãe acredita que uma infância não pode ser ideal a menos que se tenha muitas oportunidades para explorar o mundo à sua volta". Ele exibe um livro bem manuseado. Era *A Sense of Wonder*, da bióloga Rachel Carson, que deu início ao movimento ambientalista global. "Minha mãe, que, tenho certeza, teria se tornado cientista, se tivesse chance, nos deu este livro. Para mim, ele é uma bíblia. Carson fala sobre a primeira vez que levou o sobrinho, pouco mais que um bebê, na época, à orla marítima do Maine, e como ele 'riu de pura alegria' da canção do vento, do estrondo das ondas e da escuridão. Seu sobrinho se deliciou com a vida em torno dele." Ele vira as páginas até encontrar o trecho que procura: "A imagem daquelas criaturinhas vivas, solitárias e frágeis contra a força brutal do mar tinha tocantes nuanças filosóficas... Foi bom ver sua aceitação infantil de um mundo de coisas elementares... com a empolgação de um bebê".

"Fiz questão de que meus filhos tivessem uma dose regular de natureza", ele conta. "O de nove anos quer ser botânico. Já está estudando sozinho – e me ensinando, e ensinando à avó – a fascinante linguagem científica da natureza. Não é uma linguagem proibitiva para ele, mas uma espécie de poesia."

Nesse caso, o filho dele pode desmentir a visão de Thoreau de que "a criança colhe sua primeira flor com um *insight* de sua beleza e importância que o botânico subsequente jamais reterá". Seu filho pode ser alguém que sempre estudará as flores e plantas como se as visse pela primeira vez.

"Esse livro é um dos meus favoritos", diz Gaby. "Como diz Rachel Carson, se uma criança quer preservar seu encantamento inato durante toda a vida, precisa da companhia regular de um adulto, pelo menos, que possa compartilhar com ela 'a alegria, a empolgação e o mistério do mundo em que vivemos'."

"Queria que meus netos apreciassem mais os grandes espaços ao ar livre", comenta Josie. "Quando eles me visitam, se pudessem, passariam o tempo todo jogando no *tablet*. Grande parte do que eles veem na TV ou internet é difícil de controlar, mesmo quando os pais supervisionam. Eles têm acesso a informações e imagens ilimitadas. Não há dúvida, as crianças de hoje conhecem mais o mundo. São muito mais sofisticadas no que dizem e em como se comportam do que eu era na idade delas. Parecem pequenos adultos. Não tenho como julgar se isso é o ideal para as crianças de hoje, mas não teria sido para mim, quando eu tinha essa idade. Vai haver muito tempo, mais tarde, para perder a inocência sobre o lado mais sombrio do mundo."

"O fato de processar uma grande quantidade de informação e imagens na infância não significa que você é um pequeno adulto, e não sei se isso sempre acarreta a perda da inocência", diz Tracy, que é dona de um próspero negócio de horticultura. "Fico espantada com como meus filhos conseguem absorver e processar tanta informação, enquanto eu fico confusa e sobrecarregada. Mas seria bom experimentar as coisas na infância de um jeito ativo e participativo para a infância ser ideal, em vez de absorver tudo de maneira passiva, como faz a maioria. Perdi a inocência sobre o lado mais sombrio do mundo ainda cedo na vida, mas também tive oportunidades para aprofundar a sensação de encantamento como poucas crianças têm."

"Meus pais temiam que eu tivesse uma infância prejudicial", ela conta em seguida. "Definitivamente, não foi convencional. Eles foram julgados com dureza por muitos amigos e familiares, que achavam que meus pais deviam ter criado raízes em um lugar depois que eu nasci – como se, depois de ter um filho, a vida nômade fosse puro egoísmo. Tive o mundo ao alcance das mãos. Aos doze anos, tinha dado a volta ao mundo duas vezes com meus pais, ambos fotojornalistas. Fui exposta a coisas muito bonitas, outras nem tanto. Conheci crianças indígenas na América Latina que trabalhavam nos campos ou vendiam objetos artesanais assim que aprendiam a andar. Estive em regiões da África onde as pessoas morriam de doenças evitáveis. Também encontrei uma tribo no Amazonas que não tem conceito de tempo, vivem como alguns diriam ser uma infância ideal. Vi Machu Picchu, a Torre Eiffel. Vi*site*i o Nepal e o Tibet. Foram anos repletos de encantamento. Às vezes, ainda me sinto como se estivesse recuperando o fôlego depois de tudo isso. Definitivamente, ainda estou processando tudo o que vi. Na época, viajar fez parte da minha personalidade, felizmente para meus pais, e para mim também. Mas agora, como adulta, tudo que quero é ficar em um lugar só."

Gaby olha para Tracie e diz: "Você me faz querer ter tido sua infância – ou a da filha de Chris, que já viu muita coisa pelo mundo e, pelo que posso notar, praticamente vive para viajar, como o pai dela. Isso teria combinado com minha natureza. Minha infância foi parecida com a de Jane Austen. Nunca me afastei muito do lugar onde nasci, viajava por intermédio dos livros que lia. Como ela, tive acesso a uma grande variedade de livros na biblioteca de meu pai, embora, no meu caso, tivesse que entrar escondida para ler quando sabia que ele não me pegaria lá. Li algumas coisas para as quais não estava preparada – D. H. Lawrence, Henry James, Anaïs Nin. Não entendia boa parte do que estava lendo. Mergulhava nos trechos com linguagem arrebatadora e descrições celestiais, embora eróticas". Ela faz uma pausa, leva as mãos às faces. "Ai, ai, estou me sentindo uma hipócrita. O que eu diria sobre as crianças de hoje é que acho, como Josie, que são expostas a muita 'mídia' antes de estarem prontas para isso, e que isso é o oposto do ideal. No entanto, poderia dizer a mesma coisa sobre minha infância, e não fui prejudicada por isso."

Ela então diz: "Trouxe o amor pela palavra escrita para a vida adulta. Nunca me tornei uma grande escritora, mas, como bibliotecária, estou sempre cercada pela palavra escrita. Todos os dias, convivo com pessoas de todas as idades que compartilham do meu amor por ela. Para mim, isso contribuiu para uma vida ideal. Diferentemente do Sr. Wordsworth, nunca houve nuvens se aglomerando em torno do meu sol poente e emprestando uma coloração sombria ao meu olhar".

O breve silêncio é interrompido por Josie. "Tive um filho antes de completar dezesseis anos. O pai era meu amor desde o jardim da infância. Nosso bebê foi concebido pouco antes de Ronnie partir para lutar na Guerra da Coreia. Meus pais fizeram minha transição da juventude para as responsabilidades da vida adulta e de mãe de um jeito tão ideal quanto se podia esperar para alguém nas minhas circunstâncias, naquela época ou em qualquer outra. Deixaram claro que eu ainda era filha deles, e que me amariam e cuidariam de mim como sempre, mas que também teriam que me preparar para assumir toda a responsabilidade por minha filha. Com o apoio deles, me formei no ensino médio no tempo certo, depois estudei enfermagem e me tornei enfermeira registrada. Quando Ronnie voltou do longo período de serviço militar, nós nos casamos. Tivemos mais quatro filhos. Depois de um tempo, abandonei a carreira de enfermeira. Criamos nossos filhos em uma fazenda, tentamos dar a eles todo o tempo do mundo para serem só crianças, embora eles também tivessem suas tarefas na fazenda. Todos deixaram o Maine, exceto o mais velho, que assumiu a fazenda, que hoje está aos cuidados da filha mais velha dele, e foram fazer alguma coisa distintiva e criativa na vida. Temos na família um construtor de barcos, um diretor de fotografia, um especialista em medicina interna e um curador de arte. Gosto de pensar que a infância que tiveram tem a ver com essas escolhas."

Josie fica em silêncio, pensativa. Quando olha para nós de novo, ela diz: "Uma semana depois de Ronnie e eu decidirmos que éramos namorados, no jardim de infância, ele me deu uma rosa. Era o primeiro dia da primavera. Ele a colheu de uma roseira da mãe. Até morrer, três anos atrás, ele manteve a tradição. Tenho 83 rosas secas em um álbum. Toco as pétalas frágeis da primeira rosa que ele me deu, e é como tocar minha infância idílica".

Infância interrompida

O filósofo francês Gaston Bachelard (1884–1962), que deu importantes contribuições à poesia e à ciência da filosofia, afirma, em *A poética do devaneio*, que os adultos nunca perdem a essência da infância, que "permanece dentro de nós um princípio de vida profunda, de vida sempre em harmonia com a possibilidade de novos começos". E aqueles que não tiveram muita infância, se é que tiveram alguma – que tiveram que se tornar pequenos adultos em uma tenra idade? Por exemplo, a vida profunda e harmoniosa que Bachelard exalta não fez parte do crescimento de Jean-Jacques Rousseau. Sua mãe morreu quando ele tinha nove anos, e, depois disso, o pai, um relojoeiro, se casou novamente e deixou Rousseau aos cuidados de um tio abusivo. Com a infância irrecuperavelmente perdida, Rousseau fugiu de Paris para Genebra, onde se escravizou em uma variedade de trabalhos. Provavelmente, apesar das dificuldades na infância e por causa delas, Rousseau se tornou um dos nossos mais celebrados filósofos, com *insights* elaborados sobre pensamento moral e político que influenciaram não só a Revolução Francesa, mas também a evolução da moderna teorização política, social e educacional. Em *Emílio*, seu famoso tratado sobre educação publicado em

1762, ele argumentou que o fugaz estágio da infância merece cuidados e proteção. Rousseau incentivou os pais a permitirem que seus filhos "amem a infância, se dediquem a seus esportes, prazeres e deliciosos instintos".

> *Quem nunca lamentou a perda daquela idade em que o riso estava sempre nos lábios, e o coração, sempre em paz? Por que roubar desses inocentes as alegrias que passam tão depressa, o presente precioso de que eles não podem abusar? Por que encher de amargura os dias fugazes da infância, dias que não voltarão para eles, nem para você?*

Talvez ele pensasse na negligência do próprio pai quando escreveu estas palavras tocantes:

> *Pais, vocês podem dizer quando a morte chamará seus filhos? Não atraiam para si o pesar roubando-os do breve período que a natureza reservou para eles. Assim que eles tomarem consciência da alegria na vida, deixem-nos desfrutar dela, de forma que, quando forem chamados por Deus, não morram sem terem conhecido a alegria da vida.*

Rousseau antecipou veementes objeções a esta afirmação: "Ouço ao longe os gritos daquela falsa sabedoria que está sempre nos arrastando em frente, contando o presente como um nada, e perseguindo sem trégua um futuro que voa enquanto o buscamos". Porém, quando era um jovem pai, Rousseau não praticou o que defendeu em *Emílio* aos cinquenta anos de idade. Depois do período que passou em Genebra aos vinte e poucos anos, Rousseau voltou sem nenhum dinheiro a Paris, onde teve cinco filhos com sua amante, uma costureira. Rousseau relata, em seu *Confissões*, que, incapaz de cuidar da prole, ele convenceu a amante a deixá-los em um hospital para enjeitados. Na época, o abandono de crianças era comum em Paris entre os pais pobres. Uma década mais tarde, Rousseau tentou, sem sucesso, encontrar seus filhos. Provavelmente, eles não sobreviveram; na época, a taxa de mortalidade infantil girava em torno de 50%.

Mesmo que a perspectiva de Rousseau de que os pais devem fazer tudo que puderem para garantir que os filhos tenham uma infância rica fosse viável, ou pelo menos concebível, ela teria encontrado resistência em seu tempo e antes dele. Como afirma o historiador Philippe Aries em *Centuries of Childhood*, da era medieval até a parte final do século 19, a infância era vista no mundo ocidental como uma "fase sem importância da qual não era necessário guardar nenhum registro". Certamente, estágios da infância foram criados há muito tempo por agora anônimos pensadores na idade média – estágios como *infantia*, que durava do nascimento até os sete anos, *pueritia*, que se estendia até os doze anos, mais ou menos, depois *adolescentia*, e em seguida um estágio conhecido como *juventus*, que servia de ponte entre a adolescência e a vida adulta. Mesmo assim, embora a infância pudesse ser um estágio reconhecido da vida, não era um estágio valorizado.

Talvez, então, não deva ser surpreendente, embora seja decepcionante, que Michel de Montaigne, o influente filósofo do Renascimento francês e fundador do ceticismo moderno, tenha confessado abertamente poucos pesares pela perda de um filho: "Perdi dois de três filhos ainda na infância, não sem tristeza, mas sem grande pesar". Sua lembrança estoica é tão preguiçosa que ele não consegue recordar nem sequer quantos filhos morreram. Isso não combina com a reputação de Montaigne de ser um de nossos mais respeitados humanistas. Deixar de chorar a perda de um filho seria impensável, imperdoável, de fato, para a maioria dos pais modernos, mais ainda para o humanista moderno. Mas, como Aristóteles, Montaigne não se importa muito com crianças. Ele chegou a caracterizar o que as crianças fazem como "bobagem pueril". Em sua opinião, sua única razão de ser era "para nosso entretenimento, como macacos". Considerando a opinião que tinha sobre crianças, não é de estranhar que mal lamente as que perdeu.

O que é a vida adulta ideal? Para a maioria dos adultos, é aquela em que eles desfrutam de considerável medida de autonomia e escolha. Ao longo de eras, porém, esse tem sido um ideal inalcançável para muitos. O historiador e filologista de Yale John Boswell aponta que, nas modernas sociedades ocidentais, considera-se uma garantia que "todos de mente sã alcançam o *status* de adulto independente ao atingir uma idade prescrita", porque "suas capacidades sociais e políticas estão maduras"; e assim, eles são "induzidos ao mundo do adulto, com todos os privilégios e responsabilidades que isso implica, e todos são submetidos a esse rito de passagem". Porém, esse ideal é um mito que não pode ser conciliado com a realidade da maioria das vidas. O fato é que, "durante a maior parte da história ocidental, só uma minoria de adultos atingiu independência [social e política]"; o restante da população passou a vida toda em um estado jurídico mais comparável à "infância", no sentido de que permaneceram sob o controle de alguém – pai, lorde, senhor ou marido. Naquele tempo, como agora, a maioria dos adultos esperava por sua chance de uma vida adulta idílica, mesmo que continuassem sendo tratados como crianças, em um sentido humilhante. Eles vivem em circunstâncias nas quais têm pouco controle sobre o próprio destino, por mais que trabalhem duro, e praticamente nenhum tempo para se encantar, explorar, saciar a curiosidade – mas muitos, por mais opressoras que sejam suas condições, de algum jeito asseguram aos filhos uma infância que um dia eles vão lembrar como ideal.

Extrapolar

"O que significa agir de acordo com a idade?", pergunta Alonzo, quinze anos.

Faço parte da equipe de educadores de um acampamento de verão para crianças e jovens de cidades do interior. O acampamento fica à beira de um lago cristalino no norte de Nova York. Um dos diretores, participante de um Sócrates Café que aconteceu em uma lanchonete no Brooklyn, teve a ideia de promover conversas filosóficas noturnas no acampamento. Quando ele perguntou se eu iria até lá para presidir um diálogo, agarrei a oportunidade. Não há nada melhor que filosofar sob as estrelas. Além disso, crianças nessa etapa da vida são incomumente perceptivas, e eu não tinha dúvida de que elas me ajudariam a aprofundar o *insight* filosófico sobre idade e questões relacionadas a ela. E é assim que em uma noite no meio do verão, em uma clareira cercada de bétulas amarelas, estou sentado com um grupo de jovens de treze e quatorze anos em volta de uma fogueira, com o céu sobre nós como um verdadeiro planetário.

"Minha professora do ano passado estava sempre me dizendo: 'É hora de você aprender a se comportar de acordo com sua idade'", Alonzo conta, imitando a voz da professora, depois que revelo o tema que estou investigando. "Mas eu estou me comportando de acordo com minha idade. Crianças da minha idade parecem mais velhas de vez em quando. O que a Sra. Michaels queria dizer, na verdade, era 'Comporte-se como eu quero que se comporte'."

"O que ela queria dizer", opina Vivienne, que tinha sido colega de turma dele, "é 'Comporte-se como eu acho que alunos da sua idade devem se comportar na minha aula'. A Sra. Michaels disse, desde o primeiro dia, como esperava que a turma se comportasse. Ela é uma professora séria e exige alunos sérios, maduros."

"Está confundindo ser sério com ser maduro", diz Hector. "Você pode ser boba e madura. Quando vou ao jogo de beisebol com meu pai, ele grita como um garoto. O homem trabalha duro, e ir ao jogo é um jeito de ele esquecer as preocupações diárias e deixar sair sua criança interior."

"Sim, tudo bem se comportar desse jeito em um jogo de beisebol", Vivienne responde. "Mas pode acreditar, se ele gritasse do mesmo jeito na apresentação de uma sinfonia, seria posto para fora, e com razão. Agir de acordo com a idade tem a ver com a situação. Por isso Alonzo vive com problemas na escola. Ele se comporta em sala de aula como se estivesse em um jogo de beisebol."

Em *Ética a Nicômaco*, Aristóteles defende que se deve agir com "caráter firme e imutável", seja qual for a situação. Mas ele não é tão rígido quanto pode parecer à primeira vista, já que diz que você pode moderar ou "temperar" seu caráter, sem deixar de ser fiel a ele, se ou como a situação exigir.

Vivienne continua: "Se você vive na Era do Gelo, na Idade da Pedra, na era espacial ou na era da informação, só existe um jeito apropriado de se comportar quando é aluno e está na aula de um professor, e é com seriedade, respeito e atenção – em uma palavra, com maturidade. Se você se esforça para ter um comportamento maduro, logo começa a sentir-se maduro. Vai se sentir melhor em relação a si mesmo, e todos na sala vão se sentir melhor em relação a você".

Sem saber, Vivienne está defendendo o ponto de vista de um filósofo e psicólogo americano, William James (1842–1910), um dos principais pensadores do fim do século 19. "Atitude e sentimento andam juntos", James afirma, "e quando regulamos a atitude, que está sob controle mais direto da vontade, podemos regular indiretamente o sentimento, que não está." Então, se você quer se sentir mais feliz, mais maduro ou mais aventureiro, apenas comece a agir de um jeito mais feliz, mais maduro ou aventureiro, e o resto vai acontecer – esse é quem você vai se tornar de verdade.

Alonzo discorda da afirmação de Vivienne. "Isso é o que você acha. Não existe um guia explicando o que significa se comportar de acordo com sua idade aos quatorze anos de maneira geral, ou em alguma situação específica."

"*Deveria* ter", afirma Yahaira. "Algum tipo de série de livros, incluindo *Comporte-se de acordo com sua idade*, ou... *Os anos da adolescência*. Assim, quando não estiver agindo de acordo com sua idade, você pode consultar o livro e entender por que um adulto, uma professora, brigou com você por se comportar de maneira imprópria para sua idade."

"Quem escreveria o livro?", quero saber.

"Pessoas que são autoridades no assunto", ela responde. "Tipo, alguém com um Ph.D. em estudos do adolescente."

"Você vai precisar de um grupo completo de autores-especialistas juntando forças para trabalhar no livro", diz Alonzo. "Além desse Ph.D., o grupo também deve ter adolescentes. Quem é mais especialista em adolescência e comportamento adolescente que os próprios adolescentes? Nós seríamos os melhores 'adolescentólogos'. Com esse livro, poderíamos ditar nossos termos sobre a etiqueta adolescente apropriada. Porque adultos como a Sra. Michaels esquecem como é ser adolescente, e toda a pressão que chega de todos os lados – amigos, pais, professores – para agir de um jeito específico. Melhor ainda, ele deveria ser escrito por adolescentes. Aposto que a Sra. Michaels não ia querer que adolescentes fossem coautores em um livro de etiqueta para adultos. Afinal, não sou nenhum 'adultólogo'. Então, por que os adultos ajudariam a escrever um livro sobre comportamento apropriado para a adolescência?"

"E se escrevêssemos um livro sobre comportamento adequado à idade para um prodígio?", pergunta Moises, se interessando pelo assunto. "Tem que ser um livro criado especialmente para eles. Um prodígio não se comporta como qualquer outra pessoa de sua idade. São prodígios, portanto, agem de acordo com sua idade *para um prodígio*."

"Muitos prodígios são sérios demais e profissionalmente disciplinados", ele continua. "Tiger Woods foi um prodígio do golfe na infância e na adolescência. Quando se tornou adulto, passou de prodígio a melhor golfista profissional na história do esporte. Mas ele não agia de acordo com a idade em sua vida privada, não para um homem casado e com filhos. Até ser exposto, ele se comportava como um garoto em uma loja de doces pornográficos. Mas devo reconhecer. Desde aquela crise, ele passou a agir com maturidade e se tornou um verdadeiro exemplo."

"Para um adulto, agir de acordo com sua idade deveria ser agir como um adulto", diz Yahaira. "Posso não ser uma 'adultóloga', mas sei que, se você é engraçado ou sério por natureza como um adulto, deveria ser responsável, já que ser um adulto tem a ver com encarar seus compromissos com seriedade." Ela pensa um pouco mais. "Acho que isso também se aplica a crianças, mas com adultos, que devem ser nossos modelos, se aplica ainda mais."

"Meu pai ainda sonha ser um inventor bem-sucedido", diz Alonzo. "Ele consegue arrumar serviços variados suficientes para pagar as contas, pelo menos, mas passa todo o tempo que pode mexendo em coisas dentro de um *closet* que transformou em uma pequena oficina. Até agora, ele não ganhou muito dinheiro. Acho que é por isso que minha mãe sai de perto dele – de todos nós – de vez em quando. Ela fica irritada. Diz que ele é uma 'criança crescida'. Até hoje, ela sempre voltou. Sabe que não conseguimos viver sem ela."

"Um famoso poeta e dramaturgo do século 17 chamado John Dryden chamou os homens de 'crianças mais crescidas'", conto a eles. "Com isso, Dryden quis dizer que os apetites adultos são tão 'aptos a mudar quanto o delas, e tão vorazes também, e tão vaidosos', que podemos ser, em outras palavras, tão imaturos quanto crianças, com exceção da presente companhia. Mas apegar-se e nutrir algumas atitudes e comportamentos da juventude não pode ser algo bom em nossos anos mais avançados da vida adulta?"

Roy, o diretor do acampamento, se manifesta pela primeira vez: "Não se for irresponsável a ponto de não cuidar de suas responsabilidades e obrigações como cônjuge ou pai". Depois, olhando na direção de Jonathan, ele continua: "Isso me traz à cabeça um trecho da Bíblia: 'Quando eu crescer, deixo de lado as coisas infantis'. Parece que sua mãe quer que seu pai deixe de lado as coisas infantis e se comporte mais de acordo com a idade dele".

Vivienne se torna a aliada inesperada do pai de Alonzo. "O pai dele pode ser pouco realista, mas não parece ser irresponsável. Está ajudando a pagar as contas, mesmo que tente realizar sonhos de infância em seus anos de vida adulta."

"Se você é uma pessoa responsável, seja qual for sua idade ou circunstâncias, age de um jeito maduro e respeitoso, apropriado e responsável", diz Taunya. "Esses adultos que não se comportam assim não são crescidos. Como diz John Edwards: ele é um adulto, mas não é crescido. É a mesma coisa com Arnold Schwarzenegger. Eles têm idade de adulto, mas seu comportamento é o que tem de mais distante de um comportamento adulto. Quando tiveram filhos com outras mulheres, eles traíram não só a esposa, mas também os outros membros da família, do país, todos que trabalhavam com eles, que votaram neles, que doaram para suas campanhas."

"O comportamento deles *é* repugnante, admito", diz Alonzo. "Mas *estavam* agindo de acordo com sua idade *para gente do tipo deles*. Encontro histórias o tempo todo sobre políticos, celebridades e estrelas do esporte que são mulherengos, traem como se não houvesse amanhã. Se é assim que tantos deles se comportam, se esse tipo de comportamento é a norma para políticos, astros do esporte e celebridades, então, é normal *para eles* com relação a agir de acordo com a idade. Se alguma pessoa comum releva suas atitudes, ou até as toma como exemplo, coitada dela, que vergonha. Isso significa que nossa sociedade como um todo ainda tem muito que amadurecer."

"Não dá para concordar com tudo que você está dizendo", responde Vivienne. "Agir de acordo com a idade quando se é adulto deveria ser, no mínimo, agir com mais responsabilidade que a média dos jovens. Isso significa não que você tem que ser perfeito, mas que deve tentar ser responsável, admitir seus erros e estar atento às *consequências* de seus atos. Quanto mais envelhece, mais responsável você deve ser. Quando é inconsequente, quando não se importa com como suas atitudes afetam as pessoas que ama e todas as outras que se dedicaram a melhorar sua vida, isso significa que você só se preocupa com a própria satisfação, seja qual for o preço para os outros. Pessoas assim são não adultas; são anticrescidas."

Ela faz uma pausa antes de continuar: "Agir de acordo com a idade, na minha situação de vida, significa colaborar a qualquer momento e em qualquer lugar com tudo que puder manter a cabeça da minha família acima da água. Essa é a primeira vez em minha vida que saio da cidade; nunca tive sequer férias. Quando estou em casa, tenho que cuidar dos meus irmãos mais novos, porque minha mãe é sozinha e precisa trabalhar. Depois que ela volta para casa, por volta das seis da tarde, é minha vez de ir trabalhar. Lavo pratos em um restaurante para ajudar em casa. O acampamento está pagando a creche para os meus irmãos enquanto estou aqui, e consegui licença no trabalho. Desde que cheguei aqui, tenho pensado que agir de acordo com minha idade *deveria* ser ter mais tempo para diversão e descanso. Não me importo de ser muito responsável em casa, mas não tinha percebido quanto estava cansada e como pode ser difícil, para alguém da minha idade, assumir tanta responsabilidade, até vir para cá e ter tempo para relaxar".

"Estou começando a pensar mais sobre agir de acordo com a idade e com o que isso tem a ver", diz Yahaira depois de um breve intervalo. "No verão passado, fui à Disney World com meu grupo da ACM, e vi lá eu vi gente idosa vestida como princesas da Disney. Alguns membros do meu grupo debocharam delas, porque não consideravam apropriado pessoas mais velhas vestidas daquele jeito. Mas elas estavam muito felizes, e não prejudicavam ninguém. Qual é o problema de se vestir de princesa Disney, seja qual for sua idade?"

"Algumas coisas que você faz não podem ser desligadas da idade?", pergunta Moises. "Essas senhoras contrariavam a convenção – iam contra as crenças da maioria das pessoas sobre o que gente da idade delas deveria vestir. Eu admiro isso. Espero ser assim quando tiver a idade delas."

Isso leva Vivienne a dizer: "Minha avó fala que está crescendo ao contrário, em direção à juventude. Ela diz que está se tornando impulsiva, irresponsável. Trabalhou duro a vida inteira. Chegou a hora de agir em desacordo com sua idade".

"Então, por que não me admira por ser eu mesmo na sala de aula?", Alonzo pergunta a ela.

"Você não está contrariando convenções, está contrariando a etiqueta da sala de aula. Não está agindo como alguém que não se submete à idade. Está se comportando de um jeito imaturo que é específico para um contexto."

Alonzo não está preparado para ceder. "Bom, Peter Pan não se submetia à idade *e* desafiava limites. Se servia para ele, serve para mim também. Ele e os Garotos Perdidos nunca cresceram, e viveram felizes para sempre na Terra do Nunca. Essa é a vida que eu quero."

"Michael Jackson, que ele descanse em paz, criou uma casa que chamou de Neverland, ou Terra do Nunca, como o lugar onde Peter Pan vivia", diz Taunya. "A intenção era transmitir a mensagem de que ele era uma pessoa que não queria crescer nunca. Prefiro não acreditar nisso. Ele não era o homem-criança que descrevem. Só ficou fixado. Agir de acordo com a idade não é possível para alguém com esse tipo de fixação. Ele não se submetia à idade, mas não de um jeito bom, porque não tinha como seguir em frente."

"No ano passado eu li *O apanhador no campo de centeio* para a escola", conta Moises. "É sobre um adolescente, Holden Caulfield. Ele não quer saber de virar adulto, porque sente que o mundo adulto é de falsidades. Para Holden, agir de acordo com a idade – como os outros esperam que ele aja – significaria vender a alma, e ele não quer nada disso. Mas ele paga o preço: está isolado, perturbado e triste. De seu ponto de vista, ele e a irmã pequena, Phoebe, estão juntos contra o mundo. Fico pensando no que vai acontecer quando a irmã dele crescer e mudar, e ele continuar do mesmo jeito."

Ele fica em silêncio por um tempo, pensando. Depois diz: "Sabe, pensei que o livro fosse sobre um adolescente que se recusa a crescer. Agora estou pensando que é um livro sobre um adolescente que *não consegue* crescer. Foi assim com Michael Jackson. Alguma coisa aconteceu com eles, em algum momento de sua criação, que interrompeu o amadurecimento mental e emocional, mesmo que eles tenham ficado mais velhos fisicamente. Eu não ia querer me libertar da idade desse jeito".

"Isso me faz pensar no Sr. Schuester, ou Sr. Schue, como ele é conhecido, da série 'Glee'", diz Vivienne. "Ele é o diretor do Glee Club no colégio. É descrito como um 'homem-criança chorão e estranho que tem loção no cabelo, mas não tem amigos adultos'. Esse Sr. Schue é diferente de qualquer adulto que já vi no mundo real. Mas ele tira o melhor daqueles adolescentes. Até recruta um atleta do time de futebol – um *quarterback*! – para participar do grupo de canto. O *quarterback* é um cara corajoso, enfrenta o deboche dos outros atletas para participar do Glee Club, o que não é coisa de jogador de futebol. Ele não está exatamente agindo de acordo com a idade, mas está sendo honesto com ele mesmo, com sua melhor versão, independentemente do que os outros falam ou pensam. Na minha opinião, isso é não se submeter à idade."[5]

Agir de acordo com a idade

Como se pode determinar o que é ou não apropriado a determinada idade? As crianças costumam esperar essa indicação daqueles que as criam? Essa é uma parte importante, talvez a mais importante, do que significa ser pai? Certamente, parte da razão pela qual os livros sobre parentalidade vendem aos montes é que os pais precisam de orientação sobre essas coisas. Mas e se os próprios pais se comportam de maneira imprópria para a idade?

"Parentalidade" é definida como um conjunto de tarefas que inclui, entre outras coisas, "a criação de um ou mais filhos, especialmente o cuidado, amor e orientação dados por um pai". Há outras expressões e termos que fazem parte do léxico da criação de filhos – maternidade, paternidade e, no mesmo espectro, irmandade, que também sugerem que os membros jovens da família precisam de orientação sobre o comportamento apropriado à idade. Todos conotam os papéis positivos desempenhados pelos membros da família na equação da criação. Provavelmente, um dia haverá derivativos afirmativos adicionais – jovenzar, parentar, adultar, que (se eu tiver alguma participação na decisão) estarão sob o guarda-chuva de "criançar".

E quanto aos bebês na família? Eles têm um papel importante na nossa criação? Se têm, a definição atual do verbo "mimar" (*babying*, em inglês) não faz justiça a como um bebê ajuda a nos amadurecer. Pelo contrário,

---

5 Pouco tempo depois desse diálogo, o ator canadense Cory Monteith, que fazia o papel do *quarterback* na série, morreu em decorrência (de acordo com a autópsia) de uma "intoxicação por drogas mistas". Ele tinha 31 anos.

ele conota um jeito pejorativo de alguns pais tratarem seus filhos. Significa pais e outros adultos responsáveis decididos a manter as crianças sob seus cuidados em um estado de imaturidade que logo se torna impróprio para a idade. De acordo com o dicionário, esses pais "tendem a ser indulgentes com frequentes cuidado e solicitude excessivos ou impróprios". Mas o bebê, com sua linguagem sem nexo, protesta: "Isso não é mimar; eu não tenho nada a ver com essa bobagem". Na verdade, isso é complacência da pior espécie.

Mimar merece uma definição diferente. Merece o mesmo tipo de versão melhorada dado a suas contrapartes. Se mimar é *babying* em inglês, então, o bebê está emprestando suas habilidades naturais para nutrir adultos – pais, irmãos, parentes, vizinhos, estranhos que passam por ele e cujos olhos se iluminam, momentaneamente tomados pela esperança e a promessa de uma nova vida que personifica fascinação, encantamento, exploração. Mimar deve ser especificado como o processo pelo qual os bebês animam as pessoas que têm a honra de fazer parte de seu universo.

O conhecido teórico político Benjamin Barber não concordaria comigo. Em *Consumido*, o teórico político nos pede para imaginar um universo construído e comandando por pessoas "infantilizadas". Se você seguir a caracterização dele, em nosso universo os adultos seriam governados por apetite, e para eles autoengrandecimento e autogratificação são tudo. Barber afirma que hoje a América é uma nação operada por adultos que se comportam exatamente assim – "adultecentes", ele os chama –, crianças-modelo para o consumo crasso e glutão induzido por mercados comerciais fora de controle. Ele argumenta que adultos do país todo, ao se comportarem como crianças, embora um pouco melhor, estão desencadeando a derrocada da nação. Nossa única esperança de sobrevivência é que eles – ou, posto de outra forma, nós – parem com essa bobagem.

A definição padrão de dicionário para "infantilizar" é reduzir a um estado ou condição infantil. Aristóteles certamente teria concordado com Barber sobre adultos que se comportam de maneira inadequada à idade se encaixarem nessa definição. Mas o comportamento dos adultos é, de fato, infantil? Ou ele é uma forma abismal de "adultização" e o roto falando do rasgado? Se um adulto deixa de se comportar como um adulto responsável, isso não é motivo para impugnar crianças e adolescentes. Adultos irresponsáveis são só isso. Deixe as crianças fora da história; já chega de bodes expiatórios. Por que comparar adultos que se comportam mal à conduta de uma criança ou de um bebê? Por que igualar caprichos e descontroles excessivos ao comportamento normal dos mais jovens? Sempre que adultos gastam mais do que podem, são consumidores vorazes e desatentos, jogam a virtude ao vento, sempre que eles têm uma crise de birra, por que não dar o nome certo e deixar as crianças fora disso?

Às vezes as crianças são incomparáveis no exercício da disciplina e da força de vontade. Se minha filha Cali serve de exemplo, ela rejeita regularmente minhas ofertas para comprar alguma coisa para ela quando estamos pela rua. Ela prefere fazer coisas – livros, cartões, pipas, animais de pelúcia, asas encantadas – a comprá-las, já que isso significa que outras pessoas estariam imaginando e criando por ela. Quando dei a ela um cartão no Dia de São Valentim, ela delicadamente me censurou: "Pai, por que não fez um?". Fico espantado ao ver como ela quer poucos produtos manufaturados, em comparação à maioria dos adultos que conheço (inclusive eu mesmo). Ela está longe de ser "infantilizada". Minha filha, o anticonsumismo e o faça você mesmo são santidades? Não. Ela gosta dos patins novos, dos tênis e bonecas Barbie, do vestido da Polo. Gosta ainda mais de comprar e vender em lojas de consignação, porque gosta de "dar às coisas uma segunda e terceira vida".

Vamos rever a definição de infantilização com seu atual significado mal informado pelas ideias perversas de Aristóteles sobre as crianças. De agora em diante, infantilizado deve ser uma forma de elogio. Deve significar ser inquisitivo e conectado a outras pessoas, cuidar e compartilhar, como só as crianças conseguem fazer. Essa definição contribuiria, em grande parte, para desfazer o dano causado por seu uso atual, refletindo a recém-encontrada compreensão dos adultos de que crianças, tipicamente, não são as criaturas autoabsorvidas que foram consideradas por tanto tempo.

O filósofo pragmático americano John Hermann Randall (1899–1980), em A *criação da mente moderna*, discorre sobre aqueles cuja "infância é prolongada" e por isso "conseguem continuar aprendendo, quando outros chegaram ao limite de seus poderes e recursos naturais". Nesse sentido, e se infantilização significa o processo de prolongar a infância do indivíduo de maneiras que facilitem seu contínuo desenvolvimento ao longo da vida? E se isso implica a habilidade de permanecer inquisitivo na essência, com o coração cheio de sentimentos por seus semelhantes?

Já que estamos falando sobre isso, vamos dar uma conotação diferente à expressão "agir como criança". C. S. Lewis opina que "críticos que tratam 'adulto' como uma expressão de aprovação, não como um mero termo descritivo, não podem ser adultos". Ele diz:

> *Preocupar-se com ser adulto, admirar o adulto por ser adulto, corar diante da suspeita de ser infantil; essas coisas são as marcas da infância e da adolescência. E na infância e na adolescência são, se moderadas, sintomas saudáveis. Jovens devem querer crescer. Mas levar essa preocupação sobre ser adulto para o meio da vida ou até para o começo da vida adulta é sinal de desenvolvimento realmente estancado. Quando eu tinha dez anos, lia contos de fada em segredo e teria me envergonhado, se fosse descoberto. Agora que tenho cinquenta anos, eu os leio abertamente. Quando me tornei um homem, abandonei coisas, inclusive o medo da infantilidade e o desejo de ser muito adulto.*

Se Lewis pudesse decidir, abraçaríamos a infantilidade e baniríamos a "adultice". Quando adultos consomem além de todos os limites da sanidade, quando estouram o limite do cartão de crédito, desperdiçam horas de lazer plantados em suas centrais de mídia, ignoram quaisquer limites construtivos para o consumo, não se importam com envolvimento cívico (ou consideram envolvimento cívico equivalente a fechar vias de tráfego em uma ponte movimentada entre Nova Jersey e Nova York como retribuição àqueles que não apoiam seus caprichos políticos), eles não são adolescentes ou crianças fracas, e estamos prestando um tremendo desserviço ao descrever seu comportamento como infantil[6]. Além disso, quando crianças e adolescentes

6 Como publicou *The Nation*, em 2007 Barber escreveu no *Washington Post* que a Líbia, sob o agora falecido tirano Moamar TKSP Qaddafi, poderia se tornar "o primeiro Estado árabe a ter uma transição pacífica e sem intervenção aberta do Ocidente para um governo estável não autocrático". Quando escreveu esse texto, Barber era pago com dinheiro líbio, de acordo com um contrato de US$ 3 milhões de dólares por ano com um grupo de consultoria que prometia "melhorar

vivem sob o controle de adultos que colocam poucos ou nenhum limite para si mesmos, é de estranhar que seus descendentes, contrariando sua natureza, terminem muitas vezes capitulando e se comportando da mesma maneira?

Coisas infantis

O trecho bíblico citado parcialmente pelo diretor do acampamento diz: "Quando eu era criança, falava, pensava e raciocinava como criança. Mas quando cresci, deixei de lado as coisas infantis".

Como as crianças falam, pensam e raciocinam? É diferente de como os adultos fazem tudo isso?

John Locke afirmou que crianças têm capacidades de raciocínio inatas, embora na forma bruta. "Nascemos livres, como nascemos racionais", ele propõe em seu *Segundo tratado sobre o governo civil.* Mas ele qualifica: "Não que tenhamos de fato o exercício de um ou outro. A idade que traz um, traz com ela também o outro". Em sua opinião, nossas capacidades de raciocínio só podem melhorar com "o aperfeiçoamento de crescimento e idade", e só então, quando adultos, "suprem os defeitos desse estado imperfeito". Para esse propósito, Locke incentiva os pais a "raciocinarem com os filhos". O que ele quer dizer é que a prática faz a perfeição, e, se queremos que nossos filhos se tornem adeptos de sua capacidade de raciocínio, temos que raciocinar com eles regularmente.

E se os "fornecedores" adultos estiverem com suas capacidades de raciocínio imperfeitas? E se nunca aprenderam a praticá-las de forma apropriada? E se, pelo menos, ao raciocinar com crianças, os adultos operam a partir de uma premissa de que suas contrapartes mais jovens podem ajudá-los a se tornar eles mesmos praticantes mais habilidosos?

---

o perfil da Líbia e de Moamar Qaddafi na Bretanha e nos Estados Unidos". O dinheiro atropelou a honestidade, e, nesse caso, isso diminui as percepções de Barber sobre o comportamento adulto nos dias de hoje?

John Dewey desafiou a opinião prevalente em seu tempo de que a "infância é quase inteiramente irreflexiva – um período de mero desenvolvimento sensorial, motor e de memória", e que só quando ficamos mais velhos surge "a manifestação de pensamento e razão". Dewey passou décadas observando e avaliando crianças e jovens, e isso o levou a concluir, em seu *Como pensamos*, que não somos bebês na floresta em relação ao pensamento de alta ordem, nem mesmo quando somos, bem, bebês na floresta:

> *Pensar começa assim que o bebê que perdeu a bola com que estava brincando passa a antever a possibilidade de alguma coisa que ainda não existe – sua recuperação; e começa a prever passos para a realização dessa possibilidade e, por experimentação, guiar seus atos por suas ideias e, portanto, também testar as ideias.*

Para Dewey, porém, "só tirando proveito máximo do fator pensamento, já ativo nas experiências de infância, há alguma promessa ou garantia para a emergência do poder superior reflexivo" quando ficamos mais velhos.

Como tiramos proveito máximo disso? Se as crianças praticam suas habilidades de raciocínio e os adultos fazem sua parte para incentivar essa prática dedicando-se a ela com os pequenos – cada um levando seus estoques únicos de experiência e a sabedoria que pode resultar deles para a "mesa de raciocínio" –, então, Dewey acredita que, quando uma pessoa chega à adolescência, experimenta um "alargamento do horizonte da infância, uma suscetibilidade a questões e preocupações maiores, um ponto de vista mais geral e mais generoso em relação à natureza e vida social". Isso, por sua vez, "permite uma oportunidade para o pensamento do tipo mais compreensivo e abstrato do que o anteriormente obtido". Isso não desmente, mas confirma sua afirmação de que "o pensamento em si mesmo segue sendo apenas o que foi o tempo todo... uma questão de acompanhar e testar as conclusões sugeridas pelos fatos e acontecimentos da vida". O pensamento da mais alta ordem, pelo menos, que não é uma coisa infantil, nem uma coisa de adulto, mas uma excelente coisa humana.

As crianças são mestres desse pensamento sólido e bem raciocinado. Elas estão sempre procurando explicações sólidas para fundamentar seu raciocínio. O psicólogo do desenvolvimento Henry Wellman descobriu em seus estudos que faz parte da existência diária de crianças de até dois e três anos perguntar por que as coisas acontecem, e depois oferecer as próprias respostas, usando toda evidência que conseguiram reunir para apoiá-las. Mas isso é o mesmo que *boa* evidência de sustentação, mesmo quando eles são um pouco mais velhos? Quando nevou em um dia de primavera, minha filha, que então tinha quatro anos, tinha uma explicação pronta: "As nuvens ficaram confusas. Elas queriam chover, mas fizeram a receita errada de água e temperatura, e aí nevou". Fofo, não é? Mas considerando o que Cali sabia naquela época sobre eventos naturais, a explicação até que é boa. Ou estou sendo muito generoso?

Considere o caso do poeta e filósofo romano Lucrécio (99 a.C.–55 d.C.). Ele teria considerado a presteza de raciocínio de minha filha digna de elogios. Em seu poema de dois milênios de idade, "Sobre a natureza das coisas", Lucrécio propôs um princípio destruidor de paradigmas, o de que o movimento imprevisto e imprevisível da matéria – o "desvio" – não era violação da natureza, mas sua essência. Ele influenciou todo mundo, de da Vinci a Galileu, de Francis Bacon a Maquiavel, todos eles proponentes de mudanças de paradigmas culturais, científicos, tecnológicos e políticos.

Mas esse mais brilhante e sofisticado dos pensadores era perfeitamente capaz de raciocinar... como uma criança típica. Como aponta Stephen Greenblatt, autor de *A virada: o nascimento do mundo moderno*, premiado com um Pulitzer, Lucrécio "pensava que as minhocas eram geradas espontaneamente do solo molhado, que os terremotos eram resultado dos ventos presos em cavernas subterrâneas, que o sol dava voltas em torno da Terra". Suas argumentações se baseavam nas melhores evidências que ele tinha à mão. Porém, não damos às crianças a mesma tranquilidade quando elas se dedicam a tentativas francas de descrever como e por que as coisas são como são, fazendo o melhor que podem para oferecer as explicações mais válidas que têm em seu arsenal experimental para sustentar seus pontos de vista. Achamos suas tentativas fofas, bonitinhas, mas não "científicas". Lucrécio, contudo, as aplaudiria, pois as consideraria tentativas brilhantes de fazer conexões entre causa e efeito. Quando têm evidências mais consistentes à disposição nos anos seguintes, se não foram intimidadas a pensar que suas explicações são juvenis quando não se equiparam às respostas certas que os adultos já conhecem, podem acabar, quando crescerem, vendo coisas que ninguém mais viu ainda – como Lucrécio as viu.

O poeta, crítico literário e filósofo inglês Samuel Taylor Coleridge (1772–1834) defendia que o jeito como as crianças raciocinam é bem diferente da abordagem dos adultos, em parte porque o jeito como percebem fatos e acontecimentos é muito diferente. Ele acredita que comparar a capacidade de raciocínio das crianças com a dos adultos é como comparar maçãs e laranjas. Diferentemente de um adulto, que divide coisas em categorias enquanto raciocina, uma criança é dotada de "raciocínio intuitivo", que ele caracteriza como "aquela intuição de coisas que surgem quando nos sentimos unificado ao todo". Para Coleridge, as crianças se sentem intimamente conectadas à imensidão, e raciocinam a partir dessa sensibilidade – não uma capacidade infantil de "deixar de lado", mas de agarrar-se com todas as forças. Nós, os adultos, ele lamenta, "pensamos em nós como seres separados, e colocamos a natureza em oposição à mente, objeto a sujeito, coisa a pensamento, morte à vida", e assim nosso raciocínio, tal como é, segue em frente a partir desse ponto de vista.

Igualmente importante, Coleridge refuta a visão de William James – acatada, aliás, até hoje, por muitos de nossos mais excepcionais filósofos adultos – de que as crianças enxergam o mundo como uma "confusão florescente, vibrante". Ele afirma que elas enxergam o mundo mais claramente do quc jamais cnxcrgarão. Nessa mesma direção, Alison Gopnik insiste que crianças "são vividamente conscientes de tudo sem estarem focadas em nenhuma coisa em particular". Elas não veem as coisas turvas, mas claras, por inteiro. Eu não ficaria surpreso se, um dia, cientistas cognitivos descobrissem que crianças têm a capacidade de focar qualquer coisa e tudo ao mesmo tempo. Crianças olham para o mundo não só de um jeito holístico, mas também com uma noção de inteireza. Para elas, não há divisões estanques entre seu cosmos interno e externo, não mais do que entre partes e todos. As questões atordoantes que elas propõem refletem isso – e quanto mais nos dedicamos e nos esforçamos para informá-las sobre o que estamos investigando, mais suas perguntas se tornam inquisitivas. Se todos os nossos laboratórios fossem povoados por crianças andando de um lado para o outro, se debruçando sobre o trabalho de cientistas, que se sentiriam obrigados a explicar a elas em termos compreensíveis o que estão fazendo, não tenho dúvidas de que as questões que as crianças proporiam a eles impulsionariam seus experimentos e explorações aos saltos. Da mesma forma, tenho certeza de que, se as crianças tivessem a mesma licença para estudar os adultos como os adultos as estudam, e se fossem transformadas em verdadeiras coinvestigadoras na busca pela compreensão do eu e do outro, os avanços seriam muito maiores e mais úteis a todos os envolvidos.

Ir e vir da idade

E os adolescentes? É comum julgar que suas capacidades são distorcidas e até diminuídas, como as ideias que muitos têm sobre bebês e crianças pequenas, ou evoluímos muito desde os dias do pioneiro psicólogo e educador G. Stanley Hall (1844–1924)? Em seu trabalho marcante, *Adolescence*, Hall afirmou que a adolescência era um tempo de "tempestade e estresse" sem igual. Adolescentes, ele disse, são rebeldes e fisicamente quase tão fortes quando os adultos, mas estão à mercê de hormônios ensandecidos, o que os torna capazes de causar muito prejuízo ao nosso tecido social se não forem submetidos a limites. Pais e educadores de seu tempo, já convencidos de que adolescentes eram um problema vexatório que precisava ser resolvido, receberam bem suas descobertas "empíricas". A visão de Hall sobre a juventude, porém, foi colorida por sua aceitação da ideia darwiniana de que o desenvolvimento de cada indivíduo humano refletia a evolução da espécie humana como um todo. De acordo com seu ponto de vista, adolescentes se encontram em um estágio medíocre e malformado, pouco melhor que as crianças e sua coleção de apetites descontrolados, porém mais perigosos, por sua força física e astúcia mental.

Para socorrer a sociedade, Hall desenvolveu um conjunto de "imperativos pedagógicos" para lidar com a degeneração adolescente. De acordo com esse plano, meninas adolescentes deveriam ser educadas em escolas de conclusão que as preparassem, a uma grande distância dos meninos adolescentes, para o casamento e a maternidade. Para os meninos adolescentes,

a ordem do dia era "treinamento de masculinidade", que se resumia a uma combinação de esportes, exercício e currículo educacional que incutia neles a importância da lealdade e do patriotismo. Hall defendia a abstenção sexual universal para adolescentes, meninos e meninas, já que os considerava muito imaturos emocional e intelectualmente. Seus remédios eram amplamente usados em seu tempo e influenciaram tudo, do desenvolvimento do currículo educacional às práticas dos escoteiros e estratégias de reabilitação para os chamados delinquentes juvenis.

Apontando diretamente para o relato de Hall sobre adolescentes, Margaret Mead, em *Coming of Age in Samoa*, argumentou que não é o caso de afirmar que os adolescentes enfrentam necessariamente uma fase de tempestade e estresse. As observações que ela publicou sobre culturas samoanas revelaram uma sociedade na qual adultos dão espaço para os adolescentes lidarem com as mudanças que vivem, sem julgamento ou pressão. O resultado é que, para eles, a adolescência é um estágio tranquilo, sem praticamente nenhum vestígio de comportamento destrutivo ou agressivo, muito menos *bullying*. Mead concluiu que, nas sociedades em que adolescentes vivem grande conflito, o motivo é a natureza não deles, mas de sua sociedade. Um recente estudo transcultural de 175 sociedades tribais e tradicionais confirma as descobertas de Mead, a saber, que um período de crise psicológica, ou rebeldia, não é de maneira nenhuma típico, muito menos universal (muito menos inevitável), entre adolescentes[7].

Até hoje, na sociedade americana, adolescentes são considerados os mais problemáticos entre nós. Nancy Lesko, da Columbia University Teachers College, uma especialista em estudos do desenvolvimento adolescente, defende que os adultos precisam parar de considerar os adolescentes como um grupo que tem "um conjunto inerente de características naturais ou inevitáveis":

> *Seria extremamente simplista ignorar que várias dificuldades são enfrentadas pelos jovens de hoje – algumas, talvez, bem diferentes daquelas enfrentadas pelas gerações anteriores de jovens –, mas também*

7 Schlegel A, Barry H. *Adolescence: An Anthropological Inquiry*. New York: Free Press, 1991.

> *é verdade que alguns jovens são bem equipados para responder a essas dificuldades, e que há maneiras de melhorar as capacidades de outros jovens para essa resposta.*

Ela nos convoca a fazer deles parceiros igualitários na empreitada cívica, já que os consideramos perfeitamente capazes de fazer escolhas bem pensadas e responsáveis. As importantes questões propostas por Lesko em *Act your age!: a cultural construction of adolescence* são:

> *Podemos trabalhar para melhorar as condições de vida dos jovens sem a confiante caracterização de que os jovens estão em um estágio de vida diferente do dos adultos? Podemos trabalhar para melhorar as condições de vida dos jovens sem a hierarquia do adulto acima do jovem? Podemos considerar o jovem como mais do que se tornando?*

A cada uma devemos acrescentar: podemos considerar os adultos como mais que *sendo*, como se tivessem "chegado"? Se os adultos olhassem para eles mesmos desse jeito, poderiam tratar os mais novos com mais humildade, até de uma maneira mais igualitária?

Lesko alega que "nesses tempos de rápida redução de capital e bem-estar, precisamos de uma nova visão de adolescência". Em sua avaliação, "com esses atuais desafios surgem novas oportunidades para reavaliá-los; para defender a juventude atual, as imagens e os argumentos sobre seu lento amadurecimento não são viáveis". Porém, é precisamente por vivermos em tempos de redução rápida de capital e bem-estar que a ocorrência de qualquer tipo de nova reavaliação da adolescência, assim como a implementação de uma nova visão, é improvável. Certamente, não seria conduzida pelos adultos que têm interesse velado em manter as coisas como estão.

Não é como se os adolescentes fossem de algum jeito predispostos a estar desconectados da sociedade, não mais do que são naturalmente desprovidos de direção ou cínicos, muito menos agressivos ao extremo. Mas o "sistema" pode criar essas características neles, tornando-as quase uma profecia autorrealizável, já que qualquer grupo que é ignorado e deliberadamente enfraquecido para ser incluído em decisões que o afetam diretamente pode reagir à tirania de maneiras autodestrutivas. Isso, por sua vez, pode induzir os adultos a acreditar que tais qualidades são naturais do adolescente, ou pode servir para justificar alguns preconceitos distorcidos e profundamente enraizados dos adultos sobre eles.

Quando Dewey afirma que todo mundo tem o direito de se encaixar na sociedade, não está equiparando "encaixar" a se conformar. Pelo contrário, ele quer dizer que devemos poder moldar a sociedade de maneira que seja possível, para nós, participar dela. Esses adolescentes, por exemplo, que desafiam a sabedoria do senso comum ou os valores majoritários de seu tempo estão, por sua régua, se "conformando" com os ideais de uma sociedade democrática, na medida em que estão fazendo o que fazem melhor para serem incluídos em seu círculo. Se o indivíduo está de acordo com a concepção de Dewey sobre o que é autorrealização, adolescentes que desafiam o sistema de maneiras que podem alterar o *status quo* de forma extrema não estão só causando comoção pela comoção, mas se ajustando, ao estilo adolescente.

Ralph Waldo Emerson declara, em seu trabalho *Self-Reliance* (Autossuficiência, em tradução livre), que "aquele que será um homem deve ser um inconformado", que ele caracteriza como um "cético sábio" que questiona os modos convencionais da sociedade e desafia a "sabedoria" do senso comum da época. Esses céticos são espinhos, incomodam a sociedade no melhor sentido; recusam-se a aceitar que a sociedade é virtuosa ou boa só porque os que a comandam afirmam que é. Emerson também poderia ter afirmado: "aquele que é adolescente é um inconformado". Eles têm detectores embutidos de hipocrisia, uma aguda consciência social e integridade intelectual.

O próprio Emerson tinha uma péssima visão da sociedade americana, que comparava a uma empresa do tipo sociedade anônima composta por bajuladores incondicionais para quem "autossuficiência é sua aversão". De fato, em sociedades estabelecidas ao longo da história, ele considera pertinente a analogia da sociedade anônima. Emerson se anima, porém, com o fato de sempre terem existido alguns poucos cidadãos de destaque em qualquer época e local, que tinham o que ele chamou de "personalidade de Sócrates" e, como tal, mantinham todos em sua sociedade em alerta dizendo como as coisas eram, e também como deveriam ser. A lição que essa gente compartilha, para Emerson, é que "ser grande é ser mal compreendido". É claro, muitos mal compreendidos estão longe de ser grandes. Mesmo assim, quem é mais mal compreendido que os adolescentes?

Embora seja natural da adolescência a rebeldia com uma causa, John Stuart Mill considerava a rebeldia em si e por si mesma uma coisa boa. Mill afirmou, em *A liberdade*, que "o mero exemplo de não conformidade, a mera recusa a se dobrar ao costume, é em si mesmo um serviço".

> *Precisamente por ser a tirania de opinião tão forte a ponto de fazer a excentricidade reprovável, é desejável, para romper com essa tirania, que o povo seja excêntrico. Excentricidade de personalidade sempre abundou onde proliferava força de personalidade, e a quantidade de excentricidade em uma sociedade era, geralmente, proporcional à quantidade de genialidade, vigor e coragem moral que ela continha. O fato de alguns considerarem ousado ser excêntrico marca o principal perigo da época.*

Precisamos de pessoas coloridas, pessoas que pensem em cores. Os jovens têm poucas preconcepções, e ainda menos preconceitos, sobre o que estão vendo; não são presos a sistemas de crenças que prescreveriam certas lentes rígidas para como deveriam ver, muito menos para como precisam ver. Via de regra, não querem que o que é visivelmente fluxo fique parado, que seja fixo e ancorado, e não querem rejeitar o mundo de cores e filtrar o que veem com lentes monocromáticas. Ficam à vontade com essas qualidades que dão cor à paleta do mundo – ambivalência, dúvida, incerteza, incompletude, ceticismo –, também um sinal de uma maturidade intelectual "emersoniana" que pode reduzir ou até murchar totalmente a planta com o passar do tempo.

Sempre jovem

O que significa ser genuinamente sempre jovem, sem idade? Isso nos daria a capacidade de evitar em caráter permanente os anos limitadores? Ficaríamos como somos neste momento de agora em diante, paralisados no tempo nos aspectos físico, mental e emocional? Se é isso, estaríamos em uma espécie de inferno eterno?

No prefácio de seu livro ganhador do Pulitzer, *Doubt* (Dúvida), o dramaturgo John Patrick Shanley escreve sobre seus dias quando frequentava a escola católica no Bronx na década de 1960: "Pensando bem, tenho a impressão de que, nas escolas daquele tempo, éramos uma unidade sem idade. Éramos todos adultos e éramos todos crianças". De acordo com Shanley, crianças e adultos naquele tempo

> *se uniam por afeto e segurança. Consequentemente, éramos terrivelmente vulneráveis a qualquer um que quisesse nos perseguir. Quando confiança está na ordem do dia, os predadores ficam à vontade para atacar... Como revelam os cada vez mais disseminados escândalos da Igreja católica, os caçadores tinham muito o que fazer. E os pastores, tão aparentemente dedicados, sacrificavam o verdadeiro bem pela virtude percebida.*

Se os adultos eram, de fato, os pastores, por mais que pudessem ter fingido ser indistinguíveis de seu rebanho, a tarefa deles era proteger as crianças. No lugar de uma elegia à não diferenciação pela idade, o discurso de Shanley é um relato de alerta sobre o que acontece quando adultos que se colocam em posições de crucial responsabilidade não as assumem como deveriam.

Alguns pesquisadores científicos se dedicam a descobrir o interruptor molecular que pode adiar ou até interromper o processo de envelhecimento. Se um dia eles conseguirem, nós mudaríamos o jeito como vivemos nossos dias? Tirar "o máximo" do nosso tempo, ou o mínimo, considerando que poderíamos ter dias ilimitados pela frente para tirar o máximo dele? Desperdiçaríamos ainda mais horas se nosso tempo de vida fosse ampliado?

No filme *A felicidade não se compra*, quando George Bailey perde a oportunidade de dar um beijo apaixonado em Mary Hatch em um momento em que parece que ninguém está olhando, um personagem memorável diz: "Ah, a juventude é desperdiçada com os jovens". E se a juventude fosse desperdiçada com os velhos, e tivéssemos oportunidades infinitas de experimentá-la? Nós a desperdiçaríamos com ainda mais experiência?

Existem jeitos de nos tornarmos mais jovens com o passar do tempo? Por exemplo, a inocência é sempre atribuída aos jovens. Mesmo que a vida adulta represente a perda de certos tipos de inocência, outros tipos entram em cena quando envelhecemos. Quantos adultos pensaram ser sofisticados e sábios, mas descobriram que ainda são inocentes – em alguns sentidos, para o bem, em outros, nem tanto – sobre as coisas do mundo?

Toda idade tem sua possível fonte da juventude com as próprias receitas de idealismo, inocência, sonhos, esperanças? E se, em vez de nunca envelhecer, não ter idade, buscássemos o pleno envelhecimento, espremer cada gota do que é cada idade na vida, tirar proveito dos conjuntos de sinais de forças e limitações, desafios e experiências e "horizonte de acontecimentos" que ela nos oferece?

Para Epicuro, o objetivo da vida é ficar mais jovem, que por sua concepção é a capacidade de se tornar sempre mais adepto de supor sabedoria sobre como se adquire o que os gregos de sua era chamavam de ataraxia, a feliz e tranquila libertação do medo, do pavor, da ansiedade – não tranquila de um jeito "admirável mundo novo", mas de um jeito nascido da experiência conquistada com esforço e dificuldade. "Que ninguém demore a buscar sabedoria quando é jovem nem se canse da busca quando envelhecer", disse Epicuro. "Pois em nenhuma idade é cedo ou tarde demais para a riqueza da alma." Ele está pronto para enfrentar aqueles rabugentos que afirmam ser cedo ou tarde demais para essa busca: "Dizer que o tempo... ainda não chegou, ou que já passou, é como dizer que o tempo para ser feliz ainda não existe ou não existe mais". A filosofia de vida "não se preocupe, seja feliz" de Epicuro compreende um tipo de busca de sabedoria voltada para dar ao indivíduo uma medida ideal de juventude, seja qual for sua idade: "Velhos e jovens igualmente devem buscar a sabedoria, os primeiros para que, quando a idade chegar, possam ser jovens para as coisas boas por causa da graça do que já foi; e os últimos para que, enquanto são jovens, possam ser ao mesmo tempo velhos, porque eles não têm medo das coisas que estão por vir".

Há uma velha expressão que diz que o indivíduo "tem nele uma criança", o que significa que ele é tão empolgado, curioso, inquisitivo sobre alguma coisa, que está quase explodindo. Não ter idade, não envelhecer, seria como "ter em si uma criança" durante toda a vida, em todas as idades e estágios.

03

Maturidade é tudo

Todas as coisas maduras

De acordo com o dicionário, alguma coisa madura ou amadurecida é algo "totalmente crescido e desenvolvido". No sentido de: não dá para ser mais maduro que isso. No sentido de: daqui para a frente, é só declínio. Alguns podem se iludir pensando que chegaram ao auge da maturidade, quando nada pode estar mais distante da realidade. Outros bem podem ter alcançado um tipo de auge de maturidade que é a coisa mais distante de um tipo admirável ou invejável – pode chegar ao auge da maldade ou da pura crueldade, por exemplo. Quanto antes essa pessoa sair do auge, melhor. Por outro lado, dimensões perdidas de certos tipos "bons" de maturidade podem inspirar a pessoa a desenvolver maturidade em outas áreas. Você pode perder a agilidade física em alguma medida, mas compensa a perda de outras maneiras. Um arremessador de beisebol pode não conseguir mais lançar uma bola rápida que o rebatedor não alcance, então ele se torna mais perspicaz, usa seu vasto conhecimento no jogo, e o dos oponentes, para continuar superando-os. O auge físico é suplantado por uma combinação de crescente astúcia psicológica e habilidade técnica.

E quanto ao auge de ser pai ou mãe?

Estudos mostram que filhos nascidos de jovens adultos têm maior tempo de vida. Isso significa que quem já passou do momento excelente para a procriação, mas ainda tem (ou tenta ter) filhos, é, de alguma forma, relapso? Um adulto pode estar biologicamente maduro para ter um filho, mas não ter maturidade mental ou emocional, ou não ter suficiente maturidade financeira. Alguns podem declarar, quando decidem ter filhos: "Estou tão pronto quanto jamais estarei". Mas isso pode significar, simplesmente, que eles não vão estar mais preparados do que já estão – mesmo que ainda não estejam prontos e estejam, de fato, em um estado de lastimável despreparo. Quando toma decisões de vida monumentais, tais como ser pai ou ter outro filho, ou mudar radicalmente o rumo da vida de algum jeito, pode ser prudente ou até sábio fazer uma avaliação honesta de onde você está, ou pensa estar, em várias dimensões de maturidade. De qualquer maneira, por mais que você considere com cuidado decisões importantes, elas sempre requerem um salto de fé sobre um fosso de incerteza e até ansiedade. O que é mais importante: a combinação de maturidade e prontidão para tentar o salto, ter sucesso ou fracassar?

Pronto ou não

Os nove casais que compareceram à primeira semana do curso de parto natural de minha esposa, Ceci, olham para o gráfico que ela aponta, e que oferece uma prévia da jornada de um bebê da concepção ao parto. Quando ela chega à parte do gráfico que detalha o que vai acontecer entre o quarto e o quinto mês de gestação, nossa filha Cali, que está sentada no chão de pernas cruzadas, com um bebê de plástico nos braços, o deixa no chão delicadamente, cobre o boneco de fralda e se levanta. "O feto começa a crescer bem depressa", ela diz ao grupo. "Por isso, o útero precisa ficar maior, e de um jeito especial. Tem de abrir espaço para o tamanho e a forma mutantes do bebê, que tem agora cerca de um terço do peso que vai ter quando nascer." Ela pega a caneta-ponteiro da mão de Ceci e traça um círculo invisível em torno do útero no diagrama: "Como vocês podem ver, a parte de cima do útero, aqui entre as trompas de Falópio, se estende em direção ao peito da mãe".

Os participantes estão impressionados. A professora de cabelos cor de âmbar e olhos cor de ágata, na época com quase cinco anos e meio, sabe o que está dizendo. E não surpreende que saiba. Cali sempre ouviu falar em parto natural. Ela acompanha as aulas da mãe desde pequena, e tem bom conhecimento sobre os detalhes do assunto. O fascínio de Cali pelo mundo do parto é tão grande que as chances de ela ser vista em casa absorta em uma das coleções de vídeos de Ceci são as mesmas de ser encontrada assistindo a um dos DVDs de sua coleção mais "apropriada para crianças".

Ceci e eu estávamos juntos havia dez anos quando Cali nasceu com a assistência de uma parteira, às 6h40 de uma sexta-feira, dia 18 de agosto de 2006, na ala obstétrica do Roosevelt Hospital em Midtown Manhattan. A chegada dela foi dramática. Ceci teve doze horas de trabalho de parto ativo e uma transição difícil. Ela já estava perdendo as forças, quando Cali ficou presa no canal de parto. Isso pressionou o cordão umbilical e reduziu sua frequência cardíaca. A parteira acionou a equipe de obstetrícia no andar de cima. Minha esposa, exausta, foi transferida de maca. A cesariana parecia inevitável. Enfermeiras a prepararam para a inserção de tubos intravenosos. Uma máscara de oxigênio foi posicionada sobre sua boca e nariz. De algum jeito, nesse momento, Ceci encontrou forças para empurrar pela última vez. O bebê coroou. Ceci empurrou de novo. Cali caiu em meus braços acolhedores. Nossa rainha do drama nasceu meio azulada e perfeita, e com o braço direito estendido – por isso ela ficara presa – acenando para o mundo.

Demos a ela o nome de Calíope, a deusa grega da sabedoria e poesia. Eu tinha acabado de completar 47 anos quando ela nasceu. Por mais que me considerasse preparado para viver com um pacotinho de alegria, descobri que não tinha a menor noção de como lidar com a mudança quântica. Eu estava escrevendo um novo livro e uma dissertação de doutorado. De repente, não conseguia, não queria fazer meu trabalho. Fingia escrever no começo de cada dia. Mas tudo que eu queria era olhar para minha bebê, ver cada movimento e cada pequeno ruído, desfrutar de sua companhia enquanto ela dormia, gritava, fazia cocô ou era amamentada pela mãe. Perdi os prazos pela primeira vez em minha vida. Ouvi sermões do editor e do supervisor de doutorado.

Mais de seis semanas tinham passado. Terminei o livro, *Constitution Café*, e minha dissertação (que discutia se o questionamento socrático contribui para uma democracia participativa), e me tornei Dr. Phillips aos cinquenta anos. Ao longo do caminho, criei uma rotina para escrever. Meu período de trabalho mais produtivo sempre foi o das tranquilas horas matinais. Mas Cali liga no volume máximo desde o momento em que acorda – e por mais cedo que eu comece meu dia, ela sente, de algum jeito, e insiste em receber o novo dia com o papai enquanto ele bebe a primeira xícara de café. Agora, escrevo mais depois que ela dorme.

Uma vez por semana, mais ou menos, Cali e eu temos um compromisso. Vamos a um restaurante que escolhemos juntos. Enquanto comemos, fazemos um mini Sócrates Café. As perguntas que Cali formula são tão variadas quanto provocativas: "Por que você é meu pai? É melhor querer alguma coisa ou precisar de alguma coisa? Por que existem as palavras? A vida seria melhor sem o tempo?".

Compartilho do espanto de Karl Jaspers com o fato de, quando uma criança faz "perguntas realmente sérias", muitos adultos presumirem que "as crianças devem ter ouvido isso dos pais, ou outra pessoa". Ele se espanta por essas pessoas não pensarem que as crianças são totalmente capazes de formular perguntas de fazer cair o queixo sem nenhuma ajuda externa. Afinal, isso faz parte de sua constituição.

As perguntas e respostas de Cali ficam comigo, seguem exigindo mais consideração. Uma pergunta dela que levei um tempo para entender foi: "Por que fico tão perturbada quando coisas que não são de verdade sofrem?". Quando estava no jardim da infância, Cali ganhou uma série de livros para aprender o alfabeto. Cada livro trazia uma "pessoa letra". Uma delas ela não suportava olhar – o Sr. Z, que tinha um zíper como boca. Ela decidiu criar a própria cartilha. Em sua versão, o Sr. Z tinha uma boca normal. Quando me mostrou o Sr. Z que tinha criado, ela me explicou: "As pessoas estão sempre dizendo 'zíper fechado na boca'. Mas ninguém deveria pôr um zíper de verdade na boca de alguém". Cali achava que o criador do Sr. Z tinha feito seu personagem sofrer desnecessariamente. Ela sabe que ele não é real, mas, para ela, sofrimento é sofrimento, seja de uma pessoa de verdade, seja de um personagem fictício. Ela sente a dor deles, e, se pode aliviar essa dor, ela não pensa duas vezes. Sempre que me vê com uma expressão que pode ser de autorreprovação por alguma coisa que falei ou fiz naquele dia e tem a ver com ela, Cali segura minha mão e diz: "Papai, ninguém é perfeito". Ela é praticante da descrição de empatia do filósofo da moral escocês Adam

Smith: "Entramos onde estaria o corpo [de outra pessoa], e nos tornamos, em alguma medida, a mesma pessoa que ela". O que aprecio cada vez mais é o papel de Cali de me ajudar a ser um pai melhor, uma pessoa melhor. Ela é, em muitos sentidos, minha professora, minha guia.

Cali termina sua apresentação para os participantes do curso de parto natural com uma declaração: "Quando minha mãe ficar grávida de novo, vou ajudar a cuidar da placenta dela".

Ceci e eu nos olhamos intrigados através da sala. Embora o restante dos presentes não saiba bem o que pensar de seu pronunciamento, nós não estamos muito surpresos. Durante a temporada do Natal, quando Papai Noel perguntou o que ela queria de presente, a resposta foi direta: "Quero um bebê, um bebê de verdade". Esse era um novo território para o Papai Noel. Ele olhou para nós esperando alguma orientação. Mas Cali deu as explicações necessárias. De onde estava, sentada no colo do Papai Noel, ela disse: "Papai e mamãe, quero um bebê, um irmão ou irmã. Estou pronta".

Nossa filha exerce tanta influência que Ceci e eu logo começamos a discutir essa possibilidade. A ideia de aumentar a família passou a nos agradar cada vez mais. Porém, tínhamos preocupações válidas, entre elas, minha idade e nossas finanças sempre precárias. Ficamos no estágio do "vamos pensar nisso".

Depois que a aula termina, enquanto Ceci conversa com alguns alunos, e Cali e eu recolhemos o material didático, eu digo à minha filha: "Como assim, você vai cuidar da placenta?".

"Vou cuidar para a mamãe descansar bastante, fazer muito exercício saudável, como ioga e zumba de baixa intensidade. E vou fazer a mamãe meditar, para não ter estresse. E vou cuidar para ela só comer coisas boas, não beber nada que tenha cafeína. Assim, a placenta vai ficar em ótimo estado. Porque a placenta nutre o útero onde o bebê vai crescer. Então, se eu cuidar da placenta da mamãe, o útero vai poder fazer o trabalho dele."

"Vamos dizer que eu aceite sua sugestão e você ganhe um irmão ou uma irmã", continuo. "Mamãe e eu vamos ter que passar muito tempo com o bebê."

"Eu também vou passar muito tempo com ele, pai. Vou ajudar a criar o bebê."

"Isso é ótimo, meu bem, de verdade. Mas quero ter certeza de que você entende que, se e quando tivermos outro filho, vai haver outro membro na família a quem vamos ter que dedicar muito tempo, amor e atenção."

"É claro que sim, papai. Pai, você está me ouvindo? Eu também vou criar o bebê. Estou pronta – para ajudar a cuidar dele, amar, dar muita atenção de irmã mais velha. Estou pronta para ajudar você e a mamãe a entender as necessidades do bebê, para que possam cuidar dele de um jeito que o faça rir mais do que chorar."

"Não é fácil ser o membro mais novo de uma família, pai", ela continua. "Você está sempre dizendo às pessoas – aos alunos no curso de parto, seus amigos, até para quem não conhece muito bem – como foi difícil se acostumar com a minha presença. Você fala isso na minha frente. Não fico mais muito magoada, mas você não percebe que eu também tive que me acostumar com você e a mamãe. Especialmente com você. Você queria a atenção da mamãe na mesma hora que eu. Ainda faz biquinho de vez em quando se ela e eu estamos fazendo alguma coisa juntas e você não é incluído. Sei tudo sobre como você e mamãe viveram juntos durante dez anos antes do dia em que eu nasci. Ouvi umas mil vezes como a vida mudou para vocês. Fiz o possível para deixar você ter um tempo de qualidade com a mamãe, depois que entendi o que é isso. Sei que ainda precisava de atenção e amor. Mas você podia ter se esforçado um pouco mais para entender as minhas necessidades."

Antes que eu possa dizer alguma coisa, Cali prossegue: "Tipo, você não tinha ideia de como me dar banho. Eu não conseguia explicar com palavras que você me dava banho com água muito fria. Quando eu tinha um ataque, berrava e balançava os braços e as pernas, era porque eu queria que me embrulhasse".

Como ela consegue se lembrar dessas coisas? Consegue, mesmo?

Ela ainda não acabou. "Pai, criar um bebê é estar em sintonia com as necessidades dele. Estou mais próxima de um bebê em idade, eu sei de onde eles vêm. Sei que já viu como consigo acalmar um bebê que está chorando, mesmo quando os pais dele não conseguem. Já me viu fazer isso em aeroportos, no parque perto de casa, até no cinema, uma vez." Vi, é verdade. "Quando encontro um bebê, eles logo percebem, 'aí está alguém que entende'."

Como um advogado defendendo seu caso, ela diz: "Papai, vou ajudar a criar o bebê, seja menino, menina ou gêmeos. Vou deixar meu radar de bebê ligado e ajudar você e a mamãe a garantir que os anos de bebê dele sejam felizes de verdade".

Minha vez de falar, finalmente: "Posso pedir desculpas por todos os meus muitos erros?".

"Não precisa se desculpar. Você é um pai maravilhoso. Só quero ter certeza de que você sabe quanto tenho a oferecer a um bebê."

"Você me convenceu. Está preparada." Para mim mesmo: "Eu estou?".

"Você vai se dar bem, pai", diz minha pequena leitora de pensamentos. "Está mais preparado do que sabe. A mamãe também. Deveriam ver como vocês dois olham para os bebês de outras pessoas com cara de sonho."

"Meu bem, talvez eu esteja pronto de muitas maneiras, mas não estou mais tão no auge para a paternidade."

O olhar de Cali é pensativo. Ela demora um pouco para responder, escolhendo com cuidado cada palavra. "Aquela moça legal, a Sra. Heaven, ela sabia do que estava falando." Cali se refere à mulher que é dona de uma lanchonete que frequentamos. "Na última vez que estivemos lá, ela perguntou: 'Quando vai dar um irmãozinho para sua filha?'. Você disse que não sabia se daria, por causa de sua idade. O que ela disse? 'Você está na idade perfeita. Vai dar ao bebê muito de si, como deu à sua filha aqui'."

E Cali continuou: "Papai, preciso que você e mamãe façam um bebê para eu poder cumprir meu objetivo de identidade".

"Seu o quê?"

"Meu objetivo de identidade, ser uma irmã mais velha. Ser uma irmã mais velha é meu propósito, quem eu nasci para ser. Ser pai não era um dos seus objetivos de identidade?"

"Era." Bom, era, mas só depois de minha esposa me convencer disso, como Cali está tentando me convencer de que ser pai de dois filhos deveria ser meu novo objetivo de identidade. A verdade é que eu estava satisfeito sendo um marido sem filhos. Então, em um dia no começo de 2005, durante o jantar em um restaurante perto da nossa casa em Chiapas, no México, Ceci me pegou desprevenido ao dizer: "Quero ter um filho". Olhei para ela e vi que não havia espaço para debate. Tentei encontrar um jeito de mostrar que não sabia se a paternidade era o caminho certo para mim, para nós. Não me entenda mal, eu não era um cínico extremo sobre a paternidade, como o grande filósofo pessimista romeno do século 20 E. M. Cioran, que, em *The trouble of being born* (O problema de ter nascido), declarou "ter cometido todos os crimes, menos o de ser pai". Porém, não era algo que estivesse no topo da minha lista de coisas para fazer.

Mas a paternidade me intrigava. Amigos com filhos faziam questão de divulgar que haviam adquirido muito conhecimento, do teórico ao prático, da ética à metafísica, desde que se tornaram pais. É verdade, muitos filósofos ao longo das eras com a mais profunda compreensão das coisas humanas foram, às vezes, péssimos pais, ou nunca foram pais, ou tiveram uma criação miserável, ou não suportavam o pai ou a mãe (Dewey, por exemplo, que teve sete filhos, dois deles adotados, não gostava muito da mãe, uma calvinista estrita). Alguns filósofos sem filhos, como Immanuel Kant (que também era celibatário), são considerados entre os mais sábios pensadores sobre a coisa humana. Mesmo assim, o que interessa aqui é que comecei a fantasiar como seria ser pai, carregar um pequeno nos braços, ir ao parque, ter grandes conversas como as que Cali e eu temos agora.

"Olhe para mim, pai", Cali me diz, interrompendo a reflexão. "Não consegue ver uma irmã mais velha esperando para nascer?"

Consigo.

"Vou garantir que ela cresça *para cima*, não para baixo", Cali acrescenta por precaução.

"Como assim?"

Ela descreve um arco com as mãos. "Vou garantir que mente, coração e espírito cresçam para cima e para fora. Para ela não murchar."

Estudo minha filha. Ela está me "mimando". Cali se joga em meus braços, certa de que eu a pegarei, e me abraça.

"Não se preocupe, papai. Você e a mamãe podem ter a Cybele Margarita ou o Christopher amado quando estiverem prontos. Ah, aliás, vocês estão prontos agora."

Crianças-flor

Logo depois dessa troca unilateral, Ceci engravidou de novo. Teve um aborto espontâneo dois meses depois. Muitas lágrimas foram derramadas. "Ainda estou aqui!", Cali nos lembrou, fazendo tudo que podia para nos manter animados, embora também lidasse com a própria tristeza e perda.

Com o passar do tempo, comecei a me perguntar se estávamos prontos, idealmente, para aumentar a família. Levando em consideração muitas coisas, concluí que eu não estava tão pronto quanto gostaria de estar, e minha idade, compreendi, era o que menos importava. É claro, se a gravidez de Ceci tivesse ido até o fim, teríamos acolhido o bebê com imensa alegria e amor, e tudo teria ficado bem.

Depois de um tempo, Ceci e eu tentamos uma nova concepção. Meses se passaram, e ela não engravidou novamente. Depois de várias conversas francas, decidimos que estávamos contentes daquele jeito, com uma família unida de três pessoas. Enquanto isso, Cali continua se desenvolvendo no próprio ritmo, do seu jeito, e nós fazemos o melhor possível para entender de que maneira podemos ajudá-la nisso. Resiliente e forte em alguns aspectos, vulnerável e sensível em outros, é um delicado esforço de equilíbrio assegurar seu desabrochar contínuo e bem ajustado.

O folclore sueco distingue entre uma *orkidebarn*, ou "criança orquídea", e uma *maskrosbarn*, ou "criança dente-de-leão". Como as flores que têm esse nome, crianças dentes-de-leão são resilientes aos ataques da vida; conseguem florescer em praticamente qualquer ambiente, graças a uma natureza autonutritiva que é impermeável a forças e fatores externos que as manteriam deprimidas. Crianças orquídea, por outro lado, são frágeis como a flor. Precisam de muita atenção e muito cuidado dos pais e cuidadores para desabrochar. Mas se e quando florescem, como diz a crença tradicional, é algo que vale a pena ver.

Nos anos recentes, especialistas em desenvolvimento descobriram que existe uma base científica para esse folclore – tanto que criaram uma "hipótese orquídea". Bruce Ellis, da Universidade do Arizona, e W. Thomas Boyce, da Universidade da Califórnia, Berkeley, que estuda genética e desenvolvimento infantil, puseram a bola em jogo mapeando sequências de genes que podem identificar uma criança orquídea, que eles comparam a "uma flor de delicadeza e beleza incomuns". Outros pesquisadores seguiram a partir daí e descobriram que os mesmos genes que mais colocam a criança em risco de depressão, alcoolismo, transtorno do déficit de atenção com hiperatividade (TDAH), podem, com a correta nutrição, provocar um desabrochar impressionante. De acordo com Wray Herbert, "A ideia de crianças resilientes não era nova, nem se relacionava à ideia de que algumas crianças são especialmente vulneráveis ao estresse de seu mundo. O que era novo era a ideia de que algumas das crianças vulneráveis e altamente reativas – as crianças orquídea – tinham a capacidade tanto para murchar quanto para florescer". As mesmas sequências genéticas podem levar o indivíduo a decolar ou afundar, ambos espetacularmente. Essa capacidade de realizar ou quebrar está no centro dos esforços contínuos para desenvolver estratégias para nutrir as crianças e ajudar a garantir que as da variedade orquídea desabrochem.

Minha filha, no entanto, parece ser uma mistura de orquídea e dente-de-leão. Minha esposa é o dente-de-leão da família. Quando perguntei a ela que tipo de flor achava que eu era, a entusiasta de floricultura respondeu, depois de pensar um pouco, que eu era alguma coisa que demorava para desabrochar e florescia lentamente, como o acônito. Desconfio que mais adiante descobrirão que há muitos outros tipos de "crianças-flor". Talvez um dia uma análise genética revele se somos propensos a desabrochar cedo ou tarde, ou até se temos aptidão para desabrochar periodicamente, como as perenes, ou só uma vez na vida, talvez, como a pontiaguda, exótica e alta *Puya berteroniana*, que espera quase um século antes de desabrochar totalmente, e desbota e morre cerca de duas semanas depois. Ou pode chegar o tempo em que poderemos determinar, por meio de uma análise minuciosa de nossos genes, se alguns precisam passar por condições severas e desafiadoras que testem sua força a fim de exibir em toda a sua glória o "poder de florescimento". Provavelmente, serão descobertas sequências de genes que revelam que algumas pessoas são como azaleias ou crócus: diferentes da maioria das flores, que murcham se houver um esfriamento repentino, elas precisam de um período de acentuadas condições desfavoráveis para desabrochar. Algumas pessoas podem precisar de um profundo congelamento existencial para se desenvolver, mais ou menos como a *hamamelis*, que, ao contrário da maioria das flores, desabrocha no auge do inverno. Mesmo que o sequenciamento dos genes se torne tão refinado que permita a identificação de nossa natureza com grande precisão, certamente sempre haverá aqueles que desafiarão as previsões de sua programação interna sobre quanto podem desabrochar ou desabrocharão. Da mesma forma, continuará havendo aqueles que irão além dos genes e aqueles que não desenvolverão seu potencial genético. Haverá também os que se tornarão como qualquer flor, ou mistura de flores que escolherem ser, e os que criarão novos tipos, não só híbridos, mas espécies em si mesmas.

Temos como saber quando um humano está desabrochando plenamente? Talvez seja fácil com uma criança-flor, já que elas florescerem com grande brilho. Mas critérios muito rígidos ou simplistas para o que constitui o florescimento humano podem nos cegar para suas ocorrências mais discretas. Por exemplo, algumas de nossas espécies são como o azevinho japonês: florescem de um jeito tão sutil e insignificante que é possível nem perceber, a menos que se saiba onde olhar. Mais objetivamente, se comparamos o desabrochar humano sobretudo com felicidade, podemos desconsiderar o fato de as pessoas mais profundamente infelizes, de Freud a Nietzsche e Edith Wharton, terem nos deixado alguns dos trabalhos mais duradouros e perspicazes. Desespero, depressão e trauma podem estar entre os elementos que conduzem a excepcional arte ou conhecimento. Às vezes, podem servir para libertar. Embora não devamos criar deliberadamente condições que levem alguém a viver a vida em seus mais negativos ou destrutivos extremos, também existe um tipo diferente de risco em se esforçar para controlar demais as condições do crescimento de um indivíduo, proteger e preservar de forma a blindá-lo de oportunidades inesperadas de crescimento. Esforço, intensidade, sofrimento, adversidade são sempre parte do tecido de uma vida criativa plenamente em flor, e felicidade, muitas vezes, não é.

Para o discutido filósofo britânico Anthony Grayling, se alguém evita as dores da vida – ou se outros tentam se colocar no caminho e ser um amortecedor entre a pessoa e suas dores – "sufocando apetites e desejos a fim de escapar do preço de sua saciedade", essa pessoa terá uma vida protegida, sufocada e branda, apenas.

> *É praticamente o mesmo que uma morte parcial a fim de minimizar o caráter elétrico da existência – seus prazeres, êxtases, sua riqueza e cor igualados a suas agonias, misérias, seus desastres e sofrimento. Colher a vida aos punhados, abraçá-la e aceitá-la, mergulhar nela com energia e alegria, tudo isso, certamente, e convidar problemas de todos os tipos conhecidos. Mas o custo de evitar problemas é terrível: é o custo de ter percorrido o planeta brevemente concedido à humanidade por menos de mil meses, sem realmente ter vivido.*

Muitos conhecem principalmente as aflições da vida, experimentam apenas miséria, desastre e sofrimento. Não é que evitem problema, mas seu ambiente produz problemas, os torna inevitáveis. Não é que vivam em cenários semelhantes aos de uma flor silvestre, em que não há nenhuma intervenção humana, mas existe uma constante intervenção do tipo que produz apenas os elementos trágicos da vida.

Maturidade e prontidão muitas vezes são companheiras. De acordo com *Merriam-Webster*, uma definição de maduro é "adequado, apropriado", no sentido de "o tempo era maduro para a tentativa", indicando que se está "totalmente preparado" e "pronto". No caso de Hamlet, ele se convence de que o tempo é tão maduro quanto jamais será para a tentativa de vingança contra Claudius, que matou seu pai para poder assumir o trono. Hamlet valoriza muito mais a prontidão que a maturidade – tanto que, como ele afirma, "a prontidão é tudo". Quando Laertes, que quer vingar a morte do pai e da irmã, o desafia para um duelo, ele aceita sem hesitar. Hamlet acredita que sua habilidade de esgrima é tão desenvolvida quanto pode ser.

O principal significado de "pronto", no dicionário, é estar mental ou fisicamente, ou ambos, apto para alguma experiência ou ação, e por isso estar "preparado para uso imediato". Hamlet estava maduro e pronto fisicamente, mas, mental e emocionalmente, ele era atrofiado. Como quis o destino, Laertes o supera, provocando um ferimento mortal – mas não antes de Hamlet conseguir matar Claudius. Sua maturidade mental e emocional, que nunca fora fabulosa, era a menor de todos os tempos quando ele perdeu o duelo. Ele estava maduro e pronto para morrer, sua missão havia sido cumprida.

Em *Ilíada*, quando Aquiles, herói grego da guerra de Troia, sabe que seu momento mortal está para acabar, ele declara: "Vou morrer, mas essa história será como uma bela flor que nunca vai murchar". No entanto, a história de alguém também pode ser como uma flor feia que nunca vai murchar, vai continuar causando dano por muito tempo depois que essa pessoa não estiver mais neste mundo. Como você pode tentar fazer de sua vida uma história equilibrada, que deixe uma marca influente? Esse esforço "positivo", como aponta Anthony Grayling, pode implicar grande julgamento, pode brotar do erro e até de atos danosos, obstáculos (inclusive os da variedade autocriados), desespero. Embora isso possa conduzir a becos sem saída, também pode ser uma entrada. Se você se dispõe a examinar com cuidado o que criou até agora e como fez tudo isso, se convida a opinião de pessoas cuidadosas à avaliação, e se põe sua imaginação para trabalhar a fim de visualizar novas possibilidades, abordagens, estratégias, essa pode ser a receita para o tipo de autocompreensão que permite superar o que até agora o impediu de desabrochar completamente. Pode torná-lo finalmente maduro e pronto para a vida.

Como podemos criar condições para que todos possam participar do que Grayling chama de caráter elétrico da existência, de forma que possam, se quiserem, experimentar uma variedade elétrica da rica paleta de cores da vida, em vez de apenas as cores mais sóbrias e tristes? Com o que nosso solo figurativo deveria ser fertilizado, e como deveria ser arado para que isso acontecesse?

Podemos aprender uma ou duas coisas sobre o assunto com o que se sabe sobre grãos de café. Colher os grãos no momento certo é tudo. O café precisa ser processado a partir de grãos maduros – que são, na verdade, uma fruta – no auge da doçura natural, repletos de notas florais e frutadas. Se o café é processado a partir de frutas que não estão maduras, o sabor é amargo, fino, adstringente – em uma palavra, horrível. Um dos desafios singulares da colheita de café é que a fruta não amadurece de maneira uniforme. O mesmo pé contém frutas em vários estágios de amadurecimento – desde as vermelhas e maduras até as verdes, e também aquelas que passaram do tempo, secas, pretas e murchas.

Em muitas regiões de plantio do café, as pessoas contratadas para a colheita são especialistas em remover com um corte rápido só as frutas maduras. Ao longo de toda a estação de colheita, eles voltam muitas vezes à mesma árvore, ao mesmo galho, de fato, conforme cada fruta amadurece e pode ser colhida. Em outras regiões, onde são usadas máquinas para a colheita, todas as frutas são colhidas de uma vez só. Não surpreende que as regiões de cultura de café famosas por colherem os grãos mais saborosos são as que têm pessoas que colhem individualmente e com grande cuidado os grãos mais maduros. As regiões que empregam máquinas colheitadeiras têm, previsivelmente, um registro misto. Sua abordagem para a extração dos grãos de café reflete em grande parte como o sistema educacional público americano "colhe" jovens mentes. Essa abordagem rende frutos ruins para a sociedade.

Na América de hoje, a ênfase para os alunos da escola pública é a obtenção de padrões uniformes demonstráveis por testes regulares. O problema não é com os testes padronizados propriamente ditos, mas no fato de termos criado o conjunto errado de padrões a serem avaliados. É escandaloso, por exemplo, que nossa sociedade não tenha desenvolvido uma barra-padrão de realização que requeira que a criança em idade escolar domine vários idiomas, recorrendo à sua capacidade inata de absorver novas línguas como uma esponja. A maioria das crianças poderia facilmente dominar três ou quatro idiomas aos dez anos, mais ou menos. Seria para o bem maior da sociedade, o caminho para construir pontes com outros povos e culturas, mas também seriam formas muito mais ricas de autoexpressão individual. Por mais que os americanos celebrem o individualismo, é quase um milagre quando os talentos de alguém são plenamente detectados, incentivados e desenvolvidos enquanto se é novo – e um grande motivo é termos estabelecido uma régua tão enviesada (e baixa) para os padrões educacionais que as crianças devem alcançar.

Especialistas em desenvolvimento estão descobrindo hoje que crianças muito novas tendem a ser naturalmente empáticas, cientistas, argumentadoras e exploradoras. Nosso colossal fracasso em desenvolver essas capacidades inatas na época em que estão mais maduras para o desenvolvimento aumenta a probabilidade de hábitos mentais entorpecidos e de comportamento agressivo aparecerem no lugar delas e "amadurecerem".

Mesmo que as condições para crescimento humano sejam ideais, é possível saber quando se é bom ao começar uma empreitada, seja ela ter um filho, seja escrever, ser solidário ou inventar? Você iria querer saber? Se sentir que chegou ao auge da realização, vai se tornar relapso, reduzir seu esforço, perder oportunidades para maior avanço e descobertas? Um dos maiores dramaturgos de todos os tempos, o escritor de tragédias gregas Sófocles, escreveu sua obra-prima, a trilogia *Édipo*, quando tinha quase noventa anos. A romancista Harriett Doerr publicou seu primeiro livro, *Stones for Ibarra*, quando tinha 74. Seus contos, criados com uma generosa dose de realismo mágico, são uma maravilha. Uma confluência de fatores em seus anos mais maduros a levou a um desabrochar tardio. Felizmente, esses dois escritores não decidiram que tinham passado de seu tempo, ou nunca teriam tentado unir palavras em seus últimos anos, quando seus dons estavam no momento mais excepcional. O mundo teria sido mais pobre por isso.

Quando a civilização grega estava no apogeu, não havia nada que seus cidadãos gostassem mais do que se reunir na *ágora*, o mercado público, onde não só comercializavam produtos, como também trocavam ideias e ideais, normalmente partilhando uma garrafa de vinho. Eles sabiam muito sobre uvas, um de seus produtos agrícolas mais importantes. Por exemplo, sabiam que as uvas têm três estágios de amadurecimento – verdes, maduras e passas. Os estágios maduro e passas representam dois picos diferentes: a uva madura está em seu ponto máximo de suculência e sabor; a passa, murcha e em seu ponto máximo de secura e sabor. A possível lição para os humanos? Podemos ter mais de um apogeu, ou, mais provavelmente, uma variedade de pontos máximos, em diferentes momentos da vida.

Grandes expectativas

Estou reunido com um bom número de pessoas em um café aconchegante que frequento a alguns quarteirões de minha casa, no centro da Filadélfia.

Eu havia mencionado meu último projeto socrático para os donos do café, que ficaram suficientemente intrigados para fechar o café uma noite para o movimento regular de clientes e transformar seu espaço inteiramente a fim de dedicá-lo à minha busca filosófica. Tudo que era preciso para atrair um bom público eram os anúncios dos proprietários na lousa do estabelecimento, e em suas páginas do Twitter e Facebook. Muitos esperavam filhos para o futuro próximo. Talvez por isso o anúncio chamativo informe que estou investigando "filosofias de criação de filhos".

Antes mesmo que eu pense em solicitar aos presentes uma questão para exploração, Phoebe, 41 anos, se levanta e diz: "Nunca planejei ser mãe. Ninguém que me conheça bem diria que sou 'maternal'". A empreendedora, que administra um *website* que fornece aconselhamento para *startups* de mídias sociais, toca o abdome saliente. "Engravidei por acidente. O filho não é de alguém que eu ame. Não tenho planos de informar a pessoa. Passei por um processo aflitivo antes de decidir que quero ser mãe. Nunca acreditei que a maternidade era o maior objetivo na escala da realização pessoal, embora os gurus atuais da autoajuda afirmem que a paternidade, e depois, para piorar as coisas, a conquista e manutenção do parceiro, são o pináculo que torna a vida digna de ser vivida. Eles colocam os filhos acima até da autorrealização, que por muito tempo foi o Santo Graal da motivação humana."

Depois ela diz: "As pessoas mais próximas e mais queridas garantem que meu instinto maternal vai aflorar quando o bebê nascer. Enquanto isso, tenho feito todo tipo de cursos para me preparar para ser mãe, e tenho lido muitos livros sobre como criar uma criança saudável e feliz – *Crianças francesas não fazem manha: os segredos parisienses para educar os filhos*, *The World of Parenting*, *The New Basics – O que você precisa saber para cuidar bem de seu filho, de A a Z*. Minha gravidez não foi planejada, talvez eu não seja naturalmente fofa e carinhosa com os filhos de outras pessoas, mas serei uma mãe amorosa e cuidadosa, e quero que minhas habilidades de mãe estejam em um nível elevado desde o início".

Phoebe exibe cópias bem manuseadas destes eternos favoritos, *O que esperar quando você está esperando* e *O que esperar do primeiro ano*. "São grandes fontes de informação para pais novatos sobre o que os espera. Porém, fico pensando, o que nossos recém-nascidos devem esperar de nós?"

Marco, que tem um estúdio de *design* gráfico na cidade, é o primeiro a responder. "As expectativas de uma criança para alguém que consideram pai ou figura parental é que essa pessoa esteja disponível para eles. Não falo só de disponibilidade financeira e de suprir as necessidades básicas, mas de ser uma presença constante, qualquer que seja sua situação econômica, sejam quais forem os altos e baixos da vida."

"Tive um filho aos 23 anos", ele continua. "Não queria saber de ser pai. Não estava em um momento de vida para ser pai, não havia um lugar para isso no meu coração ou na minha cabeça. A mulher com quem eu estava disse que entendia meus sentimentos, mas que teria o bebê. Legalmente, ela poderia ter exigido ajuda financeira. Ela não pediu nada, embora não tivesse uma boa renda. Sinto vergonha de dizer que só voltei a entrar em contato com ela mais de um ano depois. Ela teve um menino, Federico. Perguntou se eu gostaria de vê-lo. Eu disse que sim. Ela devia saber que era esse o motivo do telefonema. Eles moravam em um lugar simples. A família ajudava a cuidar de Federico para que ela pudesse continuar trabalhando sem ter que pagar valores exorbitantes por outro tipo de cuidado. O menino era cercado por pessoas que o adoravam. Era uma criança incrível, cheia de alegria. Passei aquele dia inteiro com ele. Podem dar o nome que quiserem, instinto paternal, impulso paternal, sei lá, mas daquele momento em diante eu quis fazer parte da vida dele."

Bertrand Russell escreve em sua autobiografia que "o sentimento paterno, como o experimentei, é muito complexo. Existe, primeiro e acima de tudo, puro afeto animal... Há uma sensação de inescapável responsabilidade, que dá um propósito às atividades diárias... Depois, há um elemento egoísta... a esperança de que um filho tenha sucesso onde nós falhamos".

"Com o tempo, Federico vai entender que sou o pai dele. Aquela criança amorosa, exuberante, me aceitou em seu círculo. Isso foi há dois anos. Ele agora espera me ver regularmente. Fica ansioso quando nos despedimos. Ele pergunta: 'Você vai voltar?'. Garanto a ele que sim, e é claro que agora ajudo com as despesas de sua criação. Na semana passada, ele me deu um cartão de Dia dos Pais – um cartão feito à mão em formato de coração. Letras coloridas e de tamanhos variados dizem 'Feliz Dia dos Pais'." Ele faz uma pausa para recuperar a compostura. "O retorno que recebo de Federico é muito maior do que tenho o direito de esperar."

Marco então diz: "Eu achava que, se você não tem recursos econômicos suficientes, não deveria trazer uma criança ao mundo. Mas muitos pais com bons rendimentos têm pouco a ver com os filhos. Eu mesmo fui uma criança sem muita atenção. Tinha todos os bens materiais que uma criança poderia querer. Mas meus pais eram emocionalmente distantes, de mim e um do outro. O que esperavam de mim era que eu não esperasse deles mais que um bom teto sobre a cabeça e pertences legais. Não tive irmãos, nem amigos próximos, nem parentes com quem formar laços. Passei a entender que pessoas que não têm muitos recursos materiais podem ser pais excepcionais e prover o 'essencial' que toda criança deve esperar – amor, atenção, um sentimento de pertencimento".

"Pais que estão esperando um filho precisam ter certas coisas essenciais, para serem capazes de prover aos filhos as coisas de que Marco fala", opina Janan logo depois. Grávida de vários meses, ela e o marido são os donos do café. "Precisam de tranquilidade e nutrição, sobretudo a mãe, para serem plenamente capazes de atender as necessidades básicas de um filho. Ela precisa ter uma situação de vida que permita uma gravidez tranquila. Li um estudo sobre como o desenvolvimento do cérebro do feto é totalmente conectado à experiência dele no útero. Se, durante a gravidez, você enfrenta estresse extremo, ansiedade ou depressão, o feto sentirá as mesmas coisas, porque você está emitindo hormônios do estresse para o útero, onde o feto sente as emoções e reconhece os padrões de elevação do estresse na voz da mãe."

"Para muitas grávidas, gravidez tranquila não é uma possibilidade", ela continua. "Nos Estados Unidos, quase não se tem conhecimento de mulheres que trabalham fora e têm um tempo para cuidar de si durante a gravidez. E a política de licença-maternidade é bárbara comparada à de outros países desenvolvidos, e em muitos deles também existe um tempo de licença para o pai. Isso acontece diante dos nossos olhos. Deveríamos esperar mais da nossa sociedade, de nós mesmos, e o feto em desenvolvimento deveria esperar mais de nós."

"Essas expectativas específicas deveriam ser direitos?", pergunto.

"Entre outros", Phoebe responde. "O bebê também tem o direito de ser concebido por pais que não sejam dependentes de drogas, para que possa se desenvolver em um útero isento de toxicidade. Tenho lido sobre a grande elevação no número de bebês que nascem com doses tóxicas de álcool ou drogas. Quando a grávida bebe ou usa drogas, essas substâncias vão diretamente para o sistema do bebê. Um recém-nascido não vai conseguir desenvolver um grande conjunto de expectativas para si mesmo se o ambiente em que se desenvolveu é prejudicial."

Depois de uma pausa, o marido de Janan, Kushal, diz a Phoebe: "Achei estranho, no início, quando você perguntou o que os recém-nascidos deveriam esperar. Eles vão ter acabado de chegar ao mundo, e eu pensei, 'eles não têm ideia do que esperar, não sabem o que significa a palavra expectativa'. Agora me ocorreu que eles podem não conhecer a palavra 'expectativa', mas sabem quando estão com fome, e esperam ser alimentados. Sabem quando estão com frio, e esperam que alguém os aqueça. Sabem quando estão cansados, e esperam ajuda para dormir. Recém-nascidos são, e devem ser, um pacote de expectativas – em relação a nós, ao mundo ao qual foram trazidos. Antes mesmo de nascerem, devem esperar que pensemos muito em seu presente e futuro".

"Como se faz isso da melhor maneira?", pergunto. "Quero, mais que tudo, fazer minha parte para tornar o mundo um lugar mais favorável à vida. Desde que minha filha Cali nasceu, grande parte de mim se resume a estar presente para ela. Antes de ela começar a frequentar a escola, ela e Ceci podiam viajar comigo. Agora, cada vez mais eu viajo sozinho para organizar os diálogos, e fico tão infeliz quanto elas quando passo muito tempo longe. Por outro lado, fico infeliz de um jeito diferente quando não dedico tudo que posso à minha vocação. Muitos dos 'transformadores do mundo' que admiro são pais ruins, e seus filhos sofreram por isso. Como podemos ter um 'equilíbrio de expectativas', atender às suas próprias expectativas e às daqueles que trouxemos ao mundo?"

Phoebe responde depois de uma pausa: "Alguns pais são muito dedicados a salvar o mundo, deixar sua marca de um jeito grandioso. E o fazem em detrimento dos filhos. Seus filhos não são uma nota de rodapé. Um recém-nascido deve estar no centro de sua vida. Meu pai procurava significado em grandes atitudes, grandes gestos. Ele era um importante acadêmico e ativista. Era homenageado com muitas honras e muitos prêmios. Estava sempre fora, dando palestra, participando de conferência ou fazendo algum tipo de demonstração. Ele não estava presente nem quando nasci. A família ficava em segundo plano. Quando decidi que queria ter um filho, também decidi que queria ser lembrada por ele, acima de tudo, como uma mãe amorosa e atenciosa, mesmo que ninguém mais no mundo soubesse muito sobre mim".

"Essa não deveria ser a expectativa da criança desde que é um recém-nascido?", pergunto.

"Eu gosto de pensar que sim. Quando meu pai morreu, vítima de um infarto, aos 62 anos, chorei a morte de alguém que não conhecia como gostaria. Mas o funeral contou com a presença de centenas de pessoas que reverenciavam o chão em que ele pisava. Talvez eu fosse egoísta em minhas expectativas em relação a ele como pai. Ele fez uma imensa diferença para muitas outras pessoas." Em seguida, ela conta: "Vou dar o nome dele ao meu filho. Sempre que olhar para meu Albert, vou pensar as melhores coisas sobre meu pai". E continua: "Espero que meu filho tenha os melhores pensamentos sobre mim, quando crescer. Mas talvez ele estabeleça um padrão de expectativas tão alto, como fiz com meu pai, que eu não consiga corresponder".

"O recém-nascido deve esperar que você tenha expectativas em relação a ele?", indago.

"Em algum momento, mas não quando é recém-nascido", diz Janan. "Isso é algo para incutir neles com o tempo. Nisha e eu vamos criar nosso filho para que ele tenha consciência social. Mas um recém-nascido deve esperar ser o centro do nosso mundo." Ela pensa um pouco mais. "Por outro lado, fazemos um desserviço ao recém-nascido se ele for o centro do nosso mundo a ponto de esquecermos o mundo inteiro. Tornamos o mundo do nosso recém-nascido melhor se fazemos nossa parte tornando o mundo melhor para todos os recém-nascidos."

"Meu marido e eu dirigimos toda a nossa energia para o nosso quintal. Por conta de o orçamento draconiano cortar os serviços de proteção à criação, os serviços médicos e os cuidados com saúde mental, o sistema muitas vezes não interfere a tempo. E o número de crianças sem-teto é o mais alto desde a Grande Depressão. A mensagem para as crianças pobres é: 'deixem suas expectativas na porta'. A crescente divisão entre os que têm e os que não têm também divide expectativas."

Emily, que trabalha como barista no café e está no sétimo mês de gravidez, se manifesta depois de um silêncio pesado: "Queria dizer que um recém-nascido deve, quando criado por um casal, esperar como algo 'básico' que esses dois que se comprometeram a trazê-lo ao mundo e criá-lo estejam sempre ali para ele. Mas ele não deve esperar que essas duas pessoas fiquem juntas para sempre como um casal. Amo meu namorado, amo ter um bebê com ele. Porém, não sabemos o que o futuro guarda para nós como casal. Somos honestos a respeito disso. Mas seremos comprometidos com nosso filho, aconteça o que acontecer. Se nosso filho não pudesse esperar isso de nós, não deveríamos trazê-lo ao mundo"[8].

"Meu compromisso com Jessica é parte do meu compromisso com nosso filho", diz Teresa. Sargento do Exército, sua parceira engravidou por inseminação artificial. "Nosso filho deve esperar isso de nós. Não digo que isso é imutável. Sei que as coisas podem dar errado nos melhores relacionamentos. E sei como é crescer em circunstâncias insalubres. Meu pai abandonou minha mãe quando eu tinha cinco anos. Sou grata por uma tia amorosa ter me acolhido e criado, depois que minha mãe ficou tão mentalmente doente que não cuidava nem dela, muito menos de mim. Então, estou falando de uma expectativa ideal. No momento em que nosso bebê chegar ao mundo, vai sentir que não há como separar o amor que Jessica e eu sentimos uma pela outra do amor que sentimos por ele."

"Mesmo assim", diz Jessica, "nosso filho não deve esperar nunca que deve atender às nossas necessidades. Trazemos filhos ao mundo para que a presença deles em nossa vida traga satisfação, mas eles devem fazer parte de uma vida plena, não preencher uma lacuna. No entanto, quando minha mãe ficou incapacitada, fiquei ao lado dela com alegria. Diferentemente das mães judias dos romances de Philip Roth, ela não me criou para me

---

8 Cerca de cinco meses depois dessa conversa, Emily escreveu para me contar que ela e o namorado tinham terminado, que ele se mudara para Seattle e já estava em outro relacionamento. Ela diz que ele colabora financeiramente com o sustento do bebê.

sentir obrigada a ficar ao lado dela, embora tenha sacrificado muito por mim. Mas tenho que tomar cuidado com como cuido de minha mãe. Ela é muito independente. Pais em situação de necessidade devem esperar que os filhos cuidem deles com a mesma filosofia com que eles cuidaram dos filhos recém-nascidos – que nunca se coloquem acima deles em um momento em que estão mais carentes e vulneráveis, e que demonstrem que são eles que fazem um favor aos filhos fazendo-os se sentir tão necessários."

Para o filósofo e estadista romano Sêneca (4 a.C.–65 d.C.), quando cuidamos do jeito certo, somos atenciosos, dedicados e conscientes em relação a perceber e suprir as necessidades daqueles aos nossos cuidados. Além do mais, é fundamental, para quem cuida de outras pessoas, que o faça de forma que quem recebe os cuidados – mesmo que contrariado, exigente ou aparentemente ingrato – não perceba o cuidado como obrigação. Martin Heidegger acredita que ter uma consciência é ouvir "o chamado do cuidado". A opinião de Heidegger, como a de Sêneca, é que o cuidado gratuito requer que se faça um grande esforço para determinar necessidades, vontades, aspirações e expectativas daqueles que são cuidados. Para Heidegger, o objetivo é permitir que alguém em situação de necessidade viva com mais dignidade e autorrespeito. Seu argumento é de que esse cuidado com um semelhante é a principal maneira de nos tornarmos condutores mais conscientes do próprio universo. Também é um jeito de obtermos maior bem-estar. Como aponta o psicólogo Daniel Goleman, leituras cerebrais de alguém que exibe compaixão indicam que "o simples ato de se preocupar com o bem-estar de outras pessoas... cria um estado de maior bem-estar dentro daquele que se preocupa".

"As expectativas de nossos filhos devem ser uma via de mão única", diz Vasiliki um momento mais tarde. Ela está sentada no canto mais distante do café, e temos que fazer um esforço para ouvi-la. "Eles não pedem para vir ao mundo. Não nos devem nada por isso. Meu filho mais velho tem 38 anos. Ele tem muitos problemas, causou muito sofrimento e problemas para outras pessoas. Ele deixou claro que culpa meu falecido marido e a mim por suas dificuldades. Ele me atacou terrivelmente, telefonou para mim bêbado ou drogado e disse coisas muito cruéis. No mês passado, ele apareceu em minha casa. Eu não o via e não tinha notícias dele havia mais de um ano. Ele precisava de dinheiro. Inventou uma história complicada sobre para o que era, um grande negócio que estava começando. Eu sabia que era mentira, mas dei uma boa quantia a ele – não tudo que me pediu, porém, e ele expressou sua decepção. Foi embora sem me dar nem um abraço. Não espero ter notícias dele de novo até que precise de mais dinheiro. Meu marido e eu reconhecemos cedo que James tinha uma predisposição para a maldade, desonestidade, até para a crueldade. Às vezes, uma combinação de terapia, medicação e estratégias parentais parecia ajudar, porém, no fim, nenhum cuidado conseguiu mudar sua natureza. Mas meu compromisso com ele não depende de retribuição. Ser mãe ou pai significa amar um filho até o fim, aconteça o que acontecer – e para viver de acordo com essa filosofia, você pode ter que ajustar suas expectativas em relação ao filho, e em relação a si mesmo como pai. Ninguém planeja ter um filho com problemas extremos. Mas as coisas podem dar muito errado na vida de qualquer filho a qualquer momento. Talvez eu deva praticar um amor mais duro. Mas quando penso em James, e nas raras ocasiões em que o encontro, ainda vejo aquele recém-nascido, aquele pacotinho de alegria que eu trouxe ao mundo, e meu coração derrete. Ele sabe disso, com certeza, e tira proveito. Então, que seja."

Vasiliki faz uma pausa, olha para as mãos unidas sobre as pernas. "Eu me apaixonei por James no momento em que ele chegou ao mundo. O trabalho de parto foi difícil, mas assim que o vi e o segurei, esqueci tudo isso. Ele era um bebê grande, tinha quase quatro quilos, saudável e lindo. Perfeito aos meus olhos. Já existia uma conexão profunda entre nós. Eu imaginava todos os marcos que se sucederiam na vida dele – a primeira palavra que diria, quando engatinharia pela primeira vez, depois andaria, o primeiro dia no jardim de infância, o dia da formatura no ensino médio, a partida para a faculdade, o diploma, ganhar o mundo."

Seu sorriso é triste quando ela olha para nós. "Amanhã é aniversário dele. Não tenho ideia de onde está, ou como encontrá-lo, ou se está bem. Mas vou comemorar o dia com todo o meu coração. Amo meu filho precioso, de qualquer maneira".

Escolhas maduras

A notável filósofa feminista e ativista social Martha Nussbaum acredita que, entre nossas maiores expectativas, deveria estar o direito de realizar nossa visão da boa vida. Para isso, ela identifica um conjunto de "capacidades humanas centrais" que, afirma, "estão implícitas na ideia de uma vida à altura da dignidade humana". Entre elas estão autonomia política, integridade física (que, para uma mulher, inclui ter completa escolha reprodutiva), uma educação de qualidade, uma variedade de boas opções nutricionais, moradia e saúde adequadas. Nussbaum considera essas capacidades "Direitos humanos fundamentais que devem ser respeitados e implementados pelos governos de todas as nações, como o mínimo indispensável do respeito que requer a identidade humana".

Se um governo garante esses direitos, isso é tudo de que precisamos para nos tornarmos os dignos "fazedores de escolhas" que Nussbaum vislumbra? Ou também precisamos de certos tipos de comunidades cuidadoras acompanhando esses direitos? Sarah Hrdy, respeitada profissional do campo da sociobiologia, acredita que a sociedade, em seus níveis mais básicos, precisa ser organizada de certa maneira para podermos ter acesso aos nossos instintos básicos de cuidado e corresponder às mais caras expectativas uns dos outros. Em *Mãe natureza*, Hrdy argumenta que, para pais e cuidadores fornecerem a abundância de cuidado amoroso de que necessitam os bebês para prosperar, e para adultos serem tudo o que podem ser, é preciso que eles aprendam com os primatas e com as culturas humanas primitivas que ela observou por mais de três décadas. Hrdy avalia que, primeiro e acima de tudo, devemos olhar para a alomaternidade - parentes e outros que cuidam das crianças como se fossem seus filhos. Sua afirmação é de que todos esses cuidadores "se tornam o equivalente emocional dos pais".

> *Qualquer cuidador é capaz de comunicar as mensagens que os bebês buscam desesperadamente – "você é querido e não vai ser abandonado". Enquanto a mãe é equipada unicamente para atender a essa necessidade com o contato físico, seu cheiro, seu leite, ela não é a única que pode responder quando o bebê busca o olhar do*

amor... Qualquer cuidador (comprometido) é capaz de comunicar a mensagem que os bebês buscam desesperadamente – "Você é querido e não será abandonado".

Hrdy está convencida de que concepções há muito prevalecentes a respeito do instinto maternal em mães humanas são distorcidas, na melhor das hipóteses, e contribuem para o antigo costume de colocar a maior responsabilidade pelo cuidado com os filhos diretamente, mas injustamente, sobre os ombros das mães. Isso não significa que as mães de hoje em dia não possam cumprir esse papel; elas o cumprem com frequência, muitas vezes com pouco ou nenhum apoio emocional ou financeiro. Mas isso acontece em detrimento do total desabrochar de mãe e criança, e da sociedade como um todo, já que contraria o estado natural de coisas. O que Hrdy afirma *ser* natural para mãe e filho é serem absorvidos por uma rede mais ampla – pais, avós, babás, vizinhos, entre outros. Da mesma maneira, Bertrand Russell afirmou, décadas antes, que há "em um homem ou em uma mulher uma tendência para sentir afeto por qualquer criança de que ele ou ela cuide".

Para Hrdy, essa rede em tempos modernos deve ser estendida para locais de trabalho e escolas.

Posso falar dos benefícios da educação cooperativa. Quando nossa filha Cali tinha dois anos, minha esposa e eu a matriculamos em uma pré-escola cooperativa. Pais e mães assumem um compromisso periódico ao longo do ano letivo de passar o dia ajudando a turma do filho. Isso libera os professores para a execução de uma variedade maior de atividades de enriquecimento educacional, enquanto nos torna parte essencial da comunidade da sala de aula. Um bônus, para mim, foi que, ao cuidar de outras crianças, aprendi a cuidar melhor de minha filha. Por sua vez, Cali se acostumou com outros adultos confiáveis, além dos pais, colaborando para cuidar dela. Mais ainda, sempre que alguém da comunidade cooperativa precisava de uma babá de última hora, recorríamos uns aos outros, graças ao elo quase familiar que se desenvolvera entre muitos. Muitas famílias que gostariam de fazer parte da escola cooperativa não conseguem, porque o local de trabalho não permite os horários flexíveis necessários para que possam se comprometer periodicamente como ajudantes voluntários. É quase impossível ressuscitar o tipo de comunidades cuidadoras que Hrdy invoca quando existem limites tão rígidos entre o mundo do trabalho adulto e a educação infantil. Isso prejudica todos nós, para Hrdy, porque, quando tornamos a educação infantil um assunto cooperativo, nossas inclinações altruístas profundamente enraizadas emergem. Generalizando a partir de suas observações em campo, Hrdy afirma que os humanos têm uma capacidade inerente de "fazer voluntariamente coisas que beneficiam os outros". Ela não está falando apenas dos adultos, mas das crianças também: "Desde muito cedo, antes mesmo de saberem falar, as pessoas descobrem que ajudar os outros é inerentemente gratificante".

O filósofo racionalista Baruch Spinoza (1632–1677), cujas obras serviram como trampolim para o Iluminismo do século 18, propôs, há muito tempo, que somos condicionados a cooperar para que possamos "viver em um acordo compartilhado, pacífico, com os outros". Dewey acreditava que esse condicionamento é real principalmente quando somos novos. Ele destacou as crianças por seu "maravilhoso *poder* para conquistar a atenção cooperativa dos outros". Ele atribui esse poder a sua "capacidade flexível e sensível... para vibrar em solidariedade às atitudes e aos feitos dos que os cercam". Os bebês são os mais flexíveis e sensíveis de todos nós. Estudos cognitivos recentes mostram que os mais novos são programados para ir além do chamado do dever a fim de serem úteis. Felix Warneken, de Harvard, e Michael Tomasello, do Max Planck Institute, que exploram as origens da cognição social e as raízes de nossas capacidades para o altruísmo e a cooperação, conduziram uma série de estudos que mostram que até os bebês mais novos, de até quatorze meses, se esforçam para ajudar os outros a alcançarem seus objetivos. Crianças pequenas também demonstram essa capacidade de formas variadas. Por exemplo, as que participaram do estudo se empenharam muito – inclusive engatinhando sobre pilhas de almofadas – para ir buscar, para os adultos que conduziam o experimento, objetos como canetas que pareciam estar fora de seu alcance, ou para ajudá-los a abrir armários que os adultos fingiam não conseguir abrir sozinhos. Os pequenos faziam essas coisas sem expectativa de recompensa externa de nenhum tipo. De fato, de maneira surpreendente, recompensas se mostraram contraproducentes, um desincentivo a essa capacidade interna de ajudar, porque ajudar já é a recompensa. Se é assim, então, todo o nosso sistema de incentivos está errado e precisa ser radicalmente mudado.

Os bebês não só são cooperativos e úteis à sua maneira, como também são pacotinhos de empatia. Bebês choram em resposta ao choro de outros bebês, "e não só porque é um barulho que os incomoda", de acordo com Carolyn Zahn-Waxler, renomada psicóloga do desenvolvimento, que estuda o amadurecimento da empatia.

> *Eles choram mais em resposta ao choro humano do que a outros sons aversivos. De algum jeito, há uma capacidade inerente de responder às necessidades dos outros. Bebês de até um ano tentam confortar os que estão incomodados. Crianças pequenas oferecem o cobertorzinho de segurança para um pai de olhos marejados ou um brinquedo querido para um irmão perturbado, como se entendessem que o mesmo objeto que dá a elas conforto pudesse fazer o mesmo pelo outro.*

O que pode ser chamado de "instinto infantil" para cuidar é, à sua maneira, tão formidável e formador de elos quanto o dos adultos. As crianças sabem, de alguma maneira, que uma profunda noção de utilidade e vulnerabilidade não é domínio exclusivo delas, mas, pelo contrário, que adultos podem ser igualmente suscetíveis a esses sentimentos. Elas sentem a dor das pessoas importantes em sua vida, e decidem dividir com essas pessoas seus poderes de cura. É o que os bebês esperam de si mesmos.

Certos e errados

É uma tarde quente de domingo em Phoenix, Arizona, mas não dá para perceber no interior gelado da Panera Bread, onde uns quinze pais estão reunidos comigo em torno de uma mesa retangular com tampo de fórmica. A maioria frequenta a mesma igreja, mas nem todos. Eles deixaram os filhos com babás, ou aos cuidados de irmãos mais velhos, como fazem um domingo por mês, pelo menos. Um entre nós, Stefan, eu conheci no Sócrates Café que estabeleci em Phoenix depois de me mudar para cá, em 1999, vindo da caríssima Bay Area, na Califórnia, quando minha esposa, Ceci, conseguiu um emprego de professora bilíngue em uma escola fundamental. Tinha contado a Stefan, um especialista em tecnologia da informação do governo e pai de dois filhos, sobre minha última cruzada socrática. Ele me contou que as pessoas com quem se reunia na Panera normalmente tinham uma troca que abordava temas parentais, e me convidou a participar da reunião. Quando voltei à região para fazer uma apresentação na universidade, fiz questão de reservar um tempo para comparecer ao encontro na Panera.

"Em nosso sermão hoje de manhã, o pastor citou aquela bela passagem do Eclesiastes 3:1, 'para tudo existe um tempo'", diz Jasmine, depois de eu ter contado ao grupo sobre o tema que estou investigando. Mãe de dois pares de gêmeos de dois casamentos, ela atua com vendas na indústria farmacêutica e trabalha de casa. "Agora estou pensando: existe um tempo em que estamos mais maduros para aprender a discernir o certo do errado?"

"As linhas entre certo e errado se tornaram muito turvas", ela continua. "Vejam, por exemplo, os escândalos acadêmicos de traição que vieram à tona no país todo. Professores e administradores parecem mais perturbados por terem sido pegos do que com o que fizeram e o exemplo que estão dando aos jovens. A atitude é: 'Todo mundo está pirando, porque eu não posso?'. Li que eles têm até um '*top* traidores', como se desafiar a moral estabelecida dê a eles uma autoimagem positiva[9]. Podemos ficar aqui para sempre falando sobre como chegamos ao ponto de tanta gente associar o certo ao que funciona para conseguir o que se quer, e o errado com o que atrapalha essa busca. Mas meu interesse é entender como podemos criar condições maduras para o aprendizado de que certo é fazer algum bem, e errado é o oposto."

O silêncio não é desconfortável, porque todos estão pensativos, tentando encontrar uma resposta. Por fim, Edmond, um desenvolvedor local, diz: "Uma condição necessária, mas não suficiente, é que tem de ser a 'temporada da razão' em sua vida. Só então é possível 'ouvir a razão' e entender por que algumas formas de comportamento não são apropriadas. E só

9 Ver "The cheater's high: the unexpected affective benefits of unethical behavior" (O escore do trapaceiro: os inesperados benefícios afetivos do comportamento antiético), artigo de outubro de 2013 do *Journal of Personality and Social Psychology.*

então se podem considerar as consequências de seu comportamento". O pai de dois filhos e padrasto de três olha pra Jasmine e continua: "Mas só então, também, se pode entender por que as linhas entre certo e errado são turvas, às vezes, por um bom motivo. Ensinei aos meus filhos que mentir é errado, roubar é errado, enganar é errado. Mas menti quando tinha a idade do meu filho mais velho. Uma vez, meu pai me perguntou diretamente se minha irmã tinha quebrado um vaso na sala de jantar. Eu sabia que, se tivesse dito a verdade, ela apanharia. Decidi que mentir era mais certo que errado. Só com uma mentira eu poderia impedir que meu pai cometesse o que eu considerava um grande erro. A mentira resultou de uma avaliação das consequências das possíveis respostas que eu poderia ter dado".

A eticista britânica Elizabeth Anscombe (1919–2001), uma das mais importantes filósofas do século 20, é a fundadora da filosofia do "consequencialismo", que sustenta que a moralidade – o certo ou errado – de qualquer atitude depende de seu desfecho, ou das consequências.

Então, Patty, uma conselheira de finanças e mãe de quatro filhos entre três e dezessete anos, diz: "Pelo que li, ainda há muita divergência entre especialistas do desenvolvimento sobre quando alguém se torna capaz de distinguir certo e errado, ou, como diria o Papai Noel, de diferenciar o bonzinho do malvado. Alguns dizem que se pode entender a diferença a partir dos três ou quatro anos, enquanto outros afirmam que é preciso ser bem mais velho. A experiência com meus filhos me mostra que isso varia. Meu segundo filho é o que mais apresenta dificuldades quando vou argumentar. Se existe uma receita para criar condições maduras para ele aprender a diferenciar certo e errado, eu ainda não a descobri".

Ela reflete um pouco mais. "A condição mais importante para a maturidade para aprender a diferenciar certo e errado é consciência. O Grilo Falante diz: 'Deixe a consciência ser seu guia'. Mas para que isso aconteça, primeiro é preciso ter uma consciência bem desenvolvida. Caso contrário, não há respeito pelos outros nem cuidado com como suas atitudes os afetam. Essa consciência falta ao meu segundo filho em alguma medida. O mais velho, por outro lado, tem uma consciência tão extrema que, às vezes, quase desejo que fosse menos desenvolvida. Uma vez, ele recebeu troco errado em um mercado, e só percebeu quando chegou em casa. Não conseguiu dormir à noite, porque tinha a sensação de ter enganado o caixa. O mundo ficou errado até ele voltar à loja, no dia seguinte, e devolver o troco excessivo. Essa loja foi a mesma em que, anos antes, meu segundo filho foi pego roubando pão em um desafio entre amigos. Até hoje, embora tenha sido punido, acho que ele não se arrepende disso, exceto pela parte em que foi pego. Continuamos tendo problemas de comportamento com ele. Embora ouça a razão, ele não a segue. Agora, o caçula tem o equilíbrio ideal de consciência e capacidade de raciocínio. Ele tem uma natureza tão boa e gentil que raramente tive que dizer alguma coisa sobre certo ou errado. Com ele, as condições são maduras de um jeito que é como se ele entendesse a diferença instintivamente."

Jasmine, que segurava sua xícara de café enquanto ouvia com atenção, diz: "Mas acho que estamos todos de acordo sobre uma criança de um ou dois anos não ser ainda capaz de distinguir entre certo e errado, bom e mau. Nesse caso, o tempo não pode ser maduro para lições de moral para alguém dessa idade, porque eles ainda não têm noção de moral".

Então, ela diz: "Eu estava a bordo de um avião no mês passado. Uma mulher sentada perto de mim carregava no colo o filho, que devia ter uns dezoito meses, no máximo. Ele era um pouco agitado. Às vezes chutava o assento da frente, ou puxava a bandeja para batucar nela. Foi um voo curto, mas ela deve ter repetido 'mau' ou 'você é mau' para a criança umas cinquenta vezes, pelo menos – às vezes em referência ao que o filho fazia, outras vezes a ele diretamente. Usar esse tipo de linguagem com crianças pequenas não é apropriado, porque elas ainda não sabem o que significa 'mau'. Podemos orientá-los de alguma maneira geral sobre o que estão fazendo não ser apropriado. Você pode informar que se comportar de um jeito que incomoda outras pessoas é uma coisa 'não-não', ou alguma coisa assim. Melhor ainda, pode simplesmente canalizar energias e movimentos deles para outro lugar. Mas, por favor, deixe o 'mau' fora disso. Tudo que está fazendo é envergonhar a criança, ensiná-la a sentir culpa, e isso pode torná-la resistente a aprender sobre certo e errado quando finalmente estiver em um momento maduro para isso".

"Em algum momento, o menininho olhou para mim", ela continua contando. "Sorriu e acenou. Fiz a mesma coisa e disse a ele: 'Você é um bom menininho, não tem nada de mau'."

"Quando você disse ao menininho que ele era 'bom', que 'não tinha nada de mau', acha que ele entendeu o que você tentava transmitir?", pergunto.

"Devo ter achado", ela responde sem pressa. "Mas não, ele não entendeu meu 'bom' e meu 'não é mau' mais do que entendeu o 'mau' da mãe dele. O que acredito que ele entendeu foram a bondade e a gentileza em minha voz e a expressão bondosa em meu rosto."

"É possível, e até bom, usar palavras de reforço positivo, inclusive com crianças pequenas", diz Stefen. "Elas podem não entender os termos por si mesmas, mas conseguem ver se há afirmação por trás deles por causa de seu tom de voz e da expressão em seu rosto."

Jasmine reflete sobre o que Stefen disse. "Mesmo que aquele menininho fosse mais velho, e fosse capaz de entender a diferença entre bom e mau, teria me incomodado a mãe não fazer distinção entre a pessoa e o ato. Pessoas boas podem se comportar mal, podem fazer coisas erradas. Mas isso não as torna más."

Aristóteles foi um dos primeiros filósofos ocidentais a apontar que alguém pode agir de maneira errada e, ainda assim, não ser uma má pessoa. Em *Ética a Nicômaco*, ele opina que, quando um homem "age com conhecimento, mas sem antes deliberar, esse é um ato de injustiça", já que tais atitudes são "devidas a raiva ou outras paixões necessárias ou naturais ao homem; porque, quando os homens praticam esses atos prejudiciais e enganados, eles agem injustamente". No entanto, Aristóteles ressalta que "isso não implica que os autores são injustos ou maus; porque a injúria não se deve a vício". Por outro lado, pela régua de Aristóteles, quando alguém age depois de cuidadosa deliberação, e ainda assim acaba causando danos, "ele é um homem injusto", por mais que suas intenções sejam honradas.

Eu acabo por dizer: "Mesmo que uma criança pequena não esteja madura para aprender lições duras e rápidas sobre certo e errado, ela ainda pode aprender. Uma vez, quando minha filha Cali tinha uns três anos, eu a carregava sobre os ombros quando voltávamos para casa de um parque perto de onde morávamos, no México, na época. Ela bebia suco de uma caixinha. Boa parte dele respingou na minha cabeça. Eu não gostei. Chamei a atenção dela por derrubar o suco de propósito. Ela ficou em silêncio enquanto seguíamos em frente. Finalmente, Cali me disse, de seu lugar sobre meus ombros: 'Papai, às vezes acidentes acontecem, mesmo quando você toma cuidado'. Cali sabia a diferença entre fazer alguma coisa de propósito e por acidente, e entre um acidente que acontece por descuido e outro que acontece mesmo quando tomamos muito cuidado. Sua mensagem era que o ocorrido não tinha nada a ver com certo e errado. Ela transmitiu essa mensagem de um jeito que me fez ver o erro da minha crítica sem me colocar na defensiva. Pedi desculpas. Eu tinha errado com ela, e ela esclareceu a situação – e nosso relacionamento. Naquela situação, Cali sabia melhor que eu as nuanças de certo e errado".

"Mesmo quando ainda são muito pequenos, seus filhos se sentem péssimos quando fazem alguma coisa errada *em sua opinião*", diz Aisha, uma mulher que é mãe em tempo integral e até aquele momento havia ficado em silêncio. "Mesmo que não apreendam totalmente o significado dos conceitos de certo e errado, elas percebem se os pais aprovam ou desaprovam seus atos. Quando detectam desaprovação, elas podem se punir. Cometi as mesmas ofensas pelas quais censurei meus filhos – falar dos outros pelas costas, não recolher as coisas que espalho, agir como se um erro justificasse o outro. Posso ser temperamental, crítica e defensiva quando estou sob forte estresse ou durmo pouco. Mas nem sempre dou um desconto aos meus filhos quando eles estão nas mesmas condições. Não pode ser um momento maduro para dar lições sobre certo e errado se nos falta honestidade a respeito de nossos defeitos. É sempre muito mais fácil ver os erros e defeitos dos outros."

Jasmine parece incomodada. "Não dei esse desconto para a mãe daquela criança no avião. Não sabia nada sobre ela e o tipo de coisas com que podia estar lidando na vida, mas ia dar a ela uma lição sobre quando se usar a palavra 'mau', gostasse ela ou não. Ela poderia ter reagido de um jeito agressivo, e teria esse direito. Sei quando adultos tentam me informar que discordam de como estou educando meus filhos, e posso ficar furiosa. Mas ela só me olhou de um jeito irritado, depois voltou a dar atenção ao filho – embora não tenha mais usado a palavra 'mau'."

A expressão de Zoe, mãe solteira, era indecifrável enquanto ela ouvia tudo isso atentamente. Agora ela decide se manifestar. "Mesmo que se trate de um adolescente ou adulto, pode faltar a capacidade de raciocínio. Quando isso acontece, as condições de maturidade para aprender o que é certo e errado não são possíveis."

"Como alguns aqui sabem, minha filha de dezessete anos é dependente química", ela conta. "Ainsley é usuária e traficante. Já procurei diversos grupos de apoio em busca de orientação sobre como obter a ajuda de que ela precisa. Por mais que eu tenha tentado intervir, foi inútil. Ameacei denunciá-la à polícia pessoalmente quando a peguei vendendo em casa. Tentei explicar que seríamos expulsas pela associação de moradores se ela fosse pega. Mas ela não ouve a razão. Continua usando e vendendo. Decidi que não tinha alternativa senão cumprir o que ela considerava uma ameaça vazia. Chamei a polícia. Ela foi presa. Agora está em uma instituição residencial para tratamento de dependência química. Na opinião de Ainsley, cometi um ato de traição imperdoável. Tudo o que eu quero é ajudar meu bebê a superar o vício. Ela mente, engana, rouba, tudo por causa disso. Está além de sua capacidade de controle. Distinguir o certo do errado? Rezo para que chegue o dia quando ela vai estar pronta para isso – ou quando vai estar pronta de novo. Durante a maior parte da infância, ela foi a criança mais animada, honesta e reflexiva que eu poderia esperar ter. Era bem-comportada, e muito mais aberta às críticas do que qualquer pessoa que conheço, de qualquer idade. Nunca precisei usar estratégias para eliminar o 'mau' comportamento, como acontece com a maioria dos pais. Mas Ainsley mudou visivelmente no décimo ano. Foi o ano em que o pai, de quem ela era muito próxima, nos deixou. Ela se tornou desafiadora e retraída. Disse que as drogas eram a única coisa que davam a ela algum prazer. Mas eu as vejo como um jeito de disfarçar uma alma em sofrimento. As drogas a impossibilitam de enfrentar os problemas que a impedem de ser a pessoa naturalmente feliz que ela é."

O filósofo utilitário britânico Jeremy Bentham (1748–1832) acreditava que certo e errado podem ser determinados pela avaliação de "prazeres" e "dores" de qualquer situação dada. Pelos cálculos de Bentham – que aos três anos era considerado um prodígio, e que se tornou um jurista e reformista que defendeu a abolição da escravidão e da pena de morte para crianças –, ação que dá a alguém prazer intenso, mas de breve duração, não é moralmente certa, se tudo o que faz é encobrir uma angústia mental e emocional subjacente. Para Bentham, um curso de ação que traz a probabilidade de dar a alguém maior bem-estar pelo maior período pode ser considerado certo, mesmo que, em curto prazo, crie maior tumulto.

Zoe faz uma pausa antes de dizer: "Eu me pergunto o tempo todo se fiz a coisa certa em um mundo onde não existem escolhas perfeitas. O máximo que posso dizer é que minhas intenções eram as melhores".

De acordo com Immanuel Kant, todos temos dentro de nós a intenção de fazer a coisa certa. Com isso, ele quer dizer que, desde que haja princípio em nossas intenções, fizemos "o certo". Para Kant, certo e errado dependem da bondade ou maldade das intenções do indivíduo. Mesmo que uma atitude em particular se desencaminhe, o que importa, para Kant, ao avaliar certo ou errado, é se as intenções da pessoa tinham uma mentalidade acertada – o que significa que, antes de agir, o indivíduo deve deliberar com cuidado sobre a melhor atitude, com o propósito de fazer algum bem (que para ele é ajudar outra pessoa a obter mais dignidade e independência). Sempre que fazemos isso, aconteça o que acontecer, Kant argumenta que nossa atitude é "algo que cintila como uma joia por si só, algo que tem pleno valor em si mesmo", com "utilidade ou frutos" próprios.

"Não existem absolutos em relação a momentos de maturidade para aprender e ensinar questões de certo e errado", diz Patty depois de um tempo. "Queria dizer que uma das chaves é coerência, não enviar mensagens confusas. As crianças ficam confusas se os pais dos amigos têm diferentes conjuntos de consequências para os mesmos 'maus' comportamentos – ou se eles não consideram 'maus' os mesmos comportamentos que os outros pais punem. Alguns não se importam se o filho adolescente fuma maconha, enquanto outros consideram esse hábito um motivo para punição severa. Alguns são permissivos com os filhos que chegam em casa depois do horário estipulado, mas filhos de outros pais podem ficar de castigo por muito tempo por isso. Mesmo quando pai e mãe têm as mesmas ideias de certo e errado, os filhos podem aprender desde cedo que a justiça nem sempre é distribuída de maneira justa. Mesmo dentro da mesma família – e estou falando da minha –, um filho pode ter uma punição branda por um erro, e outro pode sofrer consequências mais severas pela mesma transgressão. Em vez de aprender lições sobre certo e errado, as condições são propícias para eles aprenderem sobre hipocrisia, sobre o 'faça o que eu digo, não faça o que eu faço'."

"Mas, às vezes, parte da coerência é ensinar que há exceções para toda regra moral", opina Jasmine. "Eu acredito no mandamento 'não matarás', mas servi a Reserva do Exército, e mataria para defender meu país. Ou minha família. E também sou caçadora ávida. Meu marido não mata uma aranha de propósito. Ele e eu temos razões convincentes para pensarmos que caçar é certo e errado, dependendo do caso. Cada um dos nossos filhos vai ter que decidir o que é certo e errado. Tudo o que podemos fazer é apresentar nossos pontos de vista de forma sensata. Às vezes não existem respostas fáceis. Pode haver exceções para quase todas as situações que exigem uma resposta moral e podem ser julgadas certas ou erradas."

Como aponta a filósofa existencialista e feminista francesa Simone de Beauvoir (1908–1986) em seu famoso livro *Moral da ambiguidade*, "A ética não fornece receitas, não mais que a ciência ou a arte". Cada resposta ética deve ser criada sob medida para a situação.

Pensativa, Aisha logo diz: "Estive pensando sobre essa questão de uma escala maior. Se você é ativista social e tem a coragem das suas convicções, se vê erros que precisam ser consertados, não há momentos em que tem que se forçar a ser maduro e exercitar a desobediência civil para promover a mudança? Martin Luther King Jr. disse que não existe essa coisa de esperar o tempo certo para agir diretamente contra os erros que se vê no mundo. Ele acreditava que era preciso forçar a questão, mesmo que isso significasse pôr em risco o próprio bem-estar. Se ele e tantas outras pessoas conscientes não tivessem se orientado por essa crença, nossa sociedade hoje provavelmente seria muito mais retrógrada em relação a tratar as pessoas de forma igualitária".

"As ideias da nossa sociedade sobre certo e errado ainda são retrógradas em muitos aspectos", diz Jasmine. "Os Estados Unidos são a única nação ocidental que não considera o castigo físico moralmente errado, muito menos uma ofensa passível de punição. O fato é que um pai – ou, aqui neste estado e em vinte outros, um diretor de escola ou professor – pode recorrer à punição física sempre que considerar apropriado. Muitos estudos concluíram que, quando uma criança aprende a distinguir certo e errado sendo punida fisicamente, é muito mais propensa a praticar punição física quando for adulta, ou cometer algum outro ato errado e violento. Faço parte de uma organização que trabalha para proibir o castigo físico no Arizona. Por mais que um adulto fique bravo, o que quer que uma criança faça, nunca é a hora certa para disciplinar uma criança fisicamente – ou nunca haverá o momento de maturidade para essa criança absorver lições sobre certo e errado."

Algum tempo passa antes de Edmond se manifestar depois de alguma hesitação. "Há vários anos, no auge da recessão, eu estava discutindo minha hipoteca com um gerente de banco por telefone. Com a economia em frangalhos, os lucros da empresa tinham caído drasticamente. Eu estava atrasando os pagamentos pela primeira vez na vida. Meu filho Hank, então com quatro anos, estava no meu colo, e ele não parava de me dar tapas. Era a fase do tapa. Um dos tapas ardeu. Eu deveria ter simplesmente posto a criança no chão. Em vez disso, reagi mais rápido do que pensei e dei uma bofetada forte no rosto dele. E, para enfatizar a punição, perguntei: 'Gostou?'. Hank ficou perplexo. Começou a chorar. Eu tinha machucado meu filho. Errei com ele. Como meu pai havia feito comigo várias vezes, e eu havia jurado nunca fazer com meus filhos. Busquei ajuda. Felizmente, Hank me perdoou. Seja qual for nosso erro, crianças dessa idade perdoam rapidamente os pais. Erramos com eles, e eles sabem que erramos, mesmo que sejam pequenos demais para expressar isso com palavras – e eles perdoam. Nós, adultos, podemos aprender muito com o exemplo deles."

"Mateus 7:1: 'não julga, ou serás julgado'", ele diz em seguida. "Mas todos nós julgamos. O que precisamos fazer, na falta de um jeito melhor de colocar essa situação, é aprender a julgar 'com maturidade', se esperamos que alguém aprenda conosco lições sobre certo e errado. Para mim, isso significa julgar a si mesmo com mais severidade do que julgaria qualquer outra pessoa. Muitos pais que vivem sob tremendo estresse nunca prejudicariam um filho. No entanto, eu prejudiquei. Condeno mais, não menos, qualquer um que fira uma criança, mesmo que eu seja mais compreensivo e complacente, inclusive meu próprio pai. Eu me puniria para sempre pelo que fiz. Torço para que meu filho seja sempre uma 'pessoa melhor' em seu pior dia do que eu fui no meu."

Edmond tenta sorrir, mas o sorriso desaparece quando ele se levanta e diz: "Pensei que, depois de dois anos, Hank tivesse me perdoado e esquecido o incidente. Mas no mês passado, enquanto *ele* estava ao telefone com um amigo da escola, eu o peguei desprevenido e belisquei de brincadeira. Ele se virou para mim... e com uma expressão significativa, deu um tapinha de brincadeira em meu rosto".

Sobrevivência do mais maduro

O conservador filósofo britânico Herbert Spencer (1820–1903) criou a expressão "sobrevivência do mais apto" na aplicação da teoria de Darwin sobre a seleção natural na sociedade humana. Spencer argumenta que é do mundo humano que o mais fraco seja empurrado para fora do caminho e o mais ascendente prevaleça. A hipótese de Spencer, porém, é mais esperançosa que evidente à primeira vista, já que ele alega que esse grupo mais dominante é da variedade virtuosa. De acordo com Spencer, o "mais apto" é um grupo voluntariamente cooperativo e moralmente progressivo que produzirá uma descendência de bens para todos. Nesse caso, aconteceria então que, com o passar do tempo, todo mundo seria da variedade ascendente.

A cena mundial hoje parece com alguma coisa que Spencer previu que seria? Chegamos a um estágio de pico de maturidade moral? Ou será que, como o titã existencialista Jean-Paul Sartre afirma notoriamente, estamos "condenados a ser livres", e muitos exercitam essa liberdade de um jeito que aprisiona outras pessoas, constringe suas possibilidades de desenvolvimento? Nosso mundo, certamente, tem mais Oberons (mas sem poderes encantados) do que deveria, gente que vai recorrer a qualquer meio – enganar, mentir ou pior – para conseguir o que quer, que sente ter esse direito, mesmo que imerecido, e não poderia se importar menos com o prejuízo que causa a qualquer um e qualquer coisa que se ponha em seu caminho? O progresso pessoal, hoje em dia, tem mais a ver, basicamente, com progresso egoísta? Se sim, isso é certo, já que maioria aceita e equipara a maturidade moral?

Não seria certo para Immanuel Kant, uma das figuras filosóficas mais respeitadas no reino da moral, que defendia de forma notória que deveríamos tratar uns aos outros como fins em si mesmos, não como meios para servir aos nossos fins. Para Kant, se agirmos com um sentimento de impunidade contra qualquer bem comum, somos pequenos, por mais que tentemos nos engrandecer. Para Kant, a questão principal hoje seria como "criamos" uns aos outros de maneira a aumentar as chances de agirmos de forma a elevar aos outros – e vemos isso também como autoelevação? Mesmo que a história revele que nós, humanos, somos um grupo mais dominado por tendências destrutivas que construtivas, tivemos raros períodos de florescimento, sem precedentes, em larga escala. Isso indica que há em nós a propensão para superar essas inclinações para acreditar que diminuir os outros é a melhor maneira de crescer.

Talvez sim, mas várias pesquisas mostram que os americanos acreditam que nosso tecido moral está se esgarçando. Em particular, há uma aflição incessante com o estado moral desanimador de nossas crianças. Com frequência, esse estado é atribuído ao rompimento da família "tradicional". O argumento típico é que sua dissolução desencadeou amadurecimento emocional defeituoso, que abre uma lacuna para uma variedade de males em nossos jovens, de desconfiança a esgotamento, de baixa autoestima a falta de noção moral, e que isso, por sua vez, desgasta a capacidade da criança de crescer e se tornar um adulto cuidadoso, responsável, idealista, compassivo. Com certeza, o que constitui a típica família americana hoje em dia é muito diferente do que era no passado. Mas em algum momento existiu algo como uma típica unidade familiar americana?

As crianças de hoje certamente enfrentam uma variedade sem precedentes de desafios para se desenvolver de maneira ideal. Isso torna ainda mais admirável que sejam fontes de formas vitais de sabedoria, entendimento e experiência sobre como podemos chegar a novas respostas acerca de como conduzir o desenvolvimento humano em todas as suas dimensões.

Diga isso, porém, ao filósofo político britânico e teórico da moral John Stuart Mill (1806–1873), que afirma, em seu clássico *Sobre a liberdade*, que devemos ser livres para nos comportar como quisermos, independentemente de nossas ações serem consideradas certas ou erradas por outras pessoas, mesmo que causemos mal a nós mesmos, desde que não prejudiquemos mais ninguém:

> *O único propósito pelo qual o poder pode ser exercitado legitimamente sobre qualquer membro de uma comunidade civilizada, contra sua vontade, é impedir dano a outros. Seu próprio bem, seja físico, seja moral, não é garantia suficiente... O indivíduo é soberano sobre o próprio corpo-mente.*

Mill faz uma exceção a essa doutrina dura e severa: "Talvez não seja necessário dizer que essa doutrina deve ser aplicada apenas a seres humanos na maturidade de suas faculdades". Portanto, ele "não está falando sobre crianças... Os que ainda estão em situação de requerer cuidados de terceiros devem ser protegidos contra as próprias atitudes, bem como de prejuízo externo". Mas todos nós, ao longo da vida, precisamos de cuidados de terceiros em algum grau. Mais ainda, quem entre nós é totalmente soberano sobre corpo e mente? Tudo o que dizemos, fazemos e criamos é, em alguma medida, prisioneiro do costume, da convenção, da educação, das leis da natureza.

A maioria dos adultos está na maturidade de suas faculdades? As faculdades podem amadurecer mais, independentemente da idade do indivíduo? É possível que alguém tenha faculdades mais maduras em muitos aspectos quando é jovem, e que essas faculdades se tornem menos maduras quando a pessoa envelhece?

O pai de Mill era mais maduro em suas faculdades para criar o filho? James Mill proibiu o filho de conviver com outras crianças para que ele pudesse se concentrar somente nos estudos; ele estava determinado a fazer do filho um gênio. Aos oito anos, John Stuart Mill conseguia ler todas as obras de Platão no grego helênico original, e depois aprendeu latim, Euclides e álgebra. Mas ele pagou um preço; teve um esgotamento mental aos vinte anos.

Por causa do pai, John Stuart Mill teve um excesso de amadurecimento, que o tornou supermaduro intelectualmente, em detrimento de seu desenvolvimento geral? E se Mill tivesse tido uma criação mais normal? Outras oportunidades de genialidade teriam se apresentado, sem custo para sua saúde mental? É evidente que o pai de Mill nunca propôs a si mesmo essas perguntas. Ele foi o predecessor do que chamamos hoje de "pai tigre".

É uma questão diferente ser maduro em suas faculdades na infância ou na vida adulta? Existem marcos diferentes para decidir o que constitui ter faculdades maduras na infância e quando se é adulto? Em qualquer idade, qual é a melhor maneira de amadurecer mais nossas faculdades mentais? John Stuart Mill defende que a prática faz a perfeição.

> *As faculdades humanas de percepção, julgamento, sentimento discriminativo, atividade mental e até preferência moral são exercitadas apenas ao fazermos uma escolha... A força mental e moral, como a dos músculos, melhora somente pelo uso.*

Mas a mera repetição de fazer uma escolha pode ser fundamental para exercitar essas faculdades do jeito mais imaturo. Escolhas de qualquer natureza séria devem ser feitas, sempre que possível, com deliberação atenta e, às vezes, aflitiva enquanto se pesam os prós e contras das alternativas. Nossas habilidades de percepção, julgamento, sentimento discriminativo, atividade mental, preferência moral podem estagnar e até diminuir, por maior que seja o número de vezes que fizemos escolhas. Muitos líderes mundiais tomam decisões que afetam milhões, com pouca, talvez nenhuma, deliberação antecipada sobre cursos de ação. Frequentemente, deixam de reconhecer nuance e complexidade, fazem julgamentos intempestivos baseados em rígidas sensibilidades morais em preto e branco e percepções estreitas, e não perdem um só minuto de sono por isso, por mais desastrosos que sejam os resultados de suas escolhas. O simples número de vezes que uma pessoa faz uma escolha – seja um presidente, seja um pai – não é suficiente, de jeito nenhum. É preciso se empenhar no aperfeiçoamento dos poderes deliberativos de um jeito consciente para ter uma boa chance de desenvolver um código moral que manifeste mais e mais uma consciência social e uma integridade intelectual.

Não é mau comportamento

O psicólogo americano Lawrence Kohlberg (1927–1967) acreditava que estamos maduros na adolescência e na vida adulta para aprender sobre certo e errado. Para Kohlberg, crianças não só passam por sucessivos estágios cognitivos, como havia afirmado anteriormente seu herói Jean Piaget, como também avançam (ou podem avançar) por estágios paralelos de argumentação moral. A pesquisa de Kohlberg, altamente influente até hoje, centrava-se em uma série de dilemas morais que os participantes de seu estudo eram convidados a resolver. As respostas o levaram a elaborar uma teoria do estágio moral. Em *A filosofia do desenvolvimento moral*, Kohlberg compartilha sua conclusão de que crianças menores estão em um nível de moralidade "pré-convencional", por isso ainda não são capazes (muito menos suficientemente versadas) para agir de acordo com os preceitos da sociedade. Por isso, elas se guiam pelos adultos, em particular os pais e cuidadores. Mais ainda, ele afirma que crianças nesse estágio "pré-moral" são tão autocentradas que, se deixadas por conta própria, suas atitudes seriam guiadas na esfera moral pela pergunta "que vantagem há nisso para mim?". Kohlberg caracteriza o segundo nível moral como "convencional". As pessoas nesse estágio – algumas crianças mais velhas, adolescentes, adultos – podem internalizar os valores da sociedade, e querem agir de acordo com eles. O terceiro e mais elevado estágio é a moralidade "pós-convencional". Os raros adolescentes e adultos que conseguem alcançar completamente esse nível demonstram um grau considerável de autonomia moral, e são capazes de atitudes que transcendem o interesse pessoal. Quando necessário, são induzidos a agir contra as normas sociais prevalecentes, se acreditam que assim podem alcançar um bem maior.

A ideia de Kohlberg de que o indivíduo progride por estágios morais enquanto envelhece é questionável, para dizer o mínimo. Ele concorda com uma longa sequência de teóricos do desenvolvimento que operam a partir da premissa aristotélica de que nossos pequenos são, de longe, os mais egocêntricos de nós, e começam a vida, essencialmente, como seres amorais, e que só ao se tornarem adultos podem se tornar capazes de agir com algum senso moral preciso[10]. Evidências importantes, porém, indicam que começamos com uma predisposição para ser moral, e que uma razão para Kohlberg ter acreditado no contrário foi que (como Piaget) suas ideias pejorativas e preconcebidas das crianças, e as questões condutoras (ou enganosas) que propunha a elas, prejudicaram grandemente seus estudos desde o início.

Pesquisas conduzidas atualmente por especialistas do desenvolvimento infantil, como o psicólogo William Damon, da Universidade de Stanford, e seus colegas, indicam que a vida moral começa na infância, antes mesmo da linguagem, e uma noção aguçada de certo e errado faz parte da nossa vida desde cedo. "Todas as crianças nascem no caminho para o desenvolvimento moral", Damon afirma.

> *Diversas respostas inatas as predispõem a agir de maneira ética. Por exemplo, empatia – a capacidade de experimentar o prazer ou o sofrimento de outra pessoa – é parte de nosso dote nativo de humanos. Recém-nascidos choram quando ouvem outros chorando e mostram sinais de prazer com sons felizes, como aconchego e risadas. No segundo ano de vida, crianças costumam consolar seus pares ou os pais aborrecidos.*

Damon revelou que, aos dois anos e meio, as crianças dão passos significativos em seu desenvolvimento moral, ao contrário do que afirmam Piaget e Kohlberg, que insistem em dizer que elas não são capazes de verdadeiro conhecimento moral antes da adolescência. Em seu próprio estudo abrangente de crianças pequenas, a psicóloga do desenvolvimento Judith Smetana descobriu que elas são bem sintonizadas moralmente e praticam uma forma de raciocínio empático que é estranha a muitos adultos. As crianças

---

10 Até Shakespeare, em *Troilo e Créssida*, faz questão de comentar que "Aristóteles os considerava inaptos para ouvir filosofia moral". Os jovens não eram capazes nem de ouvir questões morais, muito menos refletir sobre elas

que participaram de seu estudo foram postas diante de cenários relativos a regras da creche. Um envolve recolher aquilo que a criança espalha e as consequências de não cumprir essa regra. As crianças concordaram que uma professora da pré-escola pode mudar as regras sobre elas terem que manter tudo limpo e arrumado. Então, por exemplo, se uma professora muda tudo e decide que a bagunça é permitida, as crianças também aceitam. Por outro lado, elas acreditam que é absolutamente errado uma professora mudar as regras para permitir punição física ou censura ríspida de uma criança da pré-escola por deixar de recolher as coisas que espalha. Para elas, isso seria comparável a causar dano, e, em sua visão de mundo, prejudicar alguém intencionalmente é sempre algo moralmente vetado.

Muito antes de esses estudos serem iniciados, Karl Jaspers propôs que todas as indicações são de que nosso senso moral não se torna necessariamente mais refinado quando envelhecemos. Ele insistia que "com os anos, é como se entrássemos em uma prisão de convenções e opiniões, dissimulações e aceitação não questionada". Para Jaspers, é uma rara e maravilhosa ocorrência quando as pessoas (Sócrates entre elas) conseguem "preservar seu candor e independência" com a idade. Dewey também divergiu da visão geral de que adultos são os guias da moral das crianças, mas não o contrário, ao afirmar, em *Reconstrução em Filosofia*, que pessoas de todas as idades precisam umas das outras – o adulto da criança tanto quanto o contrário – para continuarmos amadurecendo nossa moral com o passar dos anos:

> *Se a questão moral do adulto e do jovem é uma experiência de crescimento e desenvolvimento, a instrução que vem das dependências e interdependências sociais é tão importante para o adulto quanto para a criança.*

Porém, permanece a inclinação dos adultos de "exagerar a dependência intelectual da infância de forma que a criança seja excessivamente controlada, e depois exageramos a independência da vida adulta da intimidade de contatos e comunicação com outros". Crianças podem nos ajudar a alterar essas rotinas de hábito que nos impedem de seguir esculpindo nosso eu moral, para podermos seguir "libertando e desenvolvendo as capacidades de indivíduos humanos sem considerar raça, classe ou *status* econômico" – ou, até mesmo, a idade.

Outro importante obstáculo para essa liberação é que adultos frequentemente presumem que desenvolvimento moral só pode ser alcançado com um senso altamente refinado de culpa e vergonha. Em relação a ensinar e aprender a distinguir certo e errado, Walter Kaufmann (1921–1980), o raro filósofo acadêmico cujos trabalhos contundentes são igualmente dirigidos ao público geral e a seus pares, propõe de forma provocativa, em *Without guilt and justice*, que não devemos mais "depender de culpa e medo, como fizeram nossos pais e mães".

> *A pessoa que se importa profundamente com a opinião dos pares e as expectativas que eles têm em relação ao seu desempenho provavelmente vai sentir culpa profunda quando os desapontar. Sentimentos de culpa são muito mais prováveis de surgir em relação aos pais, especialmente se o indivíduo sente que eles fizeram grandes sacrifícios e que, portanto, mereciam algo melhor – mesmo que os próprios pais não tenham esse sentimento.*

Inversamente, pais que sentem que desapontaram os filhos também podem sentir grande culpa. Um amigo meu, professor de faculdade, precisou se mudar para o outro lado do país para aceitar um emprego. Ele me contou com angústia palpável como a filha adolescente continua de luto por estar a milhares de quilômetros do namorado e do grupo de amigos do antigo colégio. Disse que um dos colegas recusou um emprego parecido para a família não ter que se mudar, embora isso tenha causado prejuízo financeiro. O que ele questiona é se sua decisão foi "mais errada que certa".

E quanto àquela crítica dura feita a partir de nossa própria régua? De acordo com Kaufmann, "aqueles que não alcançaram os próprios padrões na pintura, escrita ou nos esportes" – ou na criação dos filhos – "são claramente sensatos quando não sentem culpa, nem têm que sentir vergonha".

> *É razoável que eles tentem criticar o próprio desempenho cuidadosamente, perguntar a si mesmos o que deu errado e mapear estratégias para*

melhorar na próxima vez. E se não houver próxima vez e a falha for, de algum jeito, irrevogável, eles podem sentir profundo pesar, mas seria irascível e neurótico sentir culpa.

A avaliação de Kaufmann pode ser aplicada a casos em que nossas atitudes afetam apenas a nós mesmos (se é que isso existe). Contudo, e quando as atitudes do indivíduo causam danos duradouros a outras pessoas? Não há próxima vez quando o assunto é criar um filho, e também não tem ensaio. Qual seria uma resposta apropriada se alguém falha nos aspectos críticos da parentalidade? E se esse fracasso é irrevogável, e não há próxima vez para mapear novas estratégias para melhorar? É suficiente sentir profundo pesar? Ou é mais provável que esse pai não experimente mais pesar que culpa na primeira vez, muito menos se dedique a avaliar de maneira crítica sua conduta como pai?

Há circunstâncias em que o comportamento de alguém deve ser imune a considerações de certo e errado? Muitos adultos acreditam que é apropriado ser solene em funerais. Mas as crianças sempre se comportam de outro jeito. No funeral do pai de minha esposa, Armando Chapa de Zambrano, minha filha se desligou na frente do caixão durante a visitação. Ela dançou e fez várias piruetas com um parceiro imaginário. Estava lembrando muitas vezes em que tinha passado o dia dançando com o avô. Com quase 1,90 m de altura, ele era um gigante perto dela. Com delicadeza, ele a tirava do chão, enlaçava sua cintura com um braço, segurava sua mãozinha e eles dançavam tango, salsa, merengue ou alguma coisa que inventavam. Cali estava no sétimo céu durante o funeral, "dançando com o espírito dele", como mais tarde ela me explicou. A julgar por alguns olhares adultos para ela, seu comportamento não era considerado apropriado. Mas, para ela, aquele foi o gesto de luto mais adequado que se podia imaginar, e o mais emocionante para a mãe dela e para mim. Sua última dança com o avô foi uma grande homenagem à memória dele.

O bom, o mau e o feio

Depois das bombas na Maratona de Boston, o escritor Dennis Lehane, em um artigo para o *New York Times*, relata como "foi para casa e tentou explicar à filha de quatro anos que o motivo de papai e mamãe estarem chateados era que gente má tinha feito coisas más".

> *Não estou acostumado a me sentir tão limitado quando tenho que me expressar, mas tentar explicar um assassinato em massa para uma criança de quatro anos me deixou... sem palavras... Minha filha perguntou se os homens maus eram como as mulheres más que bateram com a mala na cabeça dela, e não pediram desculpas, na última vez que viajamos de avião. Garanti que os homens maus eram piores, e minha filha perguntou se eles bateriam na cabeça dela quando estivesse na rua. Prometi que não, mas sério, como eu posso saber?*

Mesmo que os homens maus fossem muito piores que as mulheres más, existem semelhanças perturbadoras? Recentemente, vi um homem que parecia ter trinta e poucos anos e, distraído com o celular, bateu em um menino que andava pela calçada e quase o derrubou. O menino reagiu enquanto esfregava a canela: "Você não pediu desculpas". Sem nem olhar para trás, o homem respondeu: "É verdade. Não pedi". Ele me faz pensar na mulher que bateu na cabeça da filha de Lehane, e em uma mulher cujo cachorro enorme assustou minha filha quando ela estava com cinco anos, aproximando-se dela sem aviso prévio. Em vez de tentar acalmar Cali e explicar que o cachorro era manso, a dona do animal disse a ela: "Isso mesmo, fique longe, ele é um grande lobo mau". O antigo filósofo chinês Mêncio era da opinião de que "nenhum homem é privado de um coração sensível ao sofrimento dos outros", e tinha certeza de que isso era particularmente verdadeiro para os sentimentos dos adultos em relação às crianças. Adiante uns dois mil anos, e o aclamado cientista cognitivo Steven Pinker também tem certeza de que, para adultos como ele, "se uma criança se assustou com um cachorro latindo e está chorando de medo", ele se aproxima e oferece uma "resposta solidária" e "a consola e protege". Mas essa mulher prejudicou muito as tentativas de minha filha para superar o medo de cachorros, e até sentiu prazer por assustá-la. Embora com uma dramática diferença de grau com os autores do atentado a bomba em Boston, esses adultos da vida diária, ao deixarem de reconhecer a igual humanidade dos mais novos, mostraram uma feiura assustadora na falta de compaixão por eles. Essa gritante falta de compaixão ainda é exceção entre os adultos, ou é cada vez mais a regra hoje em dia?

O filósofo idealista alemão Georg Wilhelm Friedrich Hegel (1770–1831) afirma que nos tornamos mais tolerantes e compreensivos à medida que envelhecemos – "resultado da maturidade de julgamento" que decorre de sermos "mais profundamente educados pela grave experiência de viver". Porém, tenho a impressão de que o que Hegel atribui principalmente à juventude – "a maturidade da indiferença" – é, de fato, território de adultos.

O filósofo alemão Arthur Schopenhauer (1788–1860) argumenta, em seu aclamado *Sobre o fundamento da moral*, que moralidade se baseia no "fenômeno diário da compaixão... a participação imediata, independente de todas as considerações ulteriores, primariamente sobre o sofrimento do outro, e depois sobre sua prevenção ou eliminação". Para Schopenhauer, compaixão, ou *mitleid* (sentimento do semelhante), tem base intuitiva, em vez de racional, e por isso se sobrepõe à racionalidade. Em sua opinião, todas as grandes religiões do mundo representam tentativas de expressar essa ideia de compaixão, e o que conecta tudo é o reconhecimento compartilhado de que a vida humana consiste em infinito sofrimento. Para Schopenhauer, um ato de compaixão não é mais egoísta que altruísta; pelo contrário, quem demonstra compaixão se coloca em um plano completamente igual ao da pessoa que sofre: "Eu... senti junto com ele, senti como se fosse comigo... Isso pressupõe que... me identifiquei com o outro homem, e por isso a barreira entre ego e não ego está abolida, por ora".

Friedrich Nietzsche, reverenciado e insultado por suas críticas penetrantes à moralidade prevalente, foi profundamente influenciado por Schopenhauer. Nietzsche, no entanto, se dissocia dele nesse assunto, e afirma que compaixão é uma fraqueza, um vício, de fato, em vez de uma virtude, e como tal não é mais que nossa demonstração de pena por outra pessoa – e demonstrar piedade por outro, ele acredita, equivale a demonstrar desprezo.

Nelson Mandela, por exemplo, não poderia discordar mais de Nietzsche (ou concordar mais com Schopenhauer). "Nossa compaixão humana", ele afirma, "nos liga uns aos outros – não por piedade ou paternalismo, mas como seres humanos que aprenderam como transformar o sofrimento comum em esperança para o futuro." Sua perspectiva se origina da filosofia humanista sul-africana do ubuntu, que se traduz como "humanidade para os outros". O ubuntu tem por base a ideia de que todas as pessoas são iguais – não há maior nem menor importância ou valor, e é só pela prática de atitudes compassivas que nos tornamos completamente humanos.

Em tempos passados, quando frieza e indiferença prevaleciam, esse foi o ponto de precipitação para alguns dos mais sombrios momentos da história humana. O que um "índice de compaixão" revela sobre os Estados Unidos hoje? Mostraria que, de maneira geral, demonstramos muita afinidade emocional? E se esse índice incluísse indicadores econômicos como uma medida-chave de nossa compaixão coletiva? A proporção de americanos vivendo em situação de pobreza é a maior nos últimos cinquenta anos. Enquanto os que estão nas camadas superiores desfrutaram de um aumento dramático da riqueza pessoal, houve declínio mensurado na renda pessoal entre as classes média e baixa, além de cortes significativos no orçamento da assistência social e do socorro aos mais carentes, crianças e idosos em particular. Mas tem havido pouca comoção e protesto para a criação de condições mais igualitárias, ou de um sistema com salvaguardas que garantam a proteção dos mais vulneráveis. Casos de abusos de idosos aumentam significativamente[11], como os casos de discriminação contra idosos no local de trabalho, ao mesmo tempo em que o financiamento de serviços de proteção e prevenção continua em dramático declínio. "Uma população que não cuida dos idosos, das crianças e dos jovens não tem futuro", afirma o papa Francisco, "porque abusa tanto de sua memória quanto de sua promessa."

---

11 O *New York Times* aponta que um estudo do Government Accountability Offices (uma espécie de gabinete de controladoria-geral do governo federal norte-americano) relata que um "número crescente de abuso de idosos ameaça suplantar agências de serviço de proteção para adultos com número inadequado de servidores em muitos estados".

Se falta compaixão atualmente nos Estados Unidos nas ações pelos mais vulneráveis, como isso pode ser reparado?

Em *Ética a Nicômaco*, Aristóteles afirma que é imperativo que sejamos elevados de nossa "própria juventude... tanto para desfrutar quanto para sofrer pelas coisas devidas". Quem são os que têm o mais elevado sentimento de compaixão, altruísmo, empatia e, por isso, são os mais adeptos para determinar de que devemos desfrutar, e com o que devemos sofrer? Muitos cientistas cognitivos e especialistas do desenvolvimento hoje em dia acreditam que a evidência aponta para as crianças, sem dúvida. A pergunta inquietante de Alison Gopnik é: "Se as crianças são tão boas, se empatia e altruísmo são parte tão enraizada da natureza humana, por que, então, os adultos são tão maus?". Como ela especula, seria porque "o impulso para fazer o mal parece ser tão profundamente enraizado quanto o impulso para fazer o bem?". Nesse caso, por que, como ela afirma, o impulso para fazer o bem é tão aflorado quando somos jovens, e como é frequentemente suplantado pelo impulso de fazer o mal quando envelhecemos? Para Gopnik, é indiscutível que "empatia e altruísmo iniciais emergem nos encontros íntimos e próximos entre bebês e seus cuidadores – os relacionamentos mais íntimos que jamais teremos". Se essa relação mais íntima que temos vai se tornando menos e menos íntima, então, quase nem é preciso dizer que isso levará ao desenvolvimento de impulsos menos saudáveis – ou mais prejudiciais. Mesmo quando os pais estão com os filhos nos tempos atuais, é comum que não estejam com eles. Em vez disso, estão acomodados em suas centrais de mídia, ou distraídos com celulares e *tablets* – quando não os estão dividindo com seus bebês e pequenos, muitas vezes para distraí-los ou acalmá-los, de forma que não incomodem[12]. Estudos também indicam que o resultado previsível, quando os pais passam tempo demais com sua coleção de aparelhos eletrônicos, em vez de se dedicar aos filhos, é que o desenvolvimento da linguagem dos pequenos sofre um duro golpe. Isso se aplica, em escalas até mais abismais, para pais que deixam os filhos com esses equipamentos, mesmo quando estão bem próximos. Certamente,

---

12 Veja, por exemplo, este artigo da NPR sobre o assunto: http://www.npr.org/blogs/health/2011/10/22/141591126/will-smartphones-and-ipads-mush-my-toddlers-brain

logo será descoberto que essa redução na genuína intimidade não só afeta o desenvolvimento da linguagem, mas também prejudica ou interrompe o desenvolvimento de empatia e altruísmo. Certamente, a interrupção de formas de encontros íntimos entre criança e pai ou cuidador também corta as profundas raízes empáticas e altruístas da criança, que são substituídas por impulsos mais sombrios que, de outra forma, jamais teriam criado raízes firmes. Esse é um resultado trágico, nem preciso dizer. Como Gopnik reconhece: "Para uma genuína moralidade global, temos que estender esses sentimentos além da nossa intimidade para os seis bilhões de outros seres humanos que estão por aí". Primeiro, porém, temos que nutrir esses sentimentos por nossos mais próximos. Quando a intimidade inexiste durante os primeiros anos de alguém, nunca desenvolvemos grande moralidade local, o que torna a possibilidade de realizar uma moralidade mais global um sonho vazio. Se perdemos a capacidade inata de sentir empatia pelos mais próximos e mais queridos, não podemos sentir a dor e o sofrimento do outro que nem conhecemos tão bem, ou nem conhecemos.

Erik Erikson afirmou, de maneira intrigante, que cada um de nós abriga a propensão para um cabo de guerra entre "generatividade" e "rejeitividade". Ele postulou que se "generatividade" – a disposição para cuidar dos outros – é propriamente nutrida, com o tempo se torna algo que nos sentiremos inspirados a praticar não só com aqueles de nosso círculo imediato, mas também com os mais afastados, e uma consequência visível é que "defendemos um princípio de cuidado mais universal". Não é fácil pôr isso em prática, porém, porque temos outro impulso, rejeição, que predispõe a "não se importar com cuidar" dos outros, mas só de nós mesmos. O que devemos fazer, de acordo com Erikson, é inclinar nossa vontade na direção de nutrir os impulsos "generativos". Em particular, adultos devem se dedicar a isso, já que são encarregados da "tarefa geracional de cultivar força na próxima geração", e por isso devem dominar "o impulso de proteger" nossos jovens.

O praticante típico da "generatividade", de acordo com Erikson, foi Ghandi, "pai e mãe, irmão e irmã, filho e filha de toda criação". Erikson não reconhece que nossos pequenos podem ser os maiores adeptos da prática de "generatividade". Mesmo as crianças e os jovens que vivem nas circunstâncias mais humilhantes demonstram uma capacidade firme nesse sentido. A jornalista premiada com um National Book Award Katherine Boo confirma essa declaração em *Em busca de um final feliz*, em que relata a vida de moradores de uma favela em Mumbai, na Índia. Ela conta como foi "continuamente surpreendida pelas imaginações éticas de jovens, mesmo em circunstâncias desesperadoras o bastante para que o egoísmo fosse um bem". Se essas crianças perdem ostensivamente essa capacidade à medida que crescem, Boo acredita que é porque "têm pouco poder para agir a partir dessas imaginações". Mas ela enfatiza que isso não indica, de maneira nenhuma, que elas se tornaram desinteressadas. Pelo contrário, ainda "sentem intensamente a perda da vida... O que parece ser indiferença ao sofrimento de outras pessoas... tinha muito a ver com as condições que sabotaram sua capacidade inata para a ação moral". Elas não podem fazer o que seria natural para elas, não podem estender a mão para outras pessoas e aliviar seu sofrimento, não mais do que podem aliviar o delas mesmas. Essa sensação de impotência contraria o desejo inato de ser útil.

De acordo com Martha Nussbaum, se perdemos nosso "sentimento trágico de compaixão por pessoas que sofrem desigualmente os infortúnios da vida – incluindo da mesma forma os que permanecem bons e os que se voltam para o mal –, corremos o risco de perder a humanidade". O que mostram as crianças que Katherine Boo encontrou, porém, é que aqueles que sofrem desigualmente os infortúnios da vida nunca perdem seu sentimento trágico de compaixão pelos outros, por mais que tenham a vida corrompida por erros indizíveis. Mas essas pessoas se recusam a permitir que seu senso moral seja corrompido ou definido pelo que testemunham ou sofrem no mundo. Permanecem boas em um mundo que, se não é totalmente transformado em algo mau, é virado de cabeça para baixo.

Anne Frank ganhou um diário pouco depois do seu aniversário de treze anos. Ela começou a escrever três semanas antes de sua família ir para o esconderijo, em 6 de julho de 1942, e continuou até agosto de 1944, quando ela e mais sete foram capturados pelos nazistas. Em um de seus últimos registros no diário, ela escreveu: "É realmente de espantar que eu não tenha abandonado todos os meus ideais, porque parecem absurdos e impossíveis de levar adiante. Mas eu os preservo, porque, apesar de tudo, ainda acredito que as pessoas são realmente boas, no fundo". Anne Frank deve ter se perguntado: como um nazista pode participar das piores atrocidades, ir para casa à noite e ser um pai e marido amoroso? Como alguém pode estar maduro para o bem e para o mal? Em meio à tentativa sistemática de eliminar judeus, ciganos e pessoas com deficiências, e cercada pela própria impotência para agir de acordo com seus ideais, ela ainda concluiu que as pessoas eram essencialmente boas. Isso é ingenuidade infantil, uma recusa ou incapacidade de ver as coisas como são? Ou as coisas que eram feitas não a impediam de distinguir uma pessoa de seus atos, mesmo os de natureza mais hedionda?

Certo, errado e cérebros de plástico

Joshua Greene, um neurocientista de Harvard, dedicou-se a escanear o cérebro de pessoas enquanto elas refletiam sobre dilemas morais. Em *Tribos morais*, ele compartilha suas descobertas de que, quando nos afligimos com questões de certo e errado, a "máquina moral padronizada" do nosso cérebro nos equipa com "programas comportamentais automatizados que motivam e estabilizam cooperação dentro de relacionamentos pessoais e grupos. Entre eles estão as capacidades para empatia, vingança, honra, culpa, constrangimento, tribalismo e indignação". Por outro lado, nosso chamado cérebro moral falha quando "nosso" grupo se opõe a outros. Nesses casos, nossos melhores anjos são "corrompidos por tribalismo... discórdia sobre os termos adequados de cooperação... uma noção enviesada de justiça e uma percepção enviesada dos fatos". Greene acredita que nossa capacidade de raciocinar moralmente se resume a como administramos o conflito entre nossos instintos atávicos – que nos induzem a comportamento mais combativo e egoísta – e as capacidades racionais mais avançadas que nos permitem e inspiram a superar as diferenças. Ele concluiu que nossa tendência para o tribalismo é direcionada por partes mais velhas do cérebro, enquanto a vontade de cooperar e ter empatia deriva do neocórtex evoluído mais recentemente. Greene afirma que podemos superar os impulsos mais destrutivos, porque o cérebro nos habilita com "uma capacidade geral para o raciocínio consciente, explícito, prático, que torna a decisão humana flexível".

Se é assim, quem entre nós é o mais flexível nesse aspecto?

Uma variedade de estudos deixa claro que adolescentes têm plasticidade cerebral única, e que, quando isso é devidamente acessado, permite que eles aprendam e se adaptem mais rapidamente e com mais aptidão que os adultos[13]. E se nós, os mais velhos, explorássemos essa capacidade deles? Para isso, precisaríamos ver esse estágio altamente transicional como uma janela de oportunidade. Poderíamos aprender a melhor maneira de desenvolver essa capacidade para o raciocínio consciente, explícito, prático, de forma que ela permaneça conosco e progrida com o tempo. O problema é que os que estão em melhor posição para isso são justamente os que têm a menor plasticidade. Não temos a inclinação para nos aproximar de adolescentes, por mais percepções que possamos adquirir sobre como permanecer mais maleável, adaptativo e responsivo a mudanças rápidas.

A neurociência não existia como um campo no tempo de John Keats, mas o poeta romântico do começo do século 19 ofereceu um louvor presciente à plasticidade ao criar a expressão "capacidade negativa", que denota a capacidade de transcender limitações preconcebidas e assim reescrever a história da própria vida. Para Keats, os pensadores e agentes de maior destaque demonstram capacidade negativa em um grau inigualável. Eles se sentem à vontade com um mundo de "incertezas, mistérios, dúvidas, sem nenhuma perseguição irritável a fato e razão". Exemplos de capacidade negativa (ele considera Shakespeare o principal) abraçam o paradoxo, a dissonância, a ambiguidade, o imprevisível e o desconhecido, e se aventuram sem hesitação em território existencial onde outros temem pisar. Não que fato e razão não tenham um lugar em sua busca. Mas eles não são o fim e o todo. Sensação e imaginação são parceiros iguais.

A expressão cunhada por Keats foi apropriada nos tempos modernos pelo filósofo progressista brasileiro, teórico social e político progressista Roberto Mangabeira Unger, que compara capacidade negativa àquele elemento de nossa natureza que nos permite superar as mais terríveis barreiras

---

13 Um entre muitos artigos sobre o assunto é "The Teen Brain: Primed to Learn, Primed do Take Risks" (O cérebro adolescente: preparado para aprender, preparado para correr riscos), de Jay N. Giedd, do National Institute of Mental Health (Instituto Nacional de Saúde Mental). Psiquiatra de crianças e adolescentes, Giedd se especializou em imagens do cérebro. O *link* para seu artigo é https://www.dana.org/Cerebrum/Default.aspx?id=39411.

culturais, socioeconômicas e institucionalmente impostas ao saudável florescimento humano. Em *O homem despertado*, Unger (que foi professor de Barack Obama em Harvard) insiste que

> *não somos esgotados pelos mundos social e cultural que habitamos e construímos. Eles são finitos. Nós, comparados a eles, não somos. Podemos ver, pensar, sentir, construir e nos conectar de mais jeitos que eles podem permitir.*

Adolescentes em particular devem tomar essa afirmação como um toque de clarim. Do ponto de vista de Unger, em vez de esperar passivamente pelo tempo improvável em que adultos os tratarão como iguais, cabe a eles pegar o touro pelos chifres. Hoje muitos adolescentes estão fazendo exatamente isso, colocando à mostra sua capacidade negativa. Por meio de iniciativas de empreendimento social como Do Something, Be the Change e Young Venture[14], adolescentes estão mostrando que podem ser agentes ativos e inovadores para a mudança. Estão tornando real a visão que têm deles mesmos e de seu papel de direito na criação de um mundo a seu gosto e do seu jeito.

O predecessor progressista de Unger, o filósofo brasileiro Paulo Freire (1921–1977), um dos mais influentes educadores do século 20, transformou no trabalho de sua vida equipar os marginalizados para se tornarem mais versáteis, capazes de se adaptar e determinar o próprio destino. O trabalho revolucionário de Freire, *Pedagogia do oprimido*, elabora como associamos educação formal e diálogo comunitário como o principal meio para a solução de problemas e a ação prática. Seu foco era, particularmente, a população adulta mais pobre de seu país. Para Freire, uma pessoa instruída é alguém que pode desenvolver todo o seu potencial e assim alcançar a "completude humana". Aprender a ler não é suficiente. São necessárias outras capacidades a fim de superar uma estrutura de poder existente criada para manter os desfavorecidos em seu lugar. Pela régua de Freire, muitos que não sabem ler são, ainda assim, instruídos de outras maneiras. Por exemplo, muitos

---

14 Para mais informações, ver DoSomething.org, BeTheChangeInc.org e www.genv.net.

pobres sabem como plantar nos ambientes mais austeros, ou como travar duras negociações daquilo que produzem, e essas são formas de instrução. Ao ensinar essas pessoas a ler, seu objetivo era dar-lhes ferramentas para "ler a palavra e também o mundo" – em outros termos, a alfabetização é fundamental porque os torna mais capazes de se defender, de forma que possam escrever a história da própria vida.

Considerando o foco de Freire nos adultos pobres, fica claro que ele acreditava que até os mais privados são "suficientemente plásticos" em sua capacidade de mudar a vida radicalmente. A pesquisa atual em neurociência indica que ele tem razão. Estudos revelam que adultos que se dedicam a certos tipos de aprendizado – como o de novos idiomas, tocar um instrumento musical, aprender mais matemática ou ler e escrever – catalisam a criação de novas conexões na região do cérebro envolvida no aprendizado[15]. Isso torna o cérebro adulto mais maleável e adaptável[16], o que, por sua vez, catalisa mudanças na estrutura e no funcionamento do cérebro, porque ele é induzido a produzir mais massa cinzenta[17]. Quanto mais massa cinzenta temos, mais cerebralmente equipados somos para explorar nossa capacidade negativa[18].

Os adultos com quem Freire trabalhava geralmente haviam enfrentado severa negligência desde a infância. Em estudos recentes, exames de ressonância magnética do cérebro de crianças pequenas que sofriam privações mostram que o cérebro é menor que o de crianças que receberam todo o

---

15 Espero com ansiedade pelo estudo que um dia mostrará que adultos que cuidam de crianças – dos pais aos profissionais – e genuinamente as criam experimentam crescimento da massa cinzenta.

16 Ver, por exemplo, o artigo "Brain Plasticity in Older Adults" (Plasticidade do cérebro em adultos mais velhos), na edição de 27 de abril de 2013 de *Psychology Today*.

17 O neurocientista Michael Merzenich, da Universidade da Califórnia–São Francisco, tem estado na vanguarda do tema, demonstrando que o cérebro adulto pode continuar crescendo e se desenvolvendo. Ver também "Research Shows Adults Brain Capable of Rapid New Growth" (Pesquisa mostra cérebro de adultos capaz de rápido novo crescimento), em http://phys.org/news/2011-04-adult-brains-capable-rapid-growth.html. Um trabalho publicado em *Proceedings of National Academy of Sciences* apresenta descobertas que mostram que o cérebro adulto pode experimentar crescimento rápido quando exposto aos tipos de estímulos que os bebês recebem quando estão se familiarizando com seu ambiente.

18 Por exemplo, em 2012, pesquisadores da Universidade de Zurique descobriram que pessoas com mais massa cinzenta na junção entre os lobos parietal e temporal são mais altruístas que aquelas com menos.

cuidado[19]. Elas têm menos massa cinzenta. Isso pode levar a "programação defeituosa" nas regiões do cérebro que estimulam o desenvolvimento da linguagem, visão e emoção. Mas se essas crianças tiverem recebido cuidado apropriado aos dois anos de idade, os pesquisadores afirmam que esses efeitos negativos muitas vezes podem ser revertidos[20].

O projeto de alfabetização de Freire, que continua sendo um esteio no Brasil e se expandiu para outras regiões pobres do mundo, certamente desafia e estimula o cérebro de um jeito que possibilita que os adultos que foram deliberadamente excluídos se juntem a suas contrapartes mais jovens para desafiar e mudar a estrutura e o funcionamento estabelecidos de seu mundo imediato. O resultado é que eles equipam o mundo com maior plasticidade.

Um relato de dois extremos

Em *Do jeito que você gosta*, depois de dizer que "tudo é mortal na natureza", o tolo sábio Toque observa: "De hora em hora amadurecemos, e amadurecemos, e de hora em hora apodrecemos. E por aí vai a história". É possível, porém, que de hora em hora muitas pessoas amadureçam e apodreçam ao mesmo tempo? É possível, para outras pessoas, que a vida vá e volte entre momentos de maturidade e podridão de vários tipos? Períodos de crescimento podem ser pontuados por, ou intercalados com, períodos de declínio, regressão ou estagnação. Muitas vezes, esses processos podem acontecer simultaneamente dentro da mesma pessoa.

---

19 Ver, por exemplo, "The effects of early life adversity on brain and behavioral development" (Os efeitos da adversidade no começo da vida sobre o desenvolvimento do cérebro e do comportamento), em https://www.dana.org/Publications/ReportOnProgress/The_effects_of_early_life-adversity_on_brain_and_behavioral_development/, "HMS Professor Studies Orphanage Impact on Brain Development" (Professor da HMS estuda impacto da orfandade no desenvolvimento do cérebro), em http://www.thecrimson.com/article/2011/11/9/hms-prof-brain/, e "Kids whose bond with mother was disrupted early in life show changes in brain" (Crianças cujo elo com a mãe foi prejudicado no início da vida exibem mudanças no cérebro), em http://www.sciencedaily.com/releases/2013/12/131202134852.htm.

20 Ver artigo da NPR "Orphans' Lonely Beginnings Reveal How Parents Shape A Child's Brain" (Começo solitário de órfãos revela como os pais formam o cérebro de um filho), em http://www.npr.org/blogs/health/2014/02/20/280237833/orphans-lonely-beginnings-reveal-how-parents-shape-a-childs-brain.

É possível que pura podridão se transmute em pura maturidade?

Elwin Wilson, ex-membro da Ku Klux Klan, estava em seu auge físico e na maior falência moral. Em 2009, com a saúde em declínio, ele percebeu que havia errado e pediu perdão a uma pessoa que havia espancado sem misericórdia, durante o Movimento dos Direitos Civis, meio século antes. Sua vítima, o congressista John L. Lewis, perdoou Wilson sem hesitar. Lewis explicou que o tipo de ativismo por direitos civis que ele praticava se baseava em não violência, amor e perdão. Se ele não tivesse perdoado Wilson, estaria traindo os próprios valores. A maturidade moral de Lewis tinha permanecido em um estável estado de "auge", tornando o ato de contrição de Wilson tantas décadas mais tarde ainda mais pleno.

Por mais que essas ocorrências possam ser raras, o exemplo de Wilson mostra que como agimos no presente pode transformar o passado e tocar futuras gerações. Mas ele também mostra que, às vezes, uma essência humana que foi presumida corrompida além de qualquer possibilidade de reparo ainda tem, de fato, uma bondade adormecida que pode ter um desabrochar tardio.

Kierkegaard quase acerta ao opinar que "a vida deve ser vivida para a frente, mas só pode ser compreendida para trás". Na verdade, ao viver para a frente, vivendo a vida em seu ciclo, o indivíduo confere novo significado ao passado e o recria.

Tudo é mortal na natureza, afirma Toque; mas tudo também é imortal na natureza. Palavras e atos continuam tendo um efeito de ondas por muito tempo depois que partimos. E assim segue a história.

Maduro na essência

Maturidade é o principal ingrediente para o auge do ser humano?

Em *Rei Lear*, Edgar esconde o pai cego, Gloucester, um dos homens mais poderosos do reino de Lear, embaixo de folhas em uma floresta enquanto vai verificar o cenário da batalha. A notícia que tem para dar ao voltar é dura: as tropas de Lear perderam a batalha; o rei e sua filha caçula, Cordélia, foram capturados e estão sob custódia. Edgar e Gloucester precisam se afastar dali para escapar da captura. Mas a notícia desanima Gloucester; ele prefere encerrar a vida a seguir em frente: "Não mais, senhor, um homem pode apodrecer aqui mesmo". O filho não aceita a decisão. Edgar insiste que Gloucester, que àquela altura da história não sabe que ele é seu filho, controle-se e o acompanhe:

Os homens devem resistir
Sua saída deste mundo como entram nele.
Maturidade é tudo. Vamos.

Edgar insiste em que ninguém tem o direito de escolher a hora da morte, não mais do que pode escolher o momento em que vai nascer. O que devemos fazer é seguir em frente até nosso tempo chegar ao fim. Gloucester responde: "E isso também é verdade". E eles partem.

Gloucester está sendo fraco? Não retirou sua afirmação inicial – "um homem pode apodrecer aqui mesmo" –, mas reconhece que Edgar também está certo, que os homens devem resistir. Essas duas "verdades" se contradizem? Não necessariamente. Você pode resistir e ainda apodrecer. Maturidade é tudo, talvez, mas pode ser uma forma de podridão.

Sócrates escolhe não resistir – ele se mata, em vez de ir para o exílio, depois da escandalosa condenação por traição –, embora esteja no auge, espiritualmente. Ou, mais corretamente, seu espírito estava no auge, mas seu desespero também – não por ele mesmo (Sócrates não tinha arrependimentos por como vivia), mas por sua venerada Atenas. Diferentemente de Edgar, Sócrates escolheu o tempo e a maneira de sua morte. Morreu de um coração cheio e de um coração partido.

No clássico *Ardil 22*, de Joseph Heller, o protagonista, John Joseph Yossarian, capitão de um esquadrão da Força Aérea na Segunda Guerra, "sentiu o corpo todo arrepiar ao olhar para baixo com desinteresse, para o segredo sinistro que Snowden havia esparramado pelo chão". Enquanto Snowden, um membro de sua esquadrilha, estava morrendo, Yossarian estudava a ferida aberta em seu ventre. Para Yossarian:

Era fácil ler a mensagem em suas entranhas. Homem era matéria, esse era o segredo de Snowden. Jogue-o de uma janela, e ele vai cair. Ateie fogo, e ele vai queimar. Enterre-o, e ele apodrece, como outras formas de lixo. Quando o espírito se vai, o homem é lixo. Esse era o segredo de Snowden. Amadurecimento era tudo.

Amadurecimento aqui é comparado ao espírito do homem. Yossarian não reconhece, porém, que é a morte de Snowden que ressuscita seu espírito em hibernação. Ao estudar o cadáver de Snowden, ele descobre a vontade de viver certo tipo de vida. Ao arriscar tudo para isso, ele abandona seus métodos que corrompem a vida e se torna a imagem da autonomia humana. Yossarian se recusa a voar em novas missões em uma guerra em que não acredita mais, embora pudesse ser executado por traição por desobedecer às ordens diretas de seus comandantes. Ele embarca em uma fuga do Exército que se torna uma empreitada de vida ou morte. E consegue fugir. Mesmo que não conseguisse, o importante é ter se tornado, finalmente, senhor da própria vida.

O caminho de Yossarian para o amadurecimento foi exatamente o contrário do de Sócrates. Yossarian arriscou a vida para escapar de circunstâncias, e isso reviveu seu espírito. Sócrates se recusou a escapar de suas circunstâncias, garantindo assim que seu espírito nunca fosse corrompido. Sua amada cidade havia seguido um caminho errado; corrupção social incurável o cercava. Morrendo como morreu, ele libertou seu espírito do confinamento de tempo e espaço, e desde então tem tocado as pessoas ao longo de eras, gente que compartilha sua determinação de interromper acontecimentos destrutivos em sua sociedade, de forma que todos possam se desenvolver de um jeito progressivo. Sócrates e Yossarian foram, no fim, atos consumados de autonomia, por um bem maior. O verdadeiro segredo é que a vida do homem é lixo, a menos que ele viva de certa maneira, fiel a si mesmo, seja qual for o desfecho. No caso de Yossarian e Sócrates, seus espíritos os chamaram: vamos lá.

04

O negócio é brincar

Atores

Sobre a entrada principal do Globe Theatre, construído pela companhia de teatro de Shakespeare em 1599, havia um brasão com o lema "*Totus mundus agit histrionem*", em latim, "O mundo todo é um teatro". O historiador holandês Johan Huizinga concordaria com essa filosofia do mundo. Em sua avaliação, os humanos são, em essência, seres brincalhões – tanto que nossa espécie, por ele, não seria chamada de *Homo sapiens*, homem sábio, mas de *Homo ludens*, homem lúdico. Em sua obra-prima *Homo Ludens* (literalmente "Homem lúdico"), Huizinga, fundador da história cultural moderna (que combina as abordagens da história e da antropologia para estudar tradições culturais), enfatiza que a "civilização surge e se desenvolve em e como brincadeira". Isso equivale a dizer que, se deixamos de brincar, a queda da civilização é certa.

A palavra brincar sempre foi conectada ao mundo do faz de conta. Em suas origens, porém, ela pertencia muito mais à província dos adultos que à das crianças. Na Inglaterra de antigamente, brincar era uma ocasião especial para todos. Como o poeta e acadêmico John Milton apontou em 1638, "jovens e velhos aparecem para brincar em uma celebração ensolarada". Hoje o tipo de brincadeira irrestrita em que se deixa a imaginação livre de todas as limitações é associado principalmente a crianças.

O Conselho de Direitos Humanos das Nações Unidas reconhece o brincar como direito de toda criança. Brincar também deve ser direito de todo adulto, de todo ser humano, se a intenção é continuar desenvolvendo mente e corpo saudáveis? Que tipo de brincadeira contribui para uma criança feliz e saudável? E para um adulto feliz e saudável? Se não tendemos para o nosso lado brincalhão, podemos continuar "crianças" de um jeito tão rico e de muitas camadas como continuaríamos se brincássemos?

Só brincar sem trabalhar

Estou mantendo um diálogo virtual com *millennials*. Todos, menos eu, nasceram por volta da metade da década de 1990. Eles têm uma série de rótulos: Geração Seguinte, Geração Y, Geração Rede e Geração Nós. Os participantes do grupo, sete pessoas, começaram um Sócrates Café semanal por Google Hangout há mais ou menos um ano. Dois dos fundadores estão no último ano de programas internacionais de ensino médio, e leram meu *Socrates Café* para a disciplina de teoria do conhecimento. Estou aceitando um convite para participar do grupo. Avisei antecipadamente que gostaria de explorar nesse diálogo alguns aspectos de "humanos e brincadeira".

Nossa conversa cibernética começa com Emerson, de Portland, Maine, aproximando da câmera do computador uma edição bem manuseada de *Grandes esperanças*, de Dickens, que ele está lendo para a irmã pequena, Desi, que eu vejo ao fundo sentada em um pufe, conversando animada com a boneca que está vestindo e enfeitando. Ele aponta a página que está lendo. "Srta. Havisham diz que 'ela tem um gosto doentio por ver alguém brincando' e, 'com um movimento impaciente dos dedos da mão direita', ordena a Pip e sua filha adotiva, Estella: 'brinquem, brinquem, brinquem!'. Pip tem que jogar cartas quando ela manda. É um de seus jogos favoritos, mas nessa ocasião a brincadeira o deixa constrangido, intimidado, infeliz."

Emerson passa as mãos pelo cabelo loiro e encaracolado, depois diz: "Minha pergunta é: brincar continua sendo brincadeira se for imposto?".

Sua irmã caçula é a primeira a responder: "Não pode ser brincadeira *pura*, mesmo que você acabe brincando, porque, como você mesmo disse, é forçado. Se minha mãe ou meu pai me diz para ir brincar lá fora, fica mais parecido com tarefa ou lição de casa", diz Desi. "Mas, normalmente, depois de um tempo, começo a brincar e esqueço que a ideia não foi minha. E aí fica divertido, mesmo que seja uma diversão forçada. Até então, não pode ser brincadeira, e nunca vai ser brincadeira o tempo todo. Isso vale para o Pip. Enquanto ele estiver brincando de alguma coisa contra sua vontade, não pode ser pura brincadeira. Porque brincadeira pura faz a gente se sentir livre de tudo – do tempo, dos pais, do espaço, do trabalho." Da mesma maneira, para Aristóteles, quando você está brincando, o momento é tudo o que importa, porque você está muito envolvido no que está fazendo, sem nenhum outro fim em mente além da atividade em si mesma.

"Talvez não se possa dizer que Pip está brincando", diz Emerson. "Afinal, a Srta. Havisham paga ao tio de Pip, Joe Gargery, 25 guinéus pelos serviços de Pip. Quando é pago para brincar, não só você está trabalhando, como também é um emprego. Seu tempo não é seu, mesmo que goste da atividade."

"Ainda pode ser brincadeira, brincadeira pura, inclusive, se essa atividade é que mais faz você sentir alegria", diz Matako, dezoito anos. A pianista realizada da outra Portland, em Oregon, reflete um pouco mais sobre isso. "Há muitos dias em que tenho que me forçar a praticar, quando queria simplesmente estalar os dedos e tocar com brilhantismo, perfeição. Mas como meus pais me ensinaram, qualquer coisa digna de ser realizada requer, provavelmente, muito mais trabalho duro do que você percebe – mesmo algumas das melhores e mais libertadoras atividades. Quando, seja no ensaio, seja em uma apresentação, atravesso essa fronteira para o mundo da música, todo o resto desaparece. Entro em um mundo livre de todos os limites."

Em seguida ela diz: "Muitos profissionais bem remunerados -- músicos, atores, atletas – perdem a alegria que era uma importante razão por trás da decisão de se superar no que fazem. Ainda podem ter um desempenho de alto nível, mas quando prazer e alegria – a euforia – desaparecem, nenhum dinheiro no mundo pode trazer isso de volta".

Semelhantemente à filosofia de Matako para as artes, a escritora e naturalista Diane Ackerman caracteriza como brincadeira profunda "a forma extasiada de brincar. À sua mercê, todos os elementos do brincar são visíveis, mas levados a níveis intensos e transcendentes. Portanto, brincadeira profunda deveria ser realmente classificada por disposição, não pela atividade. É o depoimento de *como* acontece, não *do que* acontece".

Para Friedrich Nietzsche, por outro lado, embora os humanos possam ser os brinquedos das forças da natureza, podemos canalizar essas forças e submetê-las à nossa vontade por meio de empreitadas criativas, como arte, música, dança, ativismo e até o próprio brincar. Ele considera o brincar humano em sua ocorrência mais exaltada e desinibida, à sua maneira, como uma manifestação da liberdade humana. Para Nietzsche, brincar é um tipo de investigação que pode ser conduzido por um teatro de sentimentos que vão do êxtase à agonia.

Pouco depois, Levi, de St. Paul, Minnesota, nos diz: "Mais e mais estrelas dos esportes estão se afastando da modalidade que antes amavam e de seus contratos lucrativos". Levi abandonou a faculdade aos vinte anos e fundou a própria empresa de *software*, que desenvolve plataformas interativas de aprendizado para educadores de ensino médio e segunda metade do ensino fundamental. Sua empresa agora tem mais de 25 funcionários e já foi mencionada em revistas que celebram o empreendedorismo de *millennials*. "Um dos meus jogadores favoritos do Vikings de Minnesota, Christian Ballard, desistiu de jogar antes de essa temporada começar oficialmente. Disse que futebol não tinha mais graça."

Levis faz uma pausa para procurar o artigo *online* que anuncia a aposentadoria de Ballard. "Ballard disse: 'Ganhar todo aquele dinheiro, isso era divertido. Mas dinheiro ainda é uma coisa material. Você sempre pode fazer dinheiro. Mas não pode fazer o tempo que deixa de ter com os amigos e as pessoas que ama. Tempo é algo que nunca se pode recuperar'."

"Mas quando você é adulto, seu tempo nunca é totalmente seu, a menos que seja tremendamente rico", diz Hajera, uma aluna do décimo primeiro ano em Fremont, Califórnia. "Você tem que pagar contas, e isso significa que precisa trabalhar. Isso torna o brincar ainda mais maravilhoso, porque você escolhe reservar um tempo para ele. E quando está brincando, perde a noção do tempo." Ela pensa muito antes de continuar: "Trabalhar é uma 'coisa material' que, dependendo do tipo de trabalho que se faz, é mais tolerável para alguns, até mais agradável para outros, pela coisa imaterial do brincar puro".

"Preciso brincar como preciso respirar", diz Emerson. "Sem brincar, eu seria um garoto sem graça na minha vida de trabalho, na escola ou depois, no meu emprego de barista. Gosto de todo tipo de brincar recreativo – acampar, pedalar, caminhar. Toco bateria, pratico esportes. Como Matako, nem sempre gosto do tempo que tenho que dedicar à prática, mas quando é hora de me apresentar ou tocar por prazer, é pura brincadeira, para mim. Mas para o meu pai, brincar é o que faz dele um cara sem graça. Se não está trabalhando, ele não está feliz. Prefere não ter tempo para brincar com a gente. Quando minha irmã e eu o coagimos a brincar, ele fica contando os minutos."

"Não é porque há outros tipos de brincadeira que, para ele, têm uma qualidade que não é imposta?", sugiro. "Por exemplo, meu pai me acompanhava nas saídas de pai e filho dos escoteiros, quando acampávamos, fazíamos caminhadas e pescávamos. Ele nem disfarçava quanto detestava tudo aquilo, como aquelas eram coisas que ele nunca faria se pudesse decidir que atividades ocupariam o tempo dos escoteiros nessas excursões. Meu pai foi criado na costa da Flórida, sua ideia de brincar era limitada, principalmente, a ir à praia, ficar deitado no sol e suando, ou pegando jacaré nas ondas."

Penso um pouco mais. "Estou falando sobre atividades de lazer. Não são nem parecidas com as atividades de brincar puro do tipo que Desi descreveu."

Depois de refletir um pouco, Emerson diz: "É, estamos falando sobre gostos e desgostos em relação a atividades de lazer. Elas podem ser uma grande válvula de escape para o trabalho e também para o brincar puro. Estão na zona crepuscular entre as duas coisas. Você relaxa mente e corpo, de forma que, quando volta ao trabalho ou ao brincar, tem ainda mais energia. Os brinquedos favoritos do meu pai são um *motorhome* e um barco que serve de casa. Ele teve os dois, não conseguiu manter e teve que vender os dois".

Emerson fala a seguir: "Meu pai nunca progrediu financeiramente, mas ama trabalhar. Teve muitos empregos e, em todos, sempre deu o máximo de si. Hoje em dia faz um trabalho rotineiro cíclico dando seminários de estratégias de vendas. Mas quem o vê em ação chama sua atuação de qualquer coisa, menos de rotina. Já assisti a alguns desses seminários. Ele é como um ator sobre um palco. Quem participa de seus seminários normalmente aplaude no final. Se você já esteve em um seminário, sabe o quanto isso é raro".

"Meu pai teve muitas decepções", ele continua, "porém, me diz que o desapontamento o mantém motivado. Ele me incentiva a desenvolver todas as atividades pelas quais me sinto muito interessado, e avisa que não devo deixar seus reveses me desanimarem quando chegar a hora de escolher uma profissão. Mas ele diz que preciso entender que sucesso, em qualquer ocupação digna, vai exigir mais trabalho do que eu percebo, provavelmente. Mas a atitude dele é que, com sucesso ou com fracasso, você deve viver seus dias com uma disposição brincalhona. Basicamente, ele tenta viver de acordo com a filosofia de trabalho de Mark Twain. Ele tem um quadro na parede do escritório com uma citação da biografia de Twain. Ela diz: 'O que fiz, fiz porque foi diversão. Se fosse trabalho, eu não teria feito'."

"Isso me fez pensar que o trabalho do meu pai é, em muitos sentidos, sua brincadeira", comenta Hajera. "Ele é analista de investimentos. Quando está trabalhando, ele faz algo que realmente quer fazer, mesmo que seja uma coisa material."

"Mas ele não faria isso se fosse de graça, um dos critérios que combinamos que define brincadeira. Não conheço nenhum analista de investimento que trabalharia de graça", diz Levi.

"Não tenho tanta certeza", ela responde. "O trabalho dele é a declaração suprema de quem é. Mesmo nos anos em que o mercado estagnou, ele progrediu na pressão, gosta dela como um esporte. Ele se revela tanto no trabalho que talvez o fizesse de graça, se as coisas chegassem nisso. O trabalho o define. Ele ama a recompensa material, mas, mesmo que só os clientes ganhassem dinheiro, e ele não, juro que continuaria na área mesmo que só como um *hobby*, e pensaria em outro jeito de sustentar a família. Eu acho o trabalho dele chato, mas meu pai acha que é tão criativo quanto um trabalho pode ser. Quando tem um dia realmente excepcional, ele fica tão cheio de si que se compara a da Vinci."

"Minha *yaya* era uma poetisa prolífica", conto ao grupo. "Isso a tornava digna de viver uma vida que, em outros aspectos, era muito difícil. Ela me fez entender que devo sempre lutar pelo que os gregos chamam de *meraki*. Quando você está fazendo alguma coisa que é sua essência, essa é uma expressão de *meraki* – a alma, criatividade e amor que você põe em alguma coisa, seja trabalho, seja diversão."

Levi questiona: "Quando põe tudo de si em alguma coisa, palavras como trabalho ou diversão descrevem com justiça o que está fazendo?".

"Tentei fazer do trabalho em minha empresa algo muito divertido, livre de esforço", ele continua. "Consegui o contrário. Queria que o trabalho fosse um *playground*. Tentei a 'engenharia divertida'. Os líderes de equipe faziam de tudo, desde usar fantasias até vestir roupas elegantes de garçons franceses para servir culinária contratada. Tentei a gameficação, transformando projetos de trabalho em jogos, com competições e até prêmios. A produtividade diminuiu. No começo, meus colegas não tiveram coragem para me dizer que trabalhavam melhor – com mais intensidade, criatividade e diversão – quando não havia 'estimulantes externos'. Eles consideram o trabalho divertido, criativo. São realmente como artistas, todos trabalhando na mesma tela para criar uma coisa bonita. Quando estão em seu território, palavras como trabalho e diversão nem são necessárias."

Levi nos diz a seguir: "Há dois anos, no Dia da Lembrança do Holocausto, fui à Polônia com meu pai para visitar Auschwitz, que foi transformado em um museu em 1947. Ainda existe a placa na entrada, '*Arbeit macht frei*', que estava lá quando meu avô foi preso no campo de concentração. 'O trabalho o libertará.' Os nazistas debochavam do trabalho real. Se os prisioneiros nos campos de concentração não conseguiam fazer o trabalho braçal pesado e insignificante que eram forçados a fazer, eram mortos".

"Visitei a área do campo que era transformada em um campo de futebol todo domingo", ele conta. "Meu bisavô Joshua, que hoje tem 96 anos, em uma das poucas ocasiões em que falou sobre sua experiência lá, disse que os domingos eram o único dia da semana em que tinham tempo livre. Eles jogavam futebol. Havia vários times. Os jogos eram muito competitivos, e tão populares que todos no campo, inclusive os guardas, compareciam e torciam pelo time favorito. A Cruz Vermelha até tinha permissão para doar uniformes e equipamento. Meu bisavô tinha sido um *quarterback* de destaque no ensino médio. Ele me contou que, às vezes, durante o jogo, ficava tão envolvido na ação e na alegria de jogar que chegava a esquecer que estava no campo. Ele disse que aqueles jogos de domingo mantinham todos animados, os faziam sentir-se humanos de novo."

O filósofo, dramaturgo e poeta alemão Friedrich Schiller (1759–1805) disse o seguinte sobre brincar: "O homem só brinca quando é um ser humano no sentido mais pleno da palavra, e ele só é plenamente um ser humano quando brinca". Para Schiller, quando brincamos, o fazemos por "pura plenitude para vitalidade", o que nos torna semelhantes aos deuses no sentido de termos nos libertado de toda restrição, cortando "as amarras inseparáveis de todo propósito, todo dever, toda preocupação".

"Tenho sorte por ele ter morado conosco durante toda a minha infância", diz Levi. "Por causa de meu bisavô, aprendi o valor do trabalho criativo, de fazer alguma coisa produtiva que também é uma declaração de quem você é. Ele sempre repetia para mim uma citação de Aldous Huxley, que ele leu na infância. Huxley chamou o 'trabalho criativo, mesmo que do tipo mais humilde... a fonte do mais sólido e menos transitório desenvolvimento do homem'. Ele era um alfaiate à moda antiga. Tinha vários clientes de muito tempo que iam à nossa casa. Ele se orgulhava muito de criar novos padrões. Ficava triste, porque grande parte do que os alfaiates faziam na época era igual, como se tudo saísse da mesma linha de montagem. Para ele, é como se as pessoas decidissem remover escolha e liberdade. Ele achava que as pessoas não valorizavam mais a verdadeira habilidade artesanal, embora, para ele, brincadeira pura fosse isso – expressiva, inventiva e criativa."

Depois de um silêncio compenetrado, Matako diz: "No filme *A vida é bela*, um judeu dono de livraria, Guido, é mandado com o filho de três anos de idade, Joshua, para um campo de concentração. Ele convence o filho de que estão participando de uma competição, e que o primeiro a somar mil pontos ganha um tanque de verdade. Mesmo quando Guido é forçado a fazer um trabalho degradante, como carregar bigornas até uma fornalha, ele convence Joshua de que tudo é parte da competição. Guido conseguiu criar um mundo alternativo nesse cenário horrível, um espaço de pura brincadeira para o filho".

"Ele criou o espaço para si mesmo também?", pergunto.

Ela pensa um pouco. "Não. Mas ao criá-lo, manteve seu espírito forte, e isso o impediu de ceder ao desespero. Como o bisavô de Levi, ele era dono de uma natureza brincalhona, e ao fazer o que fez pelo filho, Guido foi capaz de manter viva essa parte pura e divertida de sua natureza." Ela pensa um pouco mais. "Então, sim, podemos dizer que ele criou para si mesmo também, mesmo que não tenha sido essa sua intenção original."

A irmã de Matako, Ciera, nove anos, aparece na frente da câmera do computador. Ele olha para a menina e pergunta: "Se pudesse, você só brincaria o tempo todo?".

Ciera fica incrédula. "*Só* brincar? Só? Brincar é... é tudo. Você dedica muito de si mesmo à brincadeira. É muito *trabalho*." Ela olha para o irmão, depois para todos nós no universo do Google Hangout. "Quando faço um castelo no quintal para meu príncipe e para mim, há muita coisa minha nisso. Esqueço tudo de mim, o tempo, como meu irmão faz quando está brincando com a bateria."

O psicólogo Mihaly Csikszentmihaly descreveu como *flow* (estado de fluxo) o estado de intensa concentração e imersão sem esforço em uma empreitada criativa da qual se obtém um sublime senso de alegria e satisfação.

Isso leva Matako a dizer: "Antes de aprender a tocar piano de verdade, meu pai e eu fazíamos *shows* de faz de conta. Cada um de nós tinha sua vez de fingir que estava tocando todos os instrumentos musicais de uma orquestra. Passávamos horas fazendo isso, nos divertindo muito com instrumentos imaginários enquanto cantarolávamos músicas reais que criávamos. Agora fazemos tudo isso com instrumentos reais, eu com o piano, ele com o violino que aprendeu a tocar sozinho quando era menino. Criamos até nossa própria música do nada".

A provocativa antropóloga e humanista anglo-americana Ashley Montagu afirma que, diferentemente das crianças, poucos adultos "se contentam com brinquedos simples enriquecidos pela imaginação". Mas o pai de Ciera é uma exceção. Minha mãe também era. Mesmo sobrecarregada por responsabilidades de adulto ainda muito nova, sua natureza brincalhona não se deixava suprimir. Por mais opressor que fosse o ambiente, ela sempre encontrava um jeito de torná-lo divertido para os cinco irmãos e irmãs sob seus cuidados. E fez a mesma magia comigo. Ela mergulhava no meu mundo infantil de brincadeira e imaginação, passava horas e horas comigo enquanto eu criava em uma prensa de brinquedo o jornal do bairro cheio de entrevistas, notícias de acontecimentos locais, artigos e poemas que eu criava – até algumas reflexões filosóficas (como "se o mundo todo fosse marrom, precisaríamos de uma cor chamada marrom?"). Eu era muito tímido, mas meu papel de editor e repórter me fazia sair da concha. Aprendi a conversar com gente de todas as idades, vencido pela curiosidade a respeito das pessoas. Não causou surpresa eu começar a vida adulta como jornalista, depois criar poemas e matérias que foram publicados antes de eu me tornar filósofo. O "filósofo de rua", o americano Eric Hoffer, que tratava de temas morais e sociais, um modelo para mim e autor de trabalhos que eram populares tanto entre acadêmicos quanto para o leitor leigo, disse que "a mente criativa é a mente brincalhona", e "filosofia é o brincar e dançar de ideias". Graças a minha mãe, o brincar e dançar de ideias sempre esteve no centro de minha vida.

Minha reflexão é interrompida quando sinto alguém puxando a manga da minha camisa. Os outros participantes do Google Hangout são só sorrisos. Olho para baixo e vejo minha filha Cali, que acabou de voltar da patinação no gelo com a mãe. Minha filha de olhos encantadores me encara: "Papai, quero brincar. Quero fazer um rinque de patinação no gelo na sala. Com você. Agora".

Cultura do brincar

Do ponto de vista de Johan Huizinga, o impacto da era renascentista é tão memorável e duradouro por ser imbuído do elemento da brincadeira:

> *É quase impossível conceber mentes mais sérias que as de Leonardo e Michelangelo. No entanto, toda a atitude mental do Renascimento era de brincadeira. Essa busca, ao mesmo tempo sofisticada e espontânea, por beleza e nobreza de forma é um exemplo de cultura do brincar.*

Essa cultura do brincar, que chegou a um apogeu incomparável na Florença dos séculos 15 e 16, também teve seu auge por um tempo na Atenas antiga, dando origem a excepcionais filósofos, poetas e dramaturgos, matemáticos e cientistas (frequentemente tudo isso ao mesmo tempo). Para Huizinga, esse ambiente só pode surgir em uma sociedade na qual o brincar é "puro", um fim em si mesmo. Huizinga afirma que "o brincar de verdade não conhece propaganda; seu fim é em si mesmo, e seu espírito familiar é feliz inspiração".

Porém, um de nossos maiores filósofos de todos os tempos, Platão, acreditava que o brincar deveria ser, de fato, companheiro da propaganda. Ele concordava com Huizinga sobre ser a essência de nossa natureza brincar. Mais uma razão, em sua avaliação, para garantir que os adultos guiassem e canalizassem essa natureza essencial nas crianças. Para ele, brincar deve ser sensato, responsável, enraizado, até sério. Embora Platão afirmasse que só trabalho, sem nenhuma diversão, fazia de Jack – ou Aristóteles, que um dia foi seu aluno, sem mencionar Sócrates, seu principal mentor – uma pessoa sem graça, ele argumentava que o brincar deveria ser apropriadamente embalado. Platão reconhecia, como escreveu em *República*, que as aulas desenvolvidas para a educação das crianças "não deveriam ter o aspecto de uma obrigação de aprender", porque "a alma não se interessa por nenhum estudo forçado". Seu principal mandamento para a instrução dos nossos jovens é: "Não use a força ao treinar crianças nos assuntos, use a brincadeira". Mas a abordagem de Platão, baseada em brincadeira, tinha suas grandes condições. Em sua avaliação, "se desde a mais tenra infância o brincar [do indivíduo] não é nobre", não é uma forma de brincar digna de ser brincada. Com nobre, Platão queria dizer prático e com propósito. Ele acreditava que o brincar deveria ser associado a ensinar as crianças e jovens como "lutar uma guerra, cuidar de uma casa e administrar uma propriedade", como se isso fosse tudo para que a nobreza pudesse servir. Até aprender a tocar um instrumento musical, para Platão, não deveria ter como objetivo apenas nutrir o lado criativo da criança, mas instilar nela o valor de ordem e leis.

Brincar à maneira de Platão deveria ajudar a "elevar" as crianças com o tempo ao *status* de adulto. Qualquer atividade lúdica deveria ajudar a revelar a educadores adultos para qual das três classes da sociedade as crianças sob sua tutela deveriam ser preparadas: os produtores (por exemplo, artífices, agricultores, artesãos), que fornecem produtos essenciais para o cidadão; os guerreiros, que estão nas linhas de frente defendendo o Estado; e os guardiães, que integram a classe governante e são preparados para as mais altas posições do governo e do Exército. A filosofia do brincar aplicado de Platão era voltada para a concretização de sua visão utópica de uma República. Seu medo era de que, se crianças e jovens sequer imaginassem que o brincar desregulado era permissível, mais ainda algo a ser incentivado, passariam a acreditar que poderiam operar pela própria cartilha de brincadeiras, até criar novas regras para a sociedade – uma mudança que, ele tinha certeza, levaria ao desmanche da República. Não passava pela cabeça dele que crianças e jovens poderiam, se tivessem liberdade, mudar as regras para melhor em questões de governo?[21] Não mais do que passou por sua cabeça que sua versão de brincar levaria justamente ao problema que ele pretendia evitar – cristalização, estagnação e instabilidade. Platão não enxergava que ele mesmo nunca teria desabrochado no tipo de sistema educacional baseado em brincadeira que elaborou. Ele o teria privado da liberdade e espontaneidade para criar um corpo de trabalho tão brincalhão e imaginativo.

Sócrates, mentor de Platão, também teria sufocado nesse sistema, e certamente teria encontrado ainda bem jovem um destino trágico nas mãos de uma sociedade paternalista. Certamente, os pais progressistas de Sócrates – seu pai era escultor, a mãe, parteira – tiveram muito a ver com sua abordagem criativa de investigar e estar no mundo. Se Platão tivesse imposto sua vontade, os pais, em seu papel de criadores, seriam secundários ao Estado. Como postulou o sábio filósofo Bertrand Russell, "Platão nos faria... colocar o Estado não só no lugar do pai, mas no da mãe também".

---

21 Nos grupos de diálogos do Clube dos Filósofos criados na escola fundamental, os jovens participantes criam o próprio protocolo para engajamento e como se governam. Por exemplo, os que participam de um grupo que inaugurei em Phoenix decidiram que teriam de levantar a mão e esperar para falar quando fossem chamados – a menos que estivessem explodindo para dizer alguma coisa imediatamente, e depois criaram a regra de que cada um tinha um "passe livre", que permitia falar uma vez sem esperar permissão. Quando não cumpriam o próprio protocolo, havia um conjunto de "penalidades" que eles mesmos criaram. Na primeira vez que alguém falava sem permissão depois de usar o passe livre, recebia uma advertência. Na segunda vez, seu copo de suco – descobrimos que a pessoa filosofa muito melhor quando está bebendo suco – é removido. Na terceira infração, ela não ganha suco na reunião seguinte; só água. Se alguém realmente se rebela e insiste em desrespeitar as regras, não pode dizer nem uma palavra sequer durante um diálogo inteiro, e tem que escrever um poema, um relatório, ou fazer um desenho sobre o diálogo que está acontecendo. A "justiça" era feita igualmente a cada um e todos os membros. Transgressores não conseguiam ficar aborrecidos quando eram punidos por uma infração, porque todos ali haviam criado e concordado com as consequências estipuladas. Seu protocolo baseado em regras mostrava quanto davam importância ao diálogo e quanto se preocupavam com garantir que ele fosse tão inclusivo, aberto a participação e atencioso quanto era possível.

Em *Como pensamos*, John Dewey afirmou que a diferença entre brincar e trabalhar em suas formas mais exaltadas é que brincar em sua versão mais pura é uma atividade desenvolvida por si mesma, enquanto, quando trabalhamos, buscamos um resultado específico. Além disso, porém, ambos devem ser condutores para a descoberta de paixões e talentos do indivíduo, todos devem ser expressões de nossa natureza criativa, inquisitiva e questionadora. O papel das escolas, em sua avaliação, era criar um cenário no qual a transformação do brincar em trabalho fosse homogênea, sem solavancos. Escolas deveriam "criar um ambiente de brincar e trabalhar" com o objetivo de "facilitar desejável crescimento mental e moral". Para ele, isso significava recorrer ao inato senso de curiosidade e desejo de saber e entender da criança, e dirigir essas inclinações para os tipos de trabalhos de solução de problemas que eram bons, se não excelentes, benéficos para a prosperidade tanto societal quanto do indivíduo. Dewey lamentava que nossas escolas se desviassem desse propósito. Ao inaugurar sua escola-laboratório de educação experimental, no fim do século 19, ele desenvolveu uma abordagem baseada na combinação de brincar e trabalhar que era oposta à de Platão. Sua filosofia era que professores e alunos fossem aprendizes, todos envolvidos em uma empreitada coletiva de solução de problema, cada um com talentos a descobrir, desenvolver e com que contar.

Mais que ninguém, Dewey fez distinções entre tipos de trabalhar e brincar – entre os tipos autoindulgente e autocentrado que levam a buscas narcisistas e até prejudiciais, e os tipos que nos levam a nos sentir mais conectados uns com os outros. O objetivo de Dewey era que os aprendizes descobrissem e dominassem esses talentos e potenciais que levavam ao desenvolvimento de vocações nas quais se é constantemente desafiado e recompensado, usando seu conhecimento para enfrentar problemas que afetam muitos ou a maioria de nós. O ideal de trabalho de Dewey era que fosse um fruto do brincar ideal. Ele levaria as pessoas a se dedicarem a buscas nas quais se envolvessem em trabalho criativo significativo não só para elas mesmas, mas também para os outros. É trabalho que requer uma filosofia de crescimento humano baseada na premissa de que expandimos melhor nossos horizontes não só levando os outros em consideração, mas também permitindo que seus talentos sejam igualmente otimizados. Ele acreditava que os melhores mundos eram aqueles em que todos sujam as mãos cultivando o jardim humano, e em que todos têm os recursos para isso.

De forma contrária a Dewey, o reconhecido filósofo conservador e teórico político inglês Michael Oakeshott (1901–1990) argumenta que a educação capacita os jovens estudantes a entrarem em uma conversa sobre nossa "herança histórica ou 'cultura'". Educação é

> *Acima de tudo uma iniciação à arte dessa conversação em que aprendemos a reconhecer as vozes, distinguir os diferentes modelos de expressão, adquirir os hábitos intelectuais e morais apropriados para esse relacionamento conversacional, e assim fazer nossa estreia dans la vie humaine [na vida humana].*

Na opinião de Oakeshott, uma educação ideal é equivalente a uma iniciação na arte da conversação *adulta*, e como tal prepara nossos jovens para aprenderem hábitos adultos. Em seu renomado discurso "A Place for Learning" (Um lugar para aprender), Oakeshott deixa claro seu desdém pela filosofia educacional de Dewey e seu "projeto para substituir 'socialização' por educação". Ele chamou a abordagem de Dewey de "a grande ocorrência deste século, o maior dos adversários a dominarem nossa cultura, o começo de uma era sinistra dedicada à afluência bárbara". O aprendizado, Oakeshott afirmou, deve acontecer estritamente em "condições de direção e limites destinados a provocar hábitos de atenção, concentração, exatidão, coragem, paciência e discriminação". Esse era o remédio para a "autoindulgência infantil" que ele dizia caracterizar a abordagem educacional de Dewey.

Se algum dia você quiser diminuir um adulto, chame o que ele está fazendo de infantil. E se quiser diminuí-lo *de verdade*, dê um passo adiante e caracterize a atitude como uma autoindulgência infantil. Mas o etos educacional de Dewey não promove a mera socialização, e certamente não é infantil no sentido com que Oakeshott brande o termo. Em vez disso, é educação para consciência social, para autonomia e integridade intelectuais, educação do tipo em que o assunto explorado frequentemente surge da experiência de vida – se isso é infantil, é um excelente tipo de infantilidade.

Para Dewey, se e quando o tipo de educação que Oakeshott defende for implantado, vai criar uma elite educada, com a maioria dos cidadãos relegados à margem. O que é bem parecido com o que temos. Como Dewey afirma, "o resultado é o que vemos à nossa volta em todos os lugares – a divisão entre pessoas 'cultas' e 'trabalhadores'". Uma sociedade platônica realizada, em outras palavras.

Dewey não discorda da opinião de Oakeshott de que "todo ser humano nasce com uma herança de realização humana, e uma educação é a iniciação nessa herança". Mas ele seria o primeiro a apontar que Oakeshott só olha para o lado positivo dessa herança, ignorando seus lados menos favoráveis. Pode-se olhar para a cultura próspera da República de Weimar, feita de uma população altamente educada, como um alerta para como se pode ser educado para ser proficiente na e sobre sua cultura, mas negar deliberadamente essa "iniciação à arte dessa proficiência" a enormes segmentos da sociedade. Como Walter Kaufmann aponta, é "infelizmente falso que estudantes treinados por grandes acadêmicos geralmente aprendem sozinhos a aplicar a moral, política e outras questões vitais o pensamento crítico que foram ensinados a aplicar a questões acadêmicas".

> *Durante o primeiro terço do século [20], as universidades alemãs podiam se vangloriar de uma galáxia de acadêmicos renomados que adotavam os mais altos padrões em suas especialidades e conquistavam um grande número de Prêmios Nobel. Mas seus alunos não aprendiam a aplicar padrões semelhantes de racionalidade a questões morais e políticas, e Hitler era tão popular entre os estudantes e profissionais de nível universitário quanto era entre os alemães menos educados.*

O que Kaufmann deixa de abordar é por que muitos entre essa galáxia de acadêmicos deixaram de aplicar padrões de racionalidade a questões morais e políticas. Por exemplo, o reverenciado filósofo Martin Heidegger tornou-se parte de um dos mais perniciosos movimentos de massa da história da humanidade quando ingressou no partido nazista. Em 1933, quando Heidegger se tornou o reitor nazista da Universidade de Freiberg, não só deu as costas aos seus quatro alunos mais estelares, com quem mantinha relacionamentos próximos, no momento de maior necessidade para eles, como também não mediu esforços para tornar suas ideias existenciais úteis e compatíveis com os fins nazistas.

Quatro de nossos mais celebrados filósofos modernos eram alunos de Heidegger. Todos descendiam de judeus, e todos superaram sua traição e se tornaram modelos de moral: Hans Jonas (1903–1933) deixou sua marca como filósofo do ambiente, e suas obras serviram de base intelectual para o Partido Verde da Alemanha e boa parte do movimento ambiental que surgiu posteriormente. Karl Lowith (1897–1973) tornou-se um dos renomados filósofos alemães do século 20, conquistando particular aclamação de seus trabalhos sobre o problemático relacionamento entre cristianismo e história ocidental, e sobre consciência histórica moderna. Herbert Marcuse (1898–1979) foi considerado o porta-bandeira da Nova Esquerda, e sua obra filosófica examina os efeitos desumanizadores da tecnologia moderna e do capitalismo nu. Hannah Arendt (1906–1975), que aos dezoito anos começou um tumultuado relacionamento amoroso de três anos com Heidegger, tornou-se uma das primeiras teóricas políticas de todos os tempos. Coube a esses "filhos" de Heidegger tomar os elementos mais humanizadores de sua filosofia do cuidado e empregá-los para um bem maior. Eles puseram em prática princípios que Heidegger pregou e traiu. Conforme aponta o historiador intelectual Richard Wolin em *Heidegger's Children*, esses alunos dele se empenharam em enfrentar e combater os "usos obscenos" que Heidegger e outros faziam das ricas tradições intelectuais seguidas por eles. Depois que Hitler tomou o poder e Heidegger se tornou cúmplice do regime, seus "'filhos' se dedicaram a filosofar *com Heidegger contra Heidegger*, esperando assim salvar o que poderia ser salvo, sempre tentando projetar a longa e poderosa sombra de seu mentor" – para evitar que "como uma tragédia grega... os pecados do pai fossem impostos às filhas e aos filhos".

Para Walter Kaufmann, que perdeu entes queridos no Holocausto, a questão central de qualquer filosofia aplicada da educação digna do que prega é: que tipo de homens e mulheres devemos tentar desenvolver? "Isso foi entendido com muita clareza por Platão", ele observa. "E embora eu não aceite a resposta dele a essa questão, ele também entendeu que tipos de homens são corolários de que tipos de sociedades, e vice-versa." O triunvirato de aprendizado social-emocional-intelectual que Dewey defendia tinha por objetivo o desenvolvimento de tipos de homens e mulheres nos quais todos fossem importantes participantes não só na proficiência, mas também na real construção de sua cultura. Embora muitos hoje estejam empregando uma variedade de abordagens progressivas para promover esse tipo de aprendizado nas escolas e em casa, o típico é que os adultos "treinem" as crianças para desenvolver o que Daniel Goleman chamou de "inteligência emocional" – uma expressão menos rica e multifacetada que a "inteligência passional" cunhada por Dewey, que é "como ardor em prol da luz brilhando nos lugares mais sombrios da existência social, e como dedicação por seu efeito refrescante e purificador"[22]. Goleman insiste em que "pais precisam fazer o melhor uso dos momentos de ouro que têm com seus filhos, assumindo um papel intencional e ativo no treinamento dos filhos nas habilidades humanas fundamentais, como compreender e lidar com sentimentos perturbadores, controlar impulsos e ter empatia". Conselho sábio, sem dúvida, mas esses momentos também são valiosos para os pais aprenderem com os filhos. Adultos podem, à sua maneira, ter a mesma necessidade de orientação para lidar com sentimentos, controlar impulsos e desenvolver empatia.

O trabalho do filósofo e psicólogo social russo Lev Vygotsky (1896–1934) entra em voga nas esferas educacional e parental. O princípio de Vygotsky da Zona de Desenvolvimento Proximal afirma que as crianças se tornarão aprendizes mais independentes nas muitas dimensões do que pode constituir o aprendizado se tiverem orientação contínua, desde muito cedo, de adultos – "outros que conhecem mais" – mais capacitados no que estão tentando alcançar. A premissa é que, se uma criança pode observar primeiro e imitar a tarefa assumida por um adulto, depois pode tentar executá-la mais prontamente, com sucesso, sozinha.

---

22 No mesmo dia em que participei de um fórum que incluía grupos dos mais conhecidos progressistas educacionais com programas em dezenas de milhares de escolas no país todo dedicados a incutir na juventude empoderamento de vários tipos, a algumas centenas de metros havia uma reunião paralela reunindo centenas de ativistas juvenis em um grupo paralelo. Espero pelo dia em que a ideia de adultos e garotos reunidos em torno da mesma mesa, refletindo como iguais sobre as paixões que compartilham, não só deixará de ser estranha, como também passará a ser a norma – e quando nós que implementamos programas educacionais vamos incluir como uma medida crítica de resultado o crescimento e desenvolvimento dos adultos envolvidos.

A técnica de aprendizado que Vygotsky apresenta, chamada de "andaime", é baseada na premissa de que, associando-se a adultos ao aprender algo novo, as crianças são mais bem equipadas para construir sobre o conhecimento que já têm, desde habilidades práticas até capacidades sociais e emocionais. Porém, embora adultos sejam mais experientes e habilidosos em alguns aspectos, as crianças também são. Uma criança que demonstra empatia excessiva, ou excepcional autocontrole sobre impulsos, ou um impressionante dom para perdoar, uma criança que exibe determinação e persistência ao consertar um brinquedo que um pai desistiu de arrumar, é uma criança com quem muito se pode aprender. Crianças e adultos precisam uns dos outros em suas respectivas Zonas de Desenvolvimento Proximal, ou, melhor ainda, essas zonas precisam se sobrepor.

Valendo

Estou participando de um torneio de Banco Imobiliário em um cassino de Atlantic City. Eu me tornei um jogador difícil de derrotar quando era criança. Minha família jogava quase todo domingo à noite. Não é exagero dizer que, de algum jeito, essa era a cola que nos mantinha nos limites do funcional. Banco Imobiliário alimentava nossa natureza competitiva, mas também fazia aflorar nosso lado brincalhão. O tabuleiro era o meio para uma troca verbal saudável. Enquanto jogávamos, podíamos provocar uns aos outros sobre coisas sérias de um jeito que não era possível em nenhum outro momento. Eu conseguia apreciar as linhas abertas de comunicação com outros membros da família, mas, para nós, discutir as coisas abertamente como um grupo era difícil a ponto de ser doloroso. Exceto quando tínhamos o Banco Imobiliário para mediar e promover as trocas. Pensando nisso agora, tenho certeza de que um grande motivo para eu querer manter diálogos significativos com pessoas próximas e desconhecidas na vida adulta foi a incapacidade de promover essa troca em minha família quando eu era criança.

Para mim, as noites de domingo eram sempre esperadas com ansiedade. Eu montava o tabuleiro na sala e distribuía o dinheiro falso horas antes do começo do jogo. Fazia a pipoca e servia as bebidas. Cada um ficava com suas peças favoritas – minha mãe tinha o dedal, meu irmão, o carro de corrida, meu pai ficava com o transatlântico, e eu com o cachorro Scottie (um animal de estimação que sempre quis ter na vida real). Conforme fui ficando mais velho, eu me tornei um jogador a ser respeitado. O jogo de tabuleiro fazia aflorar meu magnata interior. Também foi minha primeira exposição ao livre mercado, e à euforia e aflição da especulação imobiliária. Como a maioria sabe, o objetivo no Banco Imobiliário é falir os adversários comprando o máximo de propriedades, de forma que, ao cair nelas, eles tenham que pagar caro por isso. Apesar de o que o filósofo político Thomas Hobbes (1588–1679) disse do mundo de maneira geral – que "não há outro objetivo, nenhum outro prêmio, a não ser estar na frente" – ser discutível, isso certamente se aplica ao Banco Imobiliário.

Ao longo dos anos, fui me tornando ainda mais entusiasta do Banco Imobiliário, talvez porque, como nos dias da infância, ele me dava a oportunidade de tentar ser alguém – um magnata – que eu só gostava de ser no mundo do faz de conta. Meu pai, cujo objetivo na vida era a segurança financeira – daí sua carreira de quase quarenta anos no governo federal –, tinha a tendência de agir sempre com muita segurança no universo do jogo, e raramente ganhava. Minha mãe tinha sua cota justa de vitórias. Ela era cautelosa, mas também tinha a habilidade para fazer movimentos ousados, uma virtuose em equilibrar riscos e recompensas. Meu irmão mais velho ia atrás das propriedades mais caras, era afundar ou nadar. Ele cresceu e se tornou, como se descreve com orgulho, "o capitalista da família".

Hoje em dia, além de jogar Banco Imobiliário rotineiramente com minha esposa e filha, também alimento meu vício no jogo participando de campeonatos. Durante um intervalo no jogo no evento em Atlantic City, quando dez participantes se reuniram em torno de uma grande mesa redonda para saborear as delícias de um *buffet*, conversamos sobre a decisão do Banco Imobiliário, depois de manter as regras inalteradas por mais de oitenta anos, de lançar uma nova versão que acata oficialmente as dez "regras domésticas" mais populares dos fãs – regras que milhares de jogadores usam, embora contrariem as regras oficiais.

"Tinha que acontecer", diz Patricia, 86 anos, uma das minhas adversárias de muito tempo e parceira ativa do Sócrates Café. "Sou uma purista do Banco Imobiliário, mas o restante de minha família não é. Quando sinto a necessidade de jogar fora dos limites das regras tradicionais, jogo baralho esotérico. Minha filha mais velha me apresentou a eles. Em um desses jogos, chamado Eleusis, um dos jogadores cria uma regra secreta: decide quais cartas podem ser jogadas umas sobre as outras. Os outros devem, então, usar a lógica dedutiva para inferir qual é a regra. E tem o Mao, um jogo de cartas no qual a primeira pessoa a se livrar de todas as cartas vence. Os participantes não podem explicar as regras para os novatos. Tudo que se pode dizer a eles é: 'A única regra que posso divulgar é esta: não posso divulgar as regras'. Eles têm que deduzir tudo sozinhos. Não só isso, o vencedor de uma rodada acrescenta uma nova regra secreta de sua escolha às rodadas seguintes."

"Se dependesse da minha filha, ela tornaria as regras do Banco Imobiliário tão esotéricas quanto as desses jogos", respondo. "Eu a deixo modificar ou burlar as regras, ou criá-las enquanto jogamos. Ela fica tão feliz quando ganha, que não tenho coragem de insistir nas regras. Tento dizer que é melhor ganhar jogando limpo, e espero que um dia ele absorva essa lição. Mas, por enquanto, eu a deixo jogar de qualquer jeito. Espero não estar semeando uma futura trapaceira."

Ultimamente, tenho explorado como os jogos que jogamos afetam nossas possibilidades de criação. Agora, sou levado a refletir em voz alta: "Jogar 'de qualquer jeito' é a mesma coisa que jogar sem regras? É possível jogar um jogo sem nenhuma regra?".

"Sem nenhuma regra seria o caos, pandemônio", diz Allan, dezesseis anos, parte de um grande número de jovens que participam do campeonato. "Você poderia dizer: 'bridge é pôquer e pôquer é bridge'. Ninguém poderia refutar sua afirmação, já que as regras não estariam sujeitas a debate. Jogar de maneira legítima ou ilegítima não faria parte da discussão, porque não haveria regras proibindo nenhum tipo de movimento."

"Regras fazem parte da vida humana, não só nos jogos que as pessoas jogam, mas também em toda as nossas interações", diz a namorada dele, Eliza. "Regras nos mantêm civilizados. Como disse Jack em *Senhor das moscas*, de Golding: 'Temos que criar regras e obedecer a elas. Afinal, não somos selvagens'."

"Mesmo que você diga 'Muito bem, hoje não há regras', isso já é uma regra", comenta Blake, 74 anos. "A regra é que vale tudo."

"Não podemos inventar 'O Jogo Sem Regras'?", pergunto.

"Podemos chamar de 'O Jogo Sem Jogo'", diz Oshila, que na semana anterior havia comemorado com Blake cinquenta anos de casamento. "Porque sempre que se joga um jogo legítimo, os jogadores aceitam as regras antecipadamente. Mesmo que as regras sejam mudadas no meio do jogo, ou mesmo que algumas delas sejam secretas, ou inventadas durante a disputa, isso tem que ser um acordo entre todos os envolvidos, ou vai haver conflito."

"Não conseguiríamos ter essa conversa sem regras", diz Blake. "Não haveria regras de linguagem, gramática, sintaxe, e não conseguiríamos entender uns aos outros. Em um mundo sem 'regras de linguagem', cada um de nós estaria agora grunhindo em uma linguagem inventada na hora. Seria a Torre de Babel."

"Mesmo que conseguíssemos nos fazer entender com gestos", diz Oshila, "seria caótico, já que não haveria regras de cortesia social, como falar um de cada vez e prestar atenção aos outros. Nossa sociedade desceria a um nível ainda mais baixo, porque não haveria regras de conduta profissional como as Regras de Ordem de Robert, ou regras morais como a Regra de Ouro. Regras comandam não só nos jogos, mas também em todas as interações humanas."

"No meu clube de leitura, estamos lendo *O caçador de pipas*, de Khaled Hosseini", conta Patricia. "A história gira em torno de um campeonato de batalhas de pipas, um evento de inverno que acontecia antigamente no Afeganistão. O campeonato não acaba até que um participante termine com uma pipa no ar, depois de cortar a linha e vencer todos os oponentes." Ela liga o Kindle e acessa o livro. "Amir, o protagonista da história, relata que um 'garoto indiano malcriado que se mudou para o bairro contou que, de onde ele vem, as batalhas de pipas são organizadas por regras e regulamentos muito severos'. Amir diz que o menino 'logo aprenderia o que os britânicos aprenderam tempos atrás, e o que os russos acabariam aprendendo no fim dos anos 1980: os afegãos... valorizam costumes, mas não gostam de regras. E era assim com a batalha de pipas. As regras eram simples: não havia regras'."

"Mas acontece que batalha de pipas não é realmente um jogo sem regras", diz Blake, que também leu o *best-seller.* "É preciso ter uma habilidade incrível para ser o último a manter a pipa no ar. O vencedor superou todos os outros e escapou de todas as tentativas de derrubar sua pipa. Se fosse realmente sem regras, ninguém poderia ser declarado vencedor, porque não haveria regra para determinar quem foi o melhor."

Pouco depois, Allan diz: "Os melhores fingiram que não há regras, ou as usaram em proveito próprio. Eu maratonei a série *House of Cards*, da Netflix. Como a maioria de vocês sabe, a história gira em torno de um personagem, Frank Underwood, o líder da maioria no Congresso. No último episódio da primeira temporada, Underwood diz: 'Há muitas coisas que valorizo, mas regras não estão entre elas'. Underwood – o servidor público no comando da mais augusta assembleia, onde as regras são fundamentais para o funcionamento da nossa democracia – torce o nariz para as regras. Mas ele não quer que outros façam a mesma coisa. Só consegue fazer o que faz porque os outros aderem às regras de moralidade. Nunca fariam com ele o que ele faz com os outros".

Ele continua: "Meu pai é o oposto de Underwood. Ele só joga pelas regras. É contador. As regras da contabilidade mudam, mas, sejam quais forem, ele as cumpre. Os colegas dele que mais progridem na empresa são os que se dispõem a quebrar ou contornar as regras para beneficiar os clientes. Ele disse a mim e minha mãe que quase queria 'aprender a jogar o jogo' como os outros na firma, mas tem que conviver com ele mesmo. Ele reclamou com os diretores quando um colega 'maquiou os livros' para encobrir uma conduta ilegal de um cliente. Desde então, ele só é encarregado de trabalhos de rotina. Está sendo punido por cumprir as regras".

Eliza fala a seguir: "Meu pai adora citar Don Draper, de *Mad Men* – 'você nasceu sozinho e vai morrer sozinho, e esse mundo só joga um monte de regras em cima de você para que esqueça esses fatos'. E há aqueles, como minha irmã, que não desrespeitam as regras, mas para quem elas não se aplicam, por mais que o mundo despeje regras sobre sua cabeça. Ela me lembra a Prim de *A letra escarlate*, de Hawthorne". E abre o livro no leitor digital. "Hawthorne disse sobre Pearl, a filha de Hester Prim – uma 'diabinha com inteligência de criatura encantada' –, que 'a criança não podia ser moldada para aceitar regras'." Ela continua lendo: "Sua própria existência quebrara uma grande regra; e o resultado era um ser cujos elementos talvez fossem belos e brilhantes, mas todos desordenados; ou com uma ordem peculiar deles mesmos".

E ela diz: "Hawthorne falava das leis da natureza – tipos de regras que não podem ser quebradas. Mas ele está dizendo que, quando Pearl veio ao mundo, algo dessas leis foi quebrado. A natureza de Pearl era estranha a elas".

Filósofos da lei natural, de Aristóteles aos estoicos e John Locke, acreditam que as leis da natureza são a chave para entender como os humanos deveriam se conduzir. Para eles, ao colocar em uso nosso poder de raciocínio para analisar a natureza de indivíduos humanos, com o tempo podemos criar regras universais para nosso comportamento moral.

"Pearl cumpria regras, mesmo que fossem as criadas por ela?", pergunto.

"Como Hawthorne diz, embora todos tivessem a impressão de que os elementos de que Pearl era feita estavam 'todos em desordem', a verdade é que eles tinham 'uma ordem peculiar deles mesmos'. Isso é o que as regras fazem, criam algum tipo de ordem."

"Mas podem criar o tipo errado de ordem", diz Oshila. "Acabei de ler o primeiro volume da série *Jogos vorazes*." Ela está falando da popular trilogia de ficção científica ambientada em uma nação pós-apocalíptica. A trama gira em torno da batalha para eliminação entre "tributos" – indivíduos entre doze e dezoito anos que são escolhidos por sorteio para participar. "O tributo Peeta revela seu amor não correspondido pela tributo Katniss diante de uma plateia mundial. Todos ficam tão emocionados que começam a cobrir Peeta de presentes – comida, remédios, ferramentas – de que ele vai precisar para sobreviver. Mas para que as esperanças de Peeta de um relacionamento duradouro com Katniss se concretizem, as regras dos Jogos Vorazes devem ser alteradas, já que as regras existentes determinam que só uma pessoa pode sobreviver, e essa pessoa é, então, declarada a vencedora."

"Os milhões de seguidores do jogo se apegam a Peeta e Katniss. Peeta é admirado pela coragem, e mais ainda por sua compaixão. Isso leva as autoridades, os Gamemakers, a decretar uma mudança nas regras na metade dos jogos. A partir de então, dois tributos do mesmo distrito podem ser os vencedores. Isso significa que Katniss e Peeta têm chance de sobrevivência. Katniss procura Peeta e o encontra escondido, ferido. Ela cuida dele até curá-lo. Parece que vai haver um 'felizes para sempre'. Mas os Gamemakers revertem a mudança, porque 1) são sádicos e 2) querem um final sensacional, porque acreditam que é isso que a plateia realmente deseja."

"Mas Katniss se recusa a aceitar. Ela e Peeta planejam suicídio com frutas venenosas. Quando os Gamemakers descobrem o que eles estão tramando, pressentem o desastre para o campeonato. Então, novamente revertem a alteração, e anunciam que os dois serão declarados vencedores dos 74° Jogos Vorazes."

"Eu admiro Katniss", ela continua, "porque não desafiou nem desrespeitou as regras para ter vantagem. Ela fez isso porque as regras impostas pelos Gamemakers contrariavam tudo em que ela acreditava e valorizava como ser humano. Ela estava disposta a acabar com a própria vida para não viver de acordo com as regras deles."

"Ela é uma versão moderna de Antígona", diz Eliza, referindo-se à heroína da tragédia de Sófocles. "Antígona enfrentou Creonte, o governante de Tebas, que havia proibido o enterro de seu irmão Polinice. Ela providenciou um sepultamento adequado para Polinice, embora Creonte tivesse decretado que isso seria contra as leis da sociedade, que eram as regras aplicadas. Antígona se dispôs a quebrar as regras, se elas privavam alguém de sua dignidade."

Em um artigo publicado em *Words Without Borders*, Vaishali Raode, um ativista dos direitos dos transgêneros na Índia e *hijra*, palavra que designa alguém que é transgênero, relata como, no início, observou todas as regras complexas impostas por sua comunidade, inclusive a que o proibia de falar com a mídia. Mas Raode acabou se rebelando: "Comecei a dar entrevistas para a mídia. Apareci na televisão... A comunidade me multou por essas transgressões. Paguei a multa e cometi as 'infrações' de novo. Fui praticamente isolado da comunidade". No entanto, "...era educado e tinha opinião própria. Então, e daí se eu quebrasse todas as regras?" – especialmente se, ao quebrá-las, ele destrói estereótipos de um jeito que pode permitir que um grupo excluído saia das sombras.

Allan fala depois de pensar um pouco: "Prefiro pensar que, seja como for, serei um dos que vão viver pelas próprias regras, se elas forem 'superiores' às que nos são impostas. Mas fico pensando se deveria primeiro jogar o jogo como é jogado, mesmo que a principal regra seja quebrar as regras. Só assim vou conseguir chegar ao topo em qualquer área a que me dedicar. Então estarei em posição de mudar o jogo".

Ele olha para nós intrigado. "Se eu seguir esse caminho, será que ainda vou me preocupar em mudar as regras para melhor?"

Regras de vida

Existem regras de vida que todos nós devemos acatar? Bertrand Russell, para quem filosofia era o modo de vida que melhor capacita o indivíduo para explorar e entender o cosmo interno e externo, propôs dez delas. Uma é "quando encontrar oposição, mesmo que seja de marido ou filhos, dedique-se a superá-la pela argumentação, não pela autoridade, porque uma vitória baseada em autoridade é irreal e ilusória". Mas a única filha de Russell, Katherine Tait, escreve, em *My Father, Bertrand Russell*, que ele não seguia o modelo que pregava. "Na prática... 'tomar nossas decisões' normalmente significa concordar com meu pai, porque ele sabia muito mais e podia argumentar muito melhor."

As regras baseadas em princípio de Russell tinham, às vezes, o propósito de desafiar as regras de vida convencionais. Em *Casamento e moral*, ele elaborou um conjunto de regras para apoiar sua visão liberal das relações conjugais. Entre elas, a de que casais comprometidos eram livres para manter relacionamentos com outras pessoas, nunca deveriam demonstrar ciúme e nunca deveriam discutir sobre como criar os filhos. "O casamento de meus pais se baseava nesses princípios", Tait relata, "mas a nova moralidade não era mais fácil nem mais natural que o ideal de rigorosa monogamia vitalícia que pretendia substituir."

Imaginávamos que nossos pais eram superiores em todos os aspectos ao que era convencional: nossos pais nunca discutiam de maneira sórdida por direitos conjugais ou sobre como educar os filhos; eram muito generosos e inteligentes. Mas lá estavam eles, não só fazendo tudo isso, mas também tentando nos envolver em suas discussões... Foi nessa época que passei a considerar progresso como um mito da infância, como Papai Noel e Coelho da Páscoa, e desde então nunca mais acreditei em nenhum tipo de projeto utópico.

Ela deveria estar tão esgotada e desanimada? Uma regra principal sobre os humanos desde o começo dos tempos é frequentemente não cumprir nossas elevadas regras de vida, apesar de dizermos que elas levariam todos a uma vida boa ou mais esclarecida. Sempre suspendemos as regras que juramos acatar quando elas entram em conflito com outros impulsos ou objetivos? Mesmo assim, isso torna nossas tentativas de criar conjuntos particulares, peculiares ou universais de regras que reflitam nossos ideais, valores e aspirações menos dignas e necessárias?

E com relação a dialogar com outras pessoas? As regras de relacionamento delas são ideais? O amado humanista Stringfellow Barr, em seu popular *Notes on Dialogue* (Notas sobre diálogo), acredita que não se pode errar seguindo as "regras de ouro" estabelecidas por Aristóteles. Elas incluem ouvir com atenção e cuidado, mas também incentivar ofertas espontâneas dos participantes – o oposto da conversa de um jantar formal, "onde interromper um orador e [fazer] uma pergunta rápida" é proibido.

Essas regras de ouro podem parecer garantia de confusão. E, de fato, quando são testadas pela primeira vez, geralmente promovem balbúrdia. Mas dançarinos inexperientes em um salão de baile e patinadores inexperientes em um rinque de gelo também se atropelam. A experiência também traz um sexto sentido na dialética socrática. O impulso de se impor dá lugar ao impulso de aprender.

Para Barr, a principal regra de ouro para dialética significativa "foi criada por Sócrates: a de que devemos seguir a argumentação aonde ela nos levar".

Mas não de um jeito arrastado, como em uma petição da corte. Não, "o jogo é não instruir os companheiros, nem mesmo persuadi-los, mas pensar com eles e confiar no argumento para conduzir à compreensão, às vezes a compreensões muito inesperadas".

Um tipo peculiar de brincadeira está em ação nessa investigação, a que gera "o imaginativo e o inesperado". É sempre ignorado como Sócrates é brincalhão em seus diálogos, não só em sua persona, mas também em como ele examinava – de forma imaginativa, mas racional, metódica, porém aberta – questões e respostas de uma variedade de pontos de vista, mostrando que se pode realizar coisas importantes, ter *insights* profundos, sem ser tremendamente direto. O filósofo alemão do século 20 Hans-George Gadamer, aclamado por sua obra-prima *Verdade e método*, defendeu com insistência que o diálogo em sua melhor forma era um modo de brincadeira, uma maratona de dança de perguntas e respostas. O método socrático, quando praticado corretamente, transborda esse brincar. Sócrates mostrou que é possível chegar a *insights* profundos quando se está sério, mas em sua versão mais brincalhona. De acordo com Friedrich Nietzsche, "A maturidade de um homem consiste em ter encontrado de novo a seriedade que se tinha na infância, ao brincar".

O jogo da vida

Se você pudesse perguntar a Martin Heidegger o que vem primeiro na experiência humana, brincar ou jogos, a resposta dele seria, sem dúvida, brincar. "Brincamos não porque existem jogos, mas o oposto. Existem jogos porque brincamos." Jogos são um tipo de brincar, mas brincar pode ser muito mais que jogos, divertidos ou não, regidos por regras ou não.

Johan Huizinga alega que brincar, em todas as suas formas, é uma atividade puramente social limitada por um conjunto específico de regras criadas pelo homem. Entretanto, a intrigante visão de Heidegger é de que o tecido do universo é em si mesmo uma brincadeira. Para Heidegger, a existência humana pode ser descrita como "o jogo da vida", porque a existência propriamente dita é imbuída de um "caráter de brincadeira", mas de um tipo em que as regras não necessariamente se aplicam ou, pelo menos, são maleáveis. Heidegger apreendeu intuitivamente o que os físicos posteriormente confirmaram, que existem "singularidades" em nosso universo nas quais as leis da natureza perdem a força. O universo não é meramente mecânico, mas tem um elemento criativo, algo que podemos chamar de um elemento lúdico.

Heidegger considera as crianças nossos mais excelentes praticantes do brincar "sem regras". Enquanto os adultos insistem em regras para toda atividade a que se dedicam, as crianças não fazem essa exigência, e é por isso, Heidegger tem certeza, que os adultos consideram as crianças tão difíceis de entender. Para Heidegger, isso faz da criança "em um sentido metafísico algo que nós, adultos, não conseguimos mais compreender". Heidegger foi influenciado nessa perspectiva pelo filósofo grego pré-socrático Heráclito (535–475 a.C.), famoso por seu pronunciamento de que a mudança é a única constante na vida. Heráclito chamou o próprio universo de "uma criança", e afirmou que, se existe uma eternidade transcendental – se não há a eternidade de algumas crenças religiosas, mas só um tipo que faz do universo uma entidade sem começo ou fim –, então "eternidade é uma criança brincando, jogando xadrez; o reino pertence a uma criança".

Jogos de linguagem

Ludwig Wittgenstein (1889–1951), propulsor do movimento da filosofia linguística na Inglaterra e nos Estados Unidos, criou a expressão "jogo de linguagem". Ela pretende "dar destaque ao fato de que *falar* uma linguagem é parte de uma atividade, ou de uma forma de vida" – a saber, a forma humana. Wittgenstein afirma que a linguagem funciona por uma "rede de regras" acatada previamente, e que as palavras extraem seu significado do acordo público sobre o que elas significam. Sua proposta é que as "regras" de gramática não são meras instruções técnicas que ditam o protocolo do uso correto da linguagem; em vez disso, expressam as normas existentes pelas quais as pessoas usam a linguagem para se fazerem entender entre elas. Portanto, ele afirma, toda linguagem é contingente – sujeita à influência de cultura, contexto, acordo público. Isso deixa espaço para a invenção de novas palavras, de novos significados para velhas palavras, e nossas maneiras de unir as palavras em frases. O que não é sujeito a mudança é sua natureza presa a regras. Wittgenstein se opõe à maioria dos filósofos analíticos, que afirmam com um capricho religioso que a linguagem é o portal direto para a realidade – que ela descreve a existência como "realmente é". Para Wittgenstein, linguagem não é nada disso, e, à medida que a linguagem muda – o que acontece com frequência, já que ela é contingencial a cultura, contexto, era, disciplina –, muda também a realidade que ela descreve. Wittgenstein aponta que aprender a falar uma linguagem tem um elemento de jogo, e que, quando as crianças aprendem a falar, aprendem também as regras de linguagem como aprendem as regras de um jogo.

Mas quem é mais talentoso ao "jogar" esse jogo de linguagem?

É bem estabelecido que crianças são, de longe, as mais adeptas no aprendizado de novas linguagens. É um jogo para elas, brincadeira de criança. O que é igualmente sabido, mas muito menos apreciado, é como elas são brincalhonas com sua língua materna (ou línguas). As tentativas de criar novas palavras, novos usos ou significados para antigas palavras, novas variações ou criações, frequentemente são refutadas com firmeza por adultos, bem-intencionados ou não. Também está bem estabelecido que, quando ficamos mais velhos, perdemos a facilidade para aprender novas línguas. Não é mais diversão e jogos, mas muito trabalho duro. Também perdemos a capacidade de expressão, mesmo em nossa língua nativa, quando envelhecemos? Houve um tempo em que eu ganhava um dinheirinho bom como consultor editorial, "traduzindo" o jargão de burocratas, acadêmicos e outros profissionais com diplomas de pós-graduação em inglês inteligível. Em minha disciplina acadêmica de comunicações, em que tenho um doutorado, típicos jornais acadêmicos, especialmente aqueles considerados de maior prestígio, são impenetráveis, indecifráveis. Alguns colegas de universidade confessaram que não têm muita certeza do significado do jargão proibitivo que utilizam em suas redações acadêmicas. A única coisa de que têm certeza é de que essa linguagem deve ser utilizada, ou seu trabalho não tem a menor chance de aprovação no implacável e anônimo processo de revisão dos colegas. Se é assim, isso desrespeita uma regra fundamental do jogo de linguagem de Wittgenstein, o da concordância compartilhada dentro de um grupo sobre o significado de um conceito preceder seu uso de fato. Se há um acordo entre os revisores de jornais acadêmicos de que deve haver uso compartilhado de determinado jargão pedante, mas poucos que o utilizam têm uma ideia real de seu significado, então a comunicação autêntica – sem mencionar a aquisição e a difusão de conhecimento – não pode acontecer. Quando perdemos a capacidade de comunicar pensamentos de maneira inteligível, nos tornamos um pouco menos humanos?

É altamente provável que as crianças tenham sido as originadoras da linguagem humana – e igualmente provável que elas sejam as principais criadoras de novas linguagens. Considere o desenvolvimento de uma forma de *crioulo* no Havaí depois do crescimento explosivo das plantações de cana-de-açúcar nas ilhas, no fim dos anos de 1900, que trouxe com ele um tremendo influxo de trabalhadores de lugares como China, Japão, Coreia, Porto Rico e Estados Unidos. Enquanto os adultos dos diferentes grupos faziam pouco e irregular progresso na comunicação entre eles, as crianças faziam um trabalho comparativamente rápido inventando uma linguagem mista cheia de nuances. Logo conseguiam conversar umas com as outras, enquanto os pais não entendiam o que os filhos estavam falando.

Como as crianças fizeram isso? O respeitoso linguista Derek Bickerton conclui, em *Adam's Tongue* (Língua de Adão), que as crianças não só têm uma habilidade inerente para inventar gramática, como também têm uma gramática inerente programada no cérebro. Isso dá a elas a capacidade de criar uma linguagem mista fragmentada que, com a prática, evolui em pouco tempo para uma linguagem genuinamente nova. Bickerton ainda afirma que os primeiros membros da espécie humana começaram cedo a se comunicar com protolinguagem, que é uma linguagem sem regras sintáticas ou de construção de palavras. Quando essa protolinguagem surgiu, há mais de dois milhões de anos, não era regulada. Mas à medida que os humanos foram praticando e falando uns com os outros, a linguagem foi gradualmente entremeada por regras. A partir dessa organização linguística, Bickerton teoriza, pensamentos complexos se tornaram possíveis, e isso deu origem à humanidade moderna. Quem ele apontou como os mais adeptos dessa protolinguagem? As crianças.

A teoria de Bickerton é apoiada por como surgiu a Linguagem Nicaraguense dos Sinais. Até os anos de 1970, crianças surdas na Nicarágua não podiam se comunicar entre elas, porque uma linguagem de sinais nunca havia sido desenvolvida para elas. Então, as crianças se dedicaram a inventar a própria linguagem. As que tinham menos de dez anos se mostraram mais hábeis na criação de uma linguagem para elas mesmas. De acordo com um artigo do *New York Times* sobre esse fenômeno, cientistas cognitivos que observavam o que estava acontecendo concluíram que o cérebro das crianças tinha uma "máquina neural dedicada à linguagem". Embora tenha havido outros casos, como aquele no Havaí, da criação de uma nova linguagem por meio da rota mista-crioulo, "a situação nicaraguense é única... porque seu ponto de partida não foi uma linguagem complexa, mas gestos comuns. Dessa matéria-prima, as crianças surdas parecem ter fabricado espontaneamente os elementos de linguagem". A linguagem criada pelas crianças nicaraguenses segue as regras básicas do uso de linguagem comuns a todas as línguas, mas, surpreendentemente, "não foram ensinadas às crianças nenhuma dessas regras básicas – o que indica que tinham uma habilidade inata para a protolinguagem". A Dra. Ann Senghas, cientista cognitiva na Universidade de Colúmbia que observou as crianças na Nicarágua, aponta que, embora "os adultos percam a capacidade de transformar informação em elementos discretos à medida que envelhecem", as crianças a têm aos montes: "Não é só que as crianças sejam *capazes* disso, mas também que os adultos *não são capazes* disso".

Se é assim, por que, então, os adultos são os "criadores do jogo" da linguagem? Como poderia ser o mundo, nosso mundo, a própria realidade, se as crianças pudessem assumir o comando de sua articulação? Para Johan Huizinga, "as grandes atividades arquetípicas da sociedade humana são todas permeadas com brincadeira desde o começo" – e nenhuma dessas atividades é mais imbuída com esses elementos do brincar do que a linguagem, "aquele primeiro e supremo instrumento que o homem cria a fim de comunicar, ensinar, comandar". Ele afirma que "por trás de cada expressão abstrata se esconde a mais arrojada das metáforas, e cada metáfora é uma brincadeira com as palavras. Assim, ao dar vida à expressão, o homem cria um segundo mundo poético paralelo ao mundo da natureza". Porém, esse mundo não está lado a lado com a natureza, como a perspectiva reducionista de Huizinga pretende; em vez disso, é a própria natureza, capturada em palavras poéticas. As crianças – e os adultos com uma bem desenvolvida sensibilidade infantil – são mais capazes de expandir nossos horizontes sobre o mundo da natureza?

O filósofo político, retórico e historiador italiano Giambattista Vico (1668–1744) afirmou, em *A ciência nova*, que "na infância do mundo os homens eram poetas sublimes por natureza". De acordo com o iconoclasta do Iluminismo, pouco apreciado em seu tempo, mas hoje considerado um dos maiores pensadores do século 18, comunicar-se "em personagens poéticos" era uma segunda natureza para aqueles no alvorecer da consciência humana. Como consequência, quando a disciplina da filosofia estava em sua infância no Ocidente, o panteão de pré-socráticos – Anaxágoras, Empédocles, Parmênides e Heráclito – expressou com palavras suas explorações do cosmos interno e externo por meio de aforismos poéticos. Na opinião de Vico, eles argumentavam metaforicamente, de forma imaginativa; eram donos de uma "sabedoria poética".

O singular filósofo especulativo e pensador socrático Justus Buchler (1914–1991), em *The Mainf of Light: On the Concept of Poetry*, concorda com Visco, e aponta que "no começo toda linguagem... era metafórica... a ligação das coisas de acordo com suas similitudes... a expressão da imaginação". O que remete à pergunta: que grupo humano era mais capaz de fazer essas ligações? Lewis Thomas fez uma investigação para encontrar uma resposta. Ele examinou a palavra "pupila", entre outras, em seus dois significados – a pupila do olho e uma criança que era pupilo, ou aluno na escola.

> *Cada linguagem derivada da indo-europeia tem a mesma conexão, e pela mesma razão: quando alguém olha muito de perto dentro do olho de alguém, vê o reflexo de si mesmo, ou parte de si mesmo. Mas por que chamar essa parte do olho de pupila? A mesma duplicação, usar termos idênticos para a pupila do olho e uma criança, ocorre em linguagens sem nenhuma relação entre elas, inclusive suaíli, línguas lapônicas, chinês e samoano. Quem teria feito essa conexão, mais provavelmente, e depois decidido usar a mesma palavra para uma*

criança e o centro do olho? Muito provavelmente... uma criança. Quem mais, além de uma criança, iria olhar dentro do olho de alguém, veria o reflexo de uma criança e daria então àquela parte do olho o nome de pupila? Acho que nenhum membro de um comitê tribal de idosos encarregado de criar uma linguagem; isso nunca passaria pela cabeça deles. A conexão olho-pupila deve ter aparecido pela primeira vez na fala das crianças.

Thomas está convencido de que "a linguagem evoluiu inicialmente pela boca dos bebês", e mais tarde especula que poesia, com suas raízes na infância, em suas origens era domínio exclusivo das crianças.

A linguagem evoluiu? Serve de condutora da expressão como nunca antes? O uso da metáfora caiu de moda, ou, pelo menos, foi relegado a segundo plano, na melhor das hipóteses. Aqueles que usam a linguagem como um meio direto para descrever a realidade são considerados responsáveis por sua evolução. Literalidade é a moda. William Shakespeare desmente essa visão. Sua capacidade para a expressão poética alcançou alturas sem iguais em sua vida adulta. Ele cunhou bem mais de quinhentas palavras. Não só isso, como também usou uma grande variedade de palavras existentes de maneiras novas. Ele não só brincou com as palavras, não se dedicou à brincadeira pela brincadeira, mas também empregou as palavras de maneiras que apresentavam novos usos funcionais, bem como saltos metafóricos que surpreendem e encantam até hoje. De algum jeito, Shakespeare chegou à vida adulta com sua capacidade intacta de fazer magia com a linguagem. Embora haja alguns fatos duros sobre sua criação, é sabido que as crianças da Inglaterra elisabetana como um todo exibiam uma capacidade eloquente e precocemente astuta para a utilização da linguagem. Em seu tempo, como aponta a estudiosa de Shakespeare Anne Blake, essa capacidade das crianças era refletida em suas peças. Por exemplo, o uso da linguagem pelos príncipes em "Ricardo III" era "irônico, cheio de camadas e ambíguo", "sofisticado e com muitas sutilezas". Shakespeare encontrou sua inventividade honestamente.

Crianças não são como Shakespeare por elas mesmas, mas são Shakespeares em potencial à sua maneira. Diferentemente dos adeptos de jargões, cujos floreios linguísticos incômodos e complicadores limitam, restringem e intimidam, as expressões que elas criam muitas vezes expandem nossas possibilidades de conhecimento e nossas sensibilidades para sentir o mundo – sem mencionar que servem de base para a criação de coisas novas. Quando criança, a filha de Lorde Byron, Ada Lovelace (1815-1852), criou um ramo da ciência chamado *flyology*, ou "voologia" – um campo dedicado a entender como os humanos podiam voar. Mais tarde ela escreveu o primeiro algoritmo para um computador – chamado de "máquina pensante" – desenvolvido por seu marido, Charles Babbage, o que fez dela a primeira programadora de computadores do mundo. A linguagem foi parte da fonte de sua inventividade.

Mesmo quando não estão inventando novas expressões, as crianças usam linguagem existente *à la* Shakespeare para fazer conexões, tornar visível o que o olho nu não enxerga. Metáfora é grande parte de quem e o que são as crianças. Uma vez, quando eu filosofava com um grupo entre três e quatro anos em uma creche, soprei uma bolha no ar. Perguntei às crianças: "O que acontece com a bolha quando ela estoura?". Alguns falaram sobre todos os "pedacinhos de bolha" que se espalham por todos os lugares, e especularam se era possível juntá-los de novo. Então, um menino muito loiro disse: "Aconteceu com a bolha a mesma coisa que aconteceu com minha avó. Quando ela morreu, a alma dela explodiu".

Muito frequentemente, a inventividade das crianças com a linguagem, sua *expertise* inata no uso de metáforas para revelar semelhanças ocultas entre coisas que eram consideradas impensáveis, é extraída delas. Acontece a mesma coisa com sua genialidade ao brincar com as palavras: assim que criam um termo fascinante, elas encontram resistência. "Isso não é uma palavra", alguém diz. O termo nunca tem uma chance de circular, ir longe e se tornar parte do nosso vocabulário.

E se celebrarmos sua maestria no jogo da linguagem? E se homenagearmos seu dom e incentivarmos as brincadeiras com palavras? A realidade que a linguagem, entre outras formas de expressão, tenta articular e transmitir seria muito mais rica e mais variada. Pesquisadores da ciência cognitiva estão descobrindo que pessoas de qualquer idade com a capacidade para falar mais de um idioma têm mais meios de esculpir sua visão de mundo e como processam a vida – e assim, esculpir a vida propriamente dita.

E se reunirmos regularmente crianças do mundo todo que não falam a mesma língua? Elas criariam linguagens totalmente novas, todos os tipos de novas combinações para se expressar. Isso estabeleceria o cenário para a criação de realidades inteiramente novas e fascinantes. Forneceria a elas (e a todos nós, por extensão) um arsenal maior para a articulação das emoções. Consequentemente, teríamos novas possibilidades para o progresso humano.

Notícias do país da imaginação

Falando em reunir, nunca conheci ninguém com mais habilidade para alcançar o pleno efeito dos diversos elementos do raciocínio – discursivo, analítico, imaginativo e empático – como os sócios-fundadores do Philosophers' Club, o nome dos meus grupos de investigação socrática para crianças. Criei vários outros grupos para crianças nos anos seguintes (e escrevi dois livros infantis – *The Philosophers' Club* [O Clube dos Filósofos] e *Ceci Ann's Day of Why* [O Dia do Por Quê de Ceci Ann] – baseados em minhas experiências). Mas as crianças que faziam parte do grupo na Cesar Chavez Elementary School, inaugurada em 1997, eram de uma categoria singular. A escola ficava no Mission District, em São Francisco, e muitas crianças que a frequentavam tinham imigrado recentemente para os Estados Unidos. Em alguns casos, a família havia arriscado alto para escapar da pobreza em seus países de origem na América Central e no México. O Mission District era, na época, um lugar de contradições, vibrante e diverso, inóspito e dilapidado. Desde então, a área passou por uma dramática revitalização – que fez os aluguéis aumentarem muito – e houve um êxodo de boa parte da população latina (sem mencionar a comunidade artística, muito maior), inclusive de famílias que conheci a partir do fim dos anos de 1990, que não tiveram alternativa senão se mudar, com o custo de vida em elevação.

Quando comecei o Philosophers' Club como um clube de duas reuniões semanais no horário das aulas e depois delas no ensino fundamental, a maioria dos meus jovens pensadores, com idades entre oito e doze anos, tinha, na melhor das hipóteses, uma compreensão superficial dos três Rs. Mas à medida que se apaixonaram pelas alegrias da investigação socrática, muitos foram inspirados a dominar esses meandros de aprendizado. Em alguns casos, os professores comentaram comigo como eles se tornaram estudantes muito mais motivados, entusiasmados e diligentes. Alguns até me perguntaram como eu havia promovido a transformação, como se eu tivesse algum tipo de elixir educacional. Meu papel foi mínimo: tudo o que fiz foi criar o ambiente no qual eles poderiam conhecer o "4° R" – raciocínio –, que os jovens abordam e empregam como ninguém mais. Eles poderiam argumentar como o próprio Sócrates.

Deu um pouco de trabalho, mas finalmente consegui descobrir o paradeiro de vários sócios-fundadores do Philosophers' Club, todos agora com mais de vinte anos. Hoje eles moram na região de South Bay, de San Jose até as áreas mais amplas do Vale do Silício. Aqueles com quem fiz contato disseram que ainda têm lembranças nítidas e agradáveis dos dias de Philosophers' Club, e gostaram da proposta de reunião comigo e outros membros do clube. Em uma tarde de fim de outono com um calor atípico e promessa de chuva que nunca se cumpriu, cinco de nós nos reunimos mais uma vez em uma área de piquenique dentro de um parque vazio perto da Highway 101. O local da nossa reunião divide a rica Palo Alto – endereço da Universidade de Stanford, onde até as casas mais modestas são vendidas, em média, por mais de US$ 2 milhões – da menos opulenta East Palo Alto, povoada por pessoas que trabalham por salários baixos e, em muitos casos, sustentam a indústria da tecnologia. Os membros do grupo não se viam desde que saíram de São Francisco, no fim do ensino fundamental. No começo foi tudo meio estranho, mas eles quebraram o gelo depois de compartilharem algumas lembranças dos tempos que passaram juntos no ensino fundamental.

"Uma das primeiras questões que examinamos no Philosophers' Club foi proposta por mim, sobre se as coisas que imaginamos são 'reais'", diz Emilio, 26 anos, casado com Socorro e pai de Nano, 7 anos, que o acompanhavam, mas eram tímidos demais para ir além de um acanhado cumprimento murmurado. Emilio ainda é dono de uma beleza desconcertante, embora os anos, aparentemente, não tenham sido fáceis.

"Tipo, eu perguntei: se consigo imaginar uma cabeça de unicórnio, ela é real? Ou é só um produto da minha imaginação, a menos que eu a desenhe, ou escreva uma história sobre ela e a torne 'real' para os outros? Ou ela ainda seria irreal, por não existir no mundo real?"

"É claro que é real, desde que forme uma imagem dela em sua cabeça. Ela existe como um objeto imaginado", diz Yessica. Aquela garota magricela agora é uma jovem esguia e impressionante que trocou os óculos de armação de metal por lentes de contato, mas ainda tem a mesma atitude prática.

Emilio sorri. "Você disse a mesma coisa quando discutimos a questão no nosso clube." Também é a posição de Aristóteles, que afirma, em *Da Alma*, que "a alma nunca pensa sem imagens mentais" – que os teóricos cognitivos de hoje chamariam de representações mentais.

Então, Emilio diz: "O Philosophers' Club era um oásis para a imaginação. Uma grande válvula de escape para o mundo real. Eu costumava imaginar que morava com minha família em algum lugar luxuoso, a anos-luz de gangues, drogas e pobreza. Mas essas imaginações me deprimiam, porque eram impossíveis de realizar. Às vezes queria não ter imaginação, porque aí não criaria esses cenários".

O filósofo escocês David Hume (1711–1776), cuja linha de trabalho eram empirismo e ceticismo, afirmou, em seu *Tratado sobre a natureza humana*, que imaginação é a capacidade que mais nos liberta, mas, para Emilio, isso depende das circunstâncias de quem imagina. O desejo de Emilio por uma existência livre de imaginação é algo que o filósofo britânico Gilbert Ryle (1900–1976) acreditava que poderia ser real. Ryle argumenta, em seu influente *O conceito da mente*, que "não existe uma habilidade especial de imaginação" e, portanto, não existe uma atividade mental distinta de imaginação que possa ser identificada. Nesse caso, a imaginação só existe entre aqueles que acreditam nela e a imaginam existindo.

Emilio olha para mim. "Minha vida atualmente não é muito melhor. Ainda imagino minha grande escapada. Sou gerente de uma *taqueria*, Socorro trabalha em um hotel e faz turnos duplos. Trabalhamos duro, cara, e ainda é difícil pagar as contas. Tenho dificuldade de acreditar que as coisas vão melhorar ou ficar mais fáceis para nós." Ele olha para o filho, uma versão miniatura dele. "Não quero que Nano sofra ou tenha que se esforçar tanto.

Quero que a vida dele seja cheia de esperança. Mas me preocupo com a possibilidade de não ter tempo para construir isso para ele."

Emilio se esquece de nós por um momento, enquanto seus pensamentos se desviam para um lugar sombrio. Depois ele nos diz: "Seria melhor não imaginar coisas boas para você e os seus, se não consegue fazer essas coisas acontecerem?".

Leonardo, único membro do clube que eu ainda reconheceria se passasse por ele na rua, olha com carinho para o amigo antigo. "Você precisa imaginar coisas boas para si mesmo, irmão. Por mais que essas coisas boas possam parecer inalcançáveis quando as imagina, você precisa acreditar que merece torná-las reais, pra poder pensar em um plano de ação."

"Eu tenho sorte", ele continua. "Tive alguém na juventude que foi capaz de imaginar coisas boas para mim, embora eu não tivesse essa capacidade. Um dia, a orientadora do ensino médio me chamou na sala dela. Ela me contou que minha nota era a maior de todos do meu ano no teste de aptidão de inglês e me perguntou o que eu queria ser quando fosse adulto. Respondi que não tinha grandes planos, que talvez fosse um zelador, como meu pai. Ela conseguiu me fazer reconhecer que eu amava os livros. Conseguiu até me induzir a contar que tinha tentado escrever algumas histórias, que era quase como se fosse inevitável, como se as histórias aparecessem na minha cabeça e eu tivesse que passá-las para o papel. Acabei mostrando algumas para ela. Ela me deu um material com informações sobre carreiras na área editorial e de escrita. E me deu informações sobre faculdades na área que ofereciam pacotes generosos de ajuda financeira para apoiar meus estudos. Mas ela não me convenceu logo de início. Eu não acreditava em mim o suficiente para fazer as coisas acontecerem. Ela acreditava completamente em mim, mas, se eu não compartilhasse dessa confiança, ela não serviria para nada. Ela me falou que eu precisava me ver como um personagem de livro e como o autor do livro. Naquele momento, disse, o fim era muito previsível, porque eu estava deixando o 'livro sobre mim' se escrever sozinho. Disse que eu precisava ser mais curioso sobre mim, que precisava começar a perguntar 'e se?', mais ou menos como faria um cientista. Por exemplo, e se eu fizesse 'x' imprevisível, para variar, em vez de fazer o 'y' previsível?

Ela queria que eu me visse como um grande experimento e começasse a me investigar. Sua crença em mim começou a me contagiar."

Ele sorri. "Se naquela época alguém tivesse me falado que eu acabaria me formando em ciências bibliotecárias... Hoje sou bibliotecário-referência em uma biblioteca pública. Posso viver de salário, mas faço uma coisa que amo. Consigo fazer bom uso da minha mente e, no tempo livre, escrevo contos. Logo minha primeira coleção será publicada. Meu futuro – não, meu presente – começou no dia em que passei a ousar visualizar a vida que eu queria para mim, e acreditar que poderia torná-la realidade."

Leonardo, então, se dirige a Emilio: "Irmão, você tem coisas boas na vida que não consigo imaginar para mim. Tem uma linda esposa e um filho". Ele suspira. "Tenho 'bloqueio de imaginação' para acreditar que um dia vou me casar, ter filhos, ler histórias para eles antes de dormir. Hoje sou tão desajeitado socialmente quanto era no ensino fundamental."

"Feche bem os olhos e imagine, irmão", responde Emilio. "Visualize fazendo acontecer."

Emilio tem tanto poder de persuasão que Leonardo faz o que ele diz. Alguns momentos passam. Um esboço de sorriso aparece. Ele abre os olhos. "Não só imaginei, como imaginei como vou fazer isso acontecer. Susana não sabe, mas ela vai ser minha esposa em um futuro não muito distante."

Aristóteles teria aplaudido o uso que Leonardo fez de seus poderes imaginativos. Para Aristóteles, imaginação está intimamente ligada a desejo. Ele acredita que qualquer coisa que buscamos pelo desejo e que tentamos fazer acontecer só pode ser realizada se conjuramos, primeiro, uma imagem do objeto desejado.

Leonardo olha para Emilio com uma expressão agradecida. "Agora você precisa fazer a mesma coisa, irmão. Tem que se visualizar realizando coisas boas para você e sua família. Sem a visualização, não pode criar um plano para fazer isso acontecer."

Yessica afaga o ombro de Emilio. "Isso é verdade. Você precisa se conduzir em uma jornada da imaginação. O destino final será a realização dos seus sonhos. A parte mais difícil é começar. Eu sei do que estou falando."

Ela continua: "O pai dos meus filhos acabou mostrando que é muito parecido com meu pai, um homem abusivo. Ele agora está em algum lugar de Nevada. Tive de sustentar as crianças sozinha. Fiquei abatida por muito tempo. Não conseguia enxergar uma saída. Boa parte disso tinha a ver com sentimentos sobre se eu merecia encontrar uma saída. Eu tinha sonhos, mas depois pensava: 'Quem eu quero enganar?' Relacionamentos abusivos acabam com a autoestima. Mas saber disso não me ajudava em nada".

"Eu precisava deixar de me sentir presa naquele lugar, tinha que parar de pensar que nunca me libertaria. Busquei ajuda profissional. A terapia me ajudou a enfrentar e lidar com questões que me impediam de realizar muitas coisas na vida. Para mim, as mudanças vieram muito lentamente e aos poucos, mas elas aconteceram. Essa é minha oportunidade na vida, e decidi que não vou deixar nada nem ninguém me atrapalhar." Depois ela conta: "Estou quase terminando o bacharelado em administração de organizações sem fins lucrativos em um programa de educação à distância".

Ela encara Leonardo e diz: "Meu objetivo é fazer por adolescentes o que sua orientadora fez por você. E assim que eu me formar, meu estágio vai se tornar um emprego em tempo integral. Vou ser efetivada como coordenadora de atividades do centro da juventude depois do horário de aulas. No momento, faço a 'boa imaginação' para as crianças com quem trabalho até ela se tornar contagiosa e eles conseguirem imaginar sozinhos".

Yessica fica em silêncio por um tempo, depois diz: "Antes eu tentava convencer meu irmão mais velho, Marlon, a imaginar uma vida melhor para ele. Mas ele era fatalista. Dizia que tinha nascido para ser membro de gangue e morreria na gangue. A voz dele era linda quando cantava, e ele tinha um dom para tocar violão. Poderia ter construído uma carreira como músico. Eu me imaginava uma ninja que aparecia do nada e me colocava entre Marlon e os outros membros da gangue. Imaginava que desafiava o líder para uma luta definitiva, e quem ficasse em pé no fim dela decidiria o destino do meu irmão. Se eu ganhasse, Marlon sairia daquela vida de gangue e faria carreira na música. Contei esse sonho ao Marlon. Ele achou emocionante, mas ingênuo. Faz quase oito anos que ele morreu. Quando imagino coisas boas para mim e minhas filhas, imagino para ele também – sério, para todo mundo que acabou como o Marlon por não conseguir imaginar um futuro melhor para si".

Fazemos um silêncio prolongado. "Eu preciso superar essa festa da piedade e trabalhar para realizar meus sonhos", Emilio diz a seguir. "O que Leonardo e Yessica contaram me faz perceber que as únicas coisas boas dignas de se imaginar são as que não são boas só para você e as pessoas que ama, mas para os outros também. Tipo, se você imagina coisas boas para você que só podem acontecer se outros forem prejudicados, isso não é bom. Muita gente com dinheiro e poder imagina coisas boas só para si. Por isso a economia aqui nessa região é mais desigual que nunca. Mas não posso deixar que isso seja uma desculpa para não executar um plano para tornar meus sonhos reais. Preciso ser um exemplo para meu filho." Ele continua com convicção tímida: "Há muito tempo sonho abrir minha padaria. Vou desenvolver um plano para que isso se torne realidade".

Até então, Nelson se mantinha à margem do diálogo. Ele fora o primeiro a chegar. Nelson me disse que quase não tinha ido, mas que a curiosidade de me ver e encontrar os colegas de escola depois de tanto tempo fora maior que ele. Ele ouvia com atenção, com uma expressão que misturava preocupação, simpatia e interesse, mas também algo que beirava o acanhamento e a privação. Nelson é uma autêntica história de Horatio Alger, um menino de origem pobre que havia atravessado o Deserto Sonora com a mãe e seis irmãos em 1995 e realizou coisas exemplares.

Ele diz: "É importante imaginar coisas boas para si mesmo, especialmente em tempos difíceis, ou as coisas só vão piorar. Minha mãe me ensinou que é preciso ser atrevido e ambicioso para fazer as coisas boas acontecerem – que às vezes você se dá mal, mas se levanta, aprende com o tombo e segue em frente".

Ele olha para Emilio e diz: "Você se subestima, irmão. Sempre foi o melhor pensador – o melhor imaginador entre nós. Tinha essa atitude teimosa que eu admirava. Só não teve a oportunidade certa. Se precisar de alguém para investir na sua padaria, me procure com seu plano".

Enquanto Emilio tenta digerir a oferta e se anima visivelmente, Nelson continua: "Minha mãe imaginou as 'coisas boas' para mim até eu poder seguir com o programa. Eu tinha aptidão para matemática e lógica. Ela me matriculou em um programa acelerado para alunos do ensino médio em uma faculdade comunitária. Não me contou nada até estar com tudo resolvido, porque tinha medo de que eu tentasse convencê-la a desistir, por causa da minha falta de confiança. Eu me formei no técnico em programação de computadores e tecnologia da informação um ano depois de terminar o ensino médio. Depois, segui para o bacharelado e o mestrado. Uma empresa de tecnologia no Vale do Silício fez um recrutamento na faculdade onde eu estava e me contratou. Passei a integrar uma equipe que desenvolve *softwares* para melhorar a experiência de *chat* virtual frente a frente. Meu primeiro pagamento, mesmo depois de todos os impostos descontados, era mais dinheiro do que eu jamais tinha visto".

Nelson diz: "Quando eu tinha doze anos, o que mais queria era voltar ao México para ver meus avós. Eles estavam doentes. Mas se eu atravessasse a fronteira, nunca mais voltaria aos Estados Unidos. Imaginava jeitos de tornar o impossível possível. Visualizava o teletransporte até Oaxaca, passar uma noite com eles, enquanto o resto de minha família dormia, para que não ficassem preocupados por eu ter fugido. Imaginava que passava algumas horas com meus avós – compartilhava histórias, abraçava-os, dizia quanto os amava – e depois voltava para casa antes de meus pais e irmãos acordarem no dia seguinte. Meus avós morreram pouco depois disso. Minha avó faleceu primeiro; meu avô, três meses depois. Ele não conseguiu imaginar a vida sem ela. Consegui falar com os dois por telefone antes de morrerem, mas não cheguei nem perto de poder ver seus rostos pela última vez. Conversas *online* por vídeo ainda eram só uma ideia no mundo real, mas não no mundo da ficção. Eu havia lido *Neuromancer*, de William Gibson, que inventou o termo ciberespaço. Ele vislumbrou como seria um 'mundo virtual de verdade'. Sua imaginação incendiou a minha, e também a de muitos outros. Desde que ele escreveu esse livro, pessoas da minha área têm trabalhado cada vez mais para tornar real o mundo que ele imaginou".

Em *Tratado sobre a natureza humana*, David Hume afirmou que é "uma máxima estabelecida [que] nada do que imaginamos é absolutamente impossível. Podemos formar a ideia de uma montanha dourada, e daí concluir que essa montanha pode realmente existir". Aqueles, como Nelson, que foram inspirados pela imaginação de Gibson concordam que a imaginação é a capacidade não só de contemplar possibilidades, mas também de poder torná-las reais.

"Na empresa de tecnologia onde fui contratado pela primeira vez", Nelson continua, "eu fazia parte de um grupo que trabalhava no aperfeiçoamento de conversas virtuais por vídeo. Meu papel era discreto, mas ainda era quase surreal para mim, no melhor sentido, fazer parte daquilo. As pessoas usam os *chats* virtuais para todo tipo de propósito, mas o meu, ao trabalhar no aperfeiçoamento dessa experiência, vinha de imaginar as coisas boas que eu faria por pessoas que estavam longe de seus entes queridos e não podiam percorrer essa distância fisicamente."

Nelson fica em silêncio por uns instantes, antes de prosseguir: "Minha mãe não vai ficar feliz enquanto eu não me casar. Eu também não. Como Leonardo, sou muito tímido em relação a essas coisas".

"Você sabe o que fazer, irmão", diz Emilio.

Nelson fecha os olhos. Ele é a imagem da concentração intensa. O sorriso que surge é lento e gradual, mas logo se alarga de orelha a orelha. Se não estou enganado, quando abre os olhos, ele lança um olhar discreto para Yessica, que era seu amor nos anos de ensino fundamental.

Cada vez mais curioso

O filósofo e ensaísta Plutarco (46–120) observou que "crianças são muito apaixonadas por... qualquer coisa curiosa e sutil". Como alimentamos nas crianças um amor vitalício pelo curioso e sutil? Como ajudamos a incendiar sua imaginação de maneira a fornecer os recursos – paixão, compromisso e disciplina – para descobrir e concretizar seus talentos?

Em *Alguns pensamentos sobre a educação*, John Locke diz que a "curiosidade nas crianças não é senão um apetite por conhecimento, e deveria ser, portanto, incentivada nelas... como o grande instrumento que a natureza forneceu... e sem o qual elas seriam criaturas sem graça e inúteis". Locke compara as crianças com "viajantes recém-chegados em um país estranho do qual sabem muito pouco. E embora suas perguntas às vezes pareçam não muito concretas, devem ser respondidas com seriedade".

Locke sugere que os adultos "não desestimulem nem desqualifiquem nenhuma pergunta que [uma criança] possa fazer, nem a ridicularizem; mas que respondam a todas as perguntas e assuntos que elas queiram conhecer". Infelizmente, ele observou, muitas crianças "tiveram sua curiosidade censurada e suas perguntas negligenciadas".

> *Mas se tivessem sido tratadas com mais bondade e respeito, e se suas perguntas fossem respondidas de forma a satisfazê-las, não duvido de que tivessem encontrado mais prazer em... aumentar seu conhecimento, em que haveria ainda novidade e variedade.*

Sempre que um adulto faz uma tentativa sincera de saciar a curiosidade de uma criança em um domínio da investigação, Locke defende, ele a está "conduzindo pelas respostas a perguntas mais elaboradas". Igualmente importante, o adulto em questão também se conduz adiante em uma jornada de descoberta.

> *Para um homem adulto, talvez essa conversa não seja tão vazia e insignificante quanto ele pode imaginar. As sugestões natas e impensadas de crianças inquisitivas com frequência oferecem coisas que podem pôr em movimento os pensamentos de um homem atento. E acho que há sempre mais a ser aprendido com as perguntas inesperadas de uma criança do que com os discursos dos homens.*

Em *Introdução ao pensamento filosófico*, Karl Jaspers concorda com o sentimento de Locke. Jaspers afirma que quando uma criança "ouve a história da Criação: no começo, Deus fez o céu e a terra... e imediatamente pergunta: 'O que tinha antes do começo?', essa criança sentiu que não há fim para o questionamento, não há ponto final para a mente, nenhuma resposta conclusiva é possível". Como seria ter um ponto final para a mente? Por que tantos adultos buscam justamente isso, engessar sistemas de crenças com respostas conclusivas?

Giambattista Vico acredita que reduzimos o papel de destaque desempenhado pela imaginação tanto em nosso desenvolvimento pessoal quanto no crescimento da sociedade, em nosso prejuízo. Em *On the Study of Methods of Our Time*, Vico aponta que, desde tempos imemoriais, a "imaginação sempre foi considerada um presságio dos mais favoráveis para o futuro desenvolvimento" de nossa juventude, e por isso é razoável que "não deva ser de maneira nenhuma embotada". Vico lembra como o *modus operandi* de educadores era celebrar como "todas as artes e disciplinas eram conectadas". Isso capacitava o estudante a desenvolver plenamente seus "poderes poéticos", de forma que pudessem trazer à luz conexões entre assuntos que, aparentemente, não tinham nada em comum.

Nem é preciso dizer que Vico ficou desanimado com a repentina mudança de etos que levou a um esforço concentrado em seu tempo para fazer da imaginação um presságio desfavorável na educação dos jovens. A situação dos assuntos educacionais na Itália era tal que artes e ciências foram "fragmentadas". A defesa eloquente dos estudos humanistas não obteve efeito ao condenar esses eventos:

> *Os responsáveis por essa separação podem ser comparados a um governante tirano que, tendo se apoderado de uma grande, populosa e opulenta cidade... a fim de garantir a própria segurança, destrói a cidade e espalha seus habitantes em diversos vilarejos distantes um do outro. Como consequência, é impossível para os cidadãos se sentirem inspirados.*

O sistema de instrução posto em prática por seus contemporâneos tornou crianças e jovens "incapazes de se envolver na vida da comunidade, se conduzir com suficiente sabedoria e prudência". O lamento de Vico ecoa poderosamente no presente: em muitas escolas, a integração do brincar no aprendizado, mesmo na mais tenra idade, tem sido eliminada. Nos Estados Unidos, isso certamente contribui para o (e é resultado do) acentuado "déficit de imaginação" que dificulta, na melhor das hipóteses, a solução dos nossos problemas mais intratáveis, porém prementes, nas esferas socioeconômica, educacional, ambiental e política[23]. Quando o entorpecimento

---

23 Leia o lamento de uma professora de ensino fundamental sobre a abordagem Gradgrind para a educação – fatos, fatos, fatos – em seu inquietante trabalho "Kindergarten teacher: My job is now about tests and data – not children. I Quit" (Professora de pré-escola: meu trabalho agora tem a ver com provas e dados – não com crianças. Eu me demito), em http://www.washingtonpost.com/blogs/answer-sheet/wp/2014/03/23/kindergarten-teacher-my-job-is-now-about-tests-and-data-not-children-i-quit/.

da imaginação está a todo vapor, como Vico indica, nós nos sentimos mais desconectados uns dos outros, mais espalhados e isolados, e é claro, mais alienados de nós mesmos.

Imagina

Gaston Bachelard afirma que um contraponto muito necessário para o "princípio de realidade" de Sigmund Freud – expressão criada pelo pai da psicanálise para conotar a capacidade da mente de apreender e avaliar o mundo externo – é um "princípio de irrealidade". Isso nos ajudaria a comandar nossa imaginação de forma que ela nos equipe para visualizar e criar novas realidades. Sua defesa desse princípio pretende ressaltar que não existe isso de ver o mundo como ele é; ao contrário, o mundo é o que o fazemos ser, e o que fazemos dele. Bachelard sustenta que as crianças em particular têm não só o "direito absoluto de imaginar o mundo" como considerarem adequado, mas também o de realizar esse mundo. Ele condena pais e educadores por roubarem da criança esse direito a partir do momento em que decidem que ela chegou à "idade da razão", a partir da qual consideram ser sua obrigação "ensiná-la a ser objetiva à maneira simples como os adultos acreditam ser 'objetivos'. Ela é recheada de sociabilidade... Torna-se um adulto prematuro. Isso equivale a dizer que [ela] está em um estado de infância reprimida". O que, Bachelard tem certeza, leva a uma infância reprimida.

Claramente, o poderoso endosso de Bachelard para que se dê total liberdade à imaginação do indivíduo se refere apenas a seus aspectos positivos. Imaginação bem realizada pode tornar o mundo um inferno, se o mundo que se imagina e busca tornar real reprime e diminui os outros. Como Justus Buchler, um dos filósofos socráticos mais excepcionais, porém menos conhecidos, do século 20, observa em seu *Main of Light*, imaginação não é inerentemente melhor do que é inofensiva: "Imaginação pode ser destrutiva... contrária ao espírito de invenção em qualquer uma de suas formas", inclusive "as técnicas de supressão moral que intimidam milhões".

De maneira geral, as imaginações destrutivas são território dos adultos? Alison Gopnik está convencida de que faz parte do DNA das crianças empregar sua imaginação de maneira a criar mundos mais corajosos, mais novos e potencialmente melhores. Ela cita extensos estudos em andamento conduzidos por ela e por seus colegas sobre o funcionamento do cérebro infantil, que revelam que ele é programado de tal forma que é natural, para ele, "criar teorias causais do mundo, mapas de como o mundo funciona. E essas teorias permitem que as crianças vislumbrem novas possibilidades e imaginem e finjam que o mundo é diferente". De fato, "até crianças muito pequenas podem... imaginar como o mundo poderia ser diferente no futuro e usar essa imaginação para criar planos".

Como Gopnik aponta, a sabedoria convencional adulta sobre o assunto – a saber, "que conhecimento e imaginação, ciência e fantasia, são profundamente diferentes uma da outra, até opostas" – está muito atrás de descobertas recentes de que, em muitos aspectos, elas são uma coisa só, algo que as crianças apreendem intuitivamente. Embora seja comum, para as crianças, imaginar universos alternativos, cosmologistas estão, finalmente, tentando aprender com elas, e contemplam a possibilidade de universos paralelos, ou "multiversos", como os chamam. Embora esses universos até agora não sejam observáveis nem com os instrumentos mais sofisticados, isso não é motivo para desprezar essas teorias emergentes. Afinal, novas teorias científicas se utilizam da capacidade de propor e posteriormente tentar revelar semelhanças ocultas entre entidades disparatadas. Esse processo conta com uma imaginação muito bem construída. Albert Einstein disse sobre isso: "Imaginação é tudo. É a prévia das próximas atrações da vida". A teoria da relatividade de Einstein surgiu como resultado de um experimento de pensamento. Ele imaginou que viajava na cauda de um raio de luz. Felizmente, não era casado com o princípio de realidade, já que, nesse caso, teria se convencido de que viajar sobre um raio de luz não era possível no mundo real.

A imaginação criadora

O filósofo naturalista espanhol George Santayana (1863–1952) exalta a "imaginação criativa" por sua capacidade de criar novas possibilidades de realidade. Ele acredita que ela nos confere uma sensibilidade poética, que caracteriza como "a personificação da irresponsabilidade típica da infância, da liberdade sem limites". Os poetas que Santayana considera os melhores se dedicaram a "imaginar como a criação poderia ter atravessado outras linhas". Mas nossos maiores cientistas não só imaginam como a criação poderia ter atravessado outras linhas, como também mostram que ela *se moveu* por linhas muito diferentes daquelas que foram amplamente presumidas.

Se algum dia houve um homem que desenvolveu plenamente suas capacidades poético-imaginativas e racional-científicas ao mesmo tempo, esse alguém é Johann Wolfgang von Goethe (1749–1832). Embora muito mais renomado por sua poesia épica e lírica, o autor de *Fausto* foi um cientista natural respeitado que escreveu obras importantes sobre morfologia (o estudo da forma e estrutura de organismos e suas características estruturais específicas) e propôs uma provocante teoria das cores que ainda é muito discutida hoje em dia. Walter Kaufmann comenta que a poesia de Goethe "não era a cobertura de um bolo comum e seco, uma invenção que cobre e embeleza a realidade das coisas", mas foi a fonte de sua argumentação científica. E tem Shakespeare, que há muito desempenha um papel prodigioso na formação do moderno pensamento ocidental. Charles Darwin, por exemplo, credita a Shakespeare um "maravilhoso conhecimento da mente humana" como o impulso para seu trabalho. Ele dedica todo o último capítulo de *A origem das espécies* – intitulado "As expressões das emoções no homem e nos animais" – ao bardo. Shakespeare estava muito à frente de seus contemporâneos ao defender que o universo era infinito – ele até fez Hamlet declarar "considerar-me rei do espaço infinito" – e que o Sol, não a Terra, estava no centro da Via Láctea.

Eu deveria dizer que ele estava à frente da maioria dos adultos de seu tempo, já que as crianças da época deviam se considerar reis e rainhas do espaço infinito sem sombra de dúvida, como o fazem agora. Crianças transformam o lugar e o espaço mais terrível e confinador. Viram o jogo em cima da restrição. Pais estressados e homens de negócios correm pelos aeroportos. Crianças saltitam e pulam ou fingem nadar (preferência da minha filha) de um terminal ao outro, como se estivessem em um aquário gigantesco. Estão em uma grande aventura. Alguns pais as arrastam em velocidade vertiginosa e contidas. Quanto mais as prendem, mais sua imaginação funciona. Crianças vão muito longe dentro da própria cabeça, transformando o ambiente de seu mundo real. Os adultos precisam aprender a acompanhá-las nessa viagem.

Em *Sonho de uma noite de verão*, Teseu diz a si mesmo que "o lunático, o amante e o poeta são todos compactos de imaginação". Eles têm "cérebro tão efervescente, com fantasias criadoras, que apreendem mais que a razão fria jamais compreende". Porém, alguns de nossos maiores fornecedores da fria razão – inclusive o físico Galileu e o astrônomo Copérnico – foram vistos como malucos e hereges em seu tempo. O filósofo italiano Giordano Bruno (1548–1600), um notável livre-pensador, foi queimado na fogueira durante a Inquisição romana por criar uma versão da realidade que ameaçava subverter a versão que os poderes de então endossavam e que fortalecia sua autoridade.

Nesse memorável solilóquio, Teseu declama:

E à medida que a imaginação vai desenhando
O contorno das coisas não conhecidas, a pena do poeta
Vai lhes dando formas, e coloca um nada etéreo
Em uma habitação local e inventa-lhe um nome

Mas cientistas eminentes também transformam coisas desconhecidas em formas e atribuem a nadas etéreos uma habitação local e um nome. Não são tão diferentes de poetas. Ou de crianças.

"O que é imaginação?" perguntou Ada Lovelace, uma jovem cientista que nunca perdeu sua inventividade de criança. Sua própria resposta: "Aquilo que penetra no mundo invisível à nossa volta" e "apreende pontos em comum entre assuntos sem nenhuma conexão aparente". A partir dessa perspectiva, a própria imaginação dá corpo às coisas desconhecidas.

Crianças e cientistas excepcionais como Lovelace são diferentes de adultos comuns? Se são, é inevitável? De acordo com Karl Jaspers, as poucas pessoas que conseguem chegar à vida adulta com sua engenhosidade inventiva intacta como a tinham na infância são "aquelas mentes grandiosas" como da Vinci, Sócrates, Shakespeare e Buda. John Dewey, por outro lado, tem a mesma certeza de que, embora a mente criativa em seu auge seja normalmente "associada a pessoas que são raras e únicas, como gênios", ela é parte de todos nós. Emerson tem opinião parecida. Ele nos diz que:

> *Um homem deve aprender a detectar e observar aquele brilho de luz que cintila em sua mente vindo de dentro, mais que o brilho do firmamento de bardos e sábios. Mas ele desconsidera sem perceber o próprio pensamento, porque é seu. Em todo trabalho de gênio reconhecemos nossos próprios pensamentos rejeitados: eles voltam para nós com certa majestade alienada.*

Não precisamos imitar ninguém. Porém, muitos de nós acabam sendo copiadores, subestimando o próprio estoque de genialidade. Seria isso verdade porque, apesar da grande publicidade em contrário, a originalidade genuína é muito frequentemente desestimulada, desvalorizada, diminuída em nossa sociedade, vista até como um anátema?

Para adultos comuns, Karl Jaspers afirma, usar ao máximo a imaginação dá lugar a horas de sono, e assim, "ao despertar do sono, [eles] experimentam *insights* reveladores que desaparecem com o pleno despertar, deixando-lhes apenas a impressão de que nunca poderão ser recapturados". No entanto, há uma ocasião, pelo menos, durante as horas de vigília, em que alguns adultos empregam ao máximo a imaginação – quando são impelidos a ajudar uma criança aborrecida. Esses adultos são mestres da invenção e criatividade. Inventam na hora sons e canções, histórias e poesia; fazem movimentos e gestos que não sabiam que eram capazes de fazer – o que for preciso para ajudar e dar alegria a uma criança carente de atenção.

Uma vez, quando eu estava na Itália fazendo a turnê de um livro, minha filha Cali, então com três anos e meio, teve, na solene Capela Sistina, uma crise de birra que superou todas as crises. Eu me preparei para o enxame de guardas – que se divertiam advertindo turistas que negligenciavam os avisos para falar baixo – que nos poria para fora. Em vez disso, eles se transformaram em um bando de criaturas tranquilizadoras, um grupo de tios arrulhando, um grupo cuja única missão na vida era acalmar minha vida. Eles a pegaram no colo, a giraram no ar, mostraram todas as belezas a serem apreciadas enquanto cantavam com voz doce. Em dois minutos, transformaram a choradeira de Cali em risadas. Se eu não tivesse visto, não teria acreditado.

Naqueles poucos momentos, aprendi muitas lições sobre como criar minha filha. Gostaria que todos que consideram crianças gritando o flagelo do universo pudessem ter visto como os guardas na Itália lidaram habilidosamente com Cali. Eles sabiam que não era culpa dela, que culpa não estava em discussão, que seu mundo sensorial havia sido momentaneamente sobrecarregado. Quanto mais ela gritava, mais compaixão eles demonstravam. Essa experiência aconteceu mais de uma vez na Itália. Os italianos adoram crianças. Esse é um sinal claro de que Roma não teve esse declínio e queda, afinal.

E se os adultos se tratassem do mesmo jeito? E se dessem um ao outro o benefício da dúvida, cobrissem a si mesmos com mais compreensão quando estão em seus piores momentos? E se os adultos se esforçassem para ajudar uns aos outros a cuidar de seus pensamentos e sentimentos mais sombrios e debilitantes e redirecioná-los? E se dedicássemos o mesmo estoque de genialidade que temos para tornar o mundo de uma criança mais radiante, ou menos triste e limitador, a nossos semelhantes adultos? Quanto mais poderíamos prosperar em consequência disso? É tão difícil visualizar essa possibilidade, e mais ainda dar os passos necessários para torná-la parte da ordem natural das coisas?

05

Através do espelho

Em *Através do espelho*, Alice está no salão de sua casa, preguiçosamente empoleirada em uma poltrona, quando presta atenção a um espelho de corpo inteiro. Ela reflete sobre como pode ser o mundo do outro lado. Alice se levanta, aproxima-se do espelho e estuda seu reflexo. Ela o cutuca. Alice se surpreende quando o dedo não encontra resistência. Em seguida, ela dá um passo através do espelho. Uma vez do outro lado, Alice diz: "Ah, que divertido vai ser quando me virem aqui através do espelho e não conseguirem me alcançar!".

Como seria se os outros vissem sua imagem superficial, mas nunca conseguissem "alcançá-lo" por dentro, não tivessem a menor ideia do que você pensa ou sente? É possível exibir uma fachada impenetrável? Se quer que os outros o vejam "como você é", é indispensável exibir coração e mente em tudo o que faz, ter uma vida de livro aberto?

Imagem e identidade são a mesma coisa?

Ou imagem é principalmente como os outros o veem, e identidade é como você se vê? E se identidade e imagem têm pouco a ver com o que há por dentro, e tudo a ver com o que existe do lado de fora? "Pelos seus frutos os conhecereis." Assim diz a Bíblia em Mateus 7:16. É o mesmo que dizer que conhecemos os outros pelo que eles semeiam no mundo, por seus atos e obras, e que só podemos avaliar o que alguém tem por dentro olhando para o que dizem, fazem e criam do lado de fora.

O jeito como os outros veem você – ou como você pensa que o veem – é muito importante para como você se vê? E quando você é pai, mãe ou cuidador? Quanta influência as crianças de sua vida têm em como você se vê? Sua autoimagem tem alguma relação com se considerar bem-sucedido ao criar um filho bem-ajustado? De que maneira ajuda essas crianças a desenvolverem uma noção de valor pessoal que seja ao mesmo tempo honesta e próspera?

Eu em miniatura

Estou sentado em um banco longo e curvo com minhas amigas Chrissie, Chandra e Gabrielle. Nós nos conhecemos desde... bom, desde sempre. Fomos colegas de escola e muitas vezes colegas de turma desde o primeiro ano. Juntos, nos formamos no Menchville High School em Newport News, Virgínia, em uma época em que a cidade vivia o fim da segregação racial por ordem do tribunal. Desde então, eu me mudei mais de vinte vezes, enquanto elas continuaram nessa cidade costeira do sudeste da Virgínia, que hoje tem uma população de mais de 183 mil habitantes. Nossos filhos estão brincando no parquinho reformado recentemente, onde muitas vezes brincamos quando tínhamos a idade deles e vivíamos nesse bairro que já foi de classe média.

Sempre que estou na área – o que acontece muito, porque minha mãe ainda mora lá –, temos um encontro como esse. Como eu, minhas amigas tiveram filhos mais tarde que nossos contemporâneos, muitos deles já avós. Chrissie, uma corretora de seguros bem-sucedida, foi mãe de gêmeos fraternos aos 44 anos. Gabrielle era um ano mais velha que ela quando teve a filha; ex-professora de artes no ensino fundamental, hoje ela é mãe em tempo integral. Chandra, a primeira menina que eu beijei, mais ou menos uma semana depois de ter começado o primeiro ano, já havia quase se conformado com a ideia de não ter filhos, quando engravidou aos 47 anos.

"Zaya e eu fizemos bolhas de sabão hoje de manhã", Chandra conta enquanto supervisiona nossos filhos, que se tornaram amigos rapidamente, ao longe. Alta e esguia, com um rosto oval de extrema beleza, Chandra parece não ter mudado nada desde os anos do ensino médio.

"Zaya fez uma bolha muito grande, que ficou flutuando na frente dela", continua. "Ela disse 'Mamãe, consigo me ver na bolha! Mas minha imagem é esquisita, parece um daqueles espelhos em que a gente se vê engraçada e inchada'. Mais tarde, quando estava no meu colo, ela olhou dentro dos meus olhos. 'Mamãe, estou me vendo!' Depois de um tempo, ela disse: 'Queria poder ver meu rosto diretamente, assim iria poder decidir como eu realmente sou'. E me perguntou: 'Mamãe, é possível saber, algum dia, como a gente é realmente?'. Que pergunta! Minha resposta foi que sua aparência real é a verdadeira beleza do que ela é por dentro e por fora. Zaya ficou satisfeita com minha resposta, embora não a aceitasse. 'Mamãe, você diz isso porque me vê com os olhos do amor.' Consegui ler no rosto da minha menininha que ainda tinha alguma coisa que não se encaixava em seu mundo. Esperei. Por fim, ela disse: 'Mamãe, gosto de ver que minha imagem é nítida nos seus olhos. Consigo ver de que cor eu sou. Isso faz você e eu parecermos ainda mais gêmeas idênticas'. E depois: 'Queria que todo mundo que olha para você e para mim fosse daltônico'."

Chandra olha para nós. "Vocês sabem que ela e eu somos muito parecidas. A única diferença é que eu tenho a pele escura, e Zaya é branca. Até no parquinho da nossa vizinhança as pessoas se aproximam para perguntar se estou tomando conta dela. Ou: 'Você é a babá?'. Isso machuca. Não posso negar que influencia como realmente me vejo. As palavras dessas pessoas atingem profundamente minha autoimagem. Só depois da revelação de Zaya eu percebi que a dela também é atingida."

Chandra balança a cabeça, e dor e frustração ficam evidentes. "Como as pessoas podem ser tão cegas? Como podem se recusar a ver que somos quase idênticas? Sério, só gente branca me fala essas coisas sem nenhuma consideração. Para essas pessoas, imagem e cor andam juntas. Quando pessoas negras olham para nós, percebem imediatamente que eu sou mãe dela. Não consideram a cor da pele. Às vezes, elas me dizem: 'Você poderia ser irmã mais velha dela'."

A percepção do filósofo pragmático, sociólogo e ativista dos direitos civis americanos W. E. B. Dubois (1868–1963) sobre "dupla consciência" ainda é pertinente para Chandra e muitas outras pessoas negras nos Estados Unidos nas muitas décadas que o seguiram. Dubois afirmou que é uma condição inevitável para os americanos negros a de criar uma imagem deles mesmos pelos olhos dos americanos brancos: "É uma sensação peculiar, essa dupla consciência, essa sensação de estar sempre olhando para si mesmo pelos olhos dos outros, de medir a alma pela régua de um mundo que o olha com desdém divertido e pena. O indivíduo sempre sente sua dualidade".

Enquanto vejo minha filha mostrar aos amigos uma ou duas novidades sobre se pendurar de cabeça para baixo nas barras, digo às minhas amigas: "Quando Cali e eu estamos juntos, há ocasiões em que alguém diz: 'É muito legal ver um avô e uma neta se divertindo juntos'. Apesar de ser um comentário bondoso, isso muda o jeito como eu me vejo. Desperta em mim a consciência de quanto sou velho, em comparação à maioria dos pais da idade de Cali. Demora um pouco para eu conseguir superar. Cali entende o que eles dizem, mas, até agora, parece que não registrou o significado – embora, como aconteceu com Chandra, pode ser que ela tenha registrado, só não comentou comigo. Quando ela ficar mais velha, quando eu ficar mais velho, não sei se esses comentários vão afetar a maneira como ela me vê, como nos vê e como se vê".

"Queria que todos nós pudéssemos ser o posto de Marianne Dashwood", diz Chrissie com ar pensativo, referindo-se à protagonista de Jane Austen em *Razão e sensibilidade*. "Marianne diz à irmã mais nova: 'Mas eu achava que era certo, Elinor, ser guiada inteiramente pela opinião de outras pessoas'. Tento criar minhas filhas para formar uma imagem delas mesmas que seja guiada pela opinião delas, de mais ninguém."

"No meu caso, que bom que existe a opinião dos outros", diz Gabrielle. "Eu sou minha pior crítica. Preciso dos outros me ajudando a suavizar a imagem que tenho de mim mesma. Sempre quero ser mais inteligente, mais bonita e, acima de tudo, mais esguia. Vocês sabem como sou crítica com minha silhueta. Sou vaidosa, eu sei. Fico brava com meu marido quando digo que estou engordando e preciso fazer dieta, e ele responde que estou perfeita. Essa é a última coisa que preciso ouvir quando sei que tenho que entrar em forma."

"Isso é distorção?", pergunto. "Ele a enxerga como realmente a vê, mesmo que você se veja diferente."

"Magra, gorda, ideal, acho que tudo depende de quem olha", diz Chrissie. "Desde que decidi que estava gordinha, perdi mais de dez quilos. Agora meus filhos entraram na onda do meu marido. Dizem que estou magra como um espantalho, e que têm saudades de quando eu era mais 'fofinha'. Em qualquer gráfico de saúde, porém, se você olhar o peso médio para alguém da minha altura e idade, ainda estou um pouco acima do peso. Mas explique isso para os meus filhos, ou para o meu marido."

Sua filha a chama e pede para ficar olhando enquanto ela atravessa o brinquedo de barras. "Essa minha garota, Keyla", Chrissie fala em seguida, "em termos de aparência, ela é a cara do pai. Mas a personalidade? Sou eu em miniatura."

Ela acrescenta: "Keyla me mostrou uma mancha de tinta na sola do sapato, perto do centro. Ela confessou que a tinha feito quando estava desenhando. Não sabia que a ponta porosa da caneta tinha tinta insolúvel. Estava muito incomodada com aquela mancha permanente no pé. 'Nunca mais ele vai parecer novo.' Tentei oferecer consolo, disse que ninguém nunca ia notar, porque o pé ia encobrir a manchinha. Ela pensou um pouco no que eu disse. Achei que a tivesse convencido. Então, ela falou: 'Mas *eu vou* saber!'".

O sorriso de Chrissie é meio enviesado. "Não tem como consolar ou argumentar com alguém com esse ponto de vista: 'Mas eu vou saber!'."

"Perguntei a mim mesma onde havia escutado exatamente a mesma resposta antes, e percebi: eu estava conversando comigo aos nove anos de idade. Tive um problema parecido quando tinha a idade dela, mas no meu caso a mancha minúscula era em uma saia nova. 'Mas *eu vou* saber', falei para minha mãe quando ela disse que ninguém ia ver a mancha. Minha resposta para Keyla poderia ter sido a de minha mãe. Quando me dei conta disso, percebi que, de certa forma, tinha a chance de reconstruir a história. Não queria ser como minha mãe. Não queria e não precisava deixar Keyla tão inconsolável quanto minha mãe me havia deixado. Afinal, crianças pequenas não raciocinam como os adultos. Não são miniaturas dos adultos. Minha mãe nunca entendeu isso. Eu disse a Keyla: 'Não posso fazer isso sempre – na verdade, essa vai ser a única vez, provavelmente –, mas vou comprar um par novo para você'. Minhas palavras foram mágicas. Ela parou de reclamar imediatamente. E me abraçou. Eu me senti muito bem. Tinha criado um novo caminho para o nosso relacionamento."

"Keyla encerrou o abraço e me disse: 'Tudo bem, mamãe. Vou continuar usando esses sapatos. Vou fingir que a mancha não existe. Sei que não temos dinheiro para outro par. E mesmo que tivéssemos, como você falou, ninguém vai notar'. Nunca vou ter certeza, mas gosto de pensar que teria reagido do mesmo jeito se minha mãe tivesse lidado comigo como lidei com Keyla. Mas, para mim, a conclusão importante é que agora me vejo completamente diferente, como alguém que consegue se reformular e construir uma imagem que é mais saudável para mim e para as pessoas que amo. Para isso, tive que entender as características que havia 'herdado' de minha mãe e podiam me manter estagnada, e de que posso me desfazer por opção minha."

"Existem pessoas dos nossos tempos de ensino médio que ficaram estagnadas", Chandra comenta. "Vocês não perderam muita coisa na nossa 35ª reunião. Eu não tinha ido às anteriores. Os anos de ensino médio foram difíceis para mim naquele colégio cheio de panelinhas. Não fosse por vocês três e mais uns poucos que faziam parte do meu grupo de apoio, minha autoimagem poderia ter sido destruída definitivamente durante aqueles anos. Quase desisti de ir. Mas depois pensei, isso é bobagem, todo mundo cresceu, é claro, é hora de deixar o passado para trás e me divertir, conhecer todo mundo como adultos maduros. Mas assim que entrei no salão de baile do *resort* onde aconteceu a reunião, Yvonne Westfield se aproximou de mim e disse: 'Como vai minha maconheira preferida?'. Essa é quem realmente sou para ela, uma maconheira, porque ela estava em uma festa em que dei meu primeiro e único pega – embora, como Bill Clinton, eu nem soubesse tragar. Em nossos tempos de ensino médio, depois daquela festa, ela deixou de me chamar de 'certinha', que eu também odiava, e passou a me chamar de maconheira toda vez que passava por mim no corredor. Quando ela me disse aquilo na reunião, foi como se todos os anos que haviam passado evaporassem. Tive que morder a boca para não responder: 'E como vai minha piranha favorita?'. Olho por olho."

"Quase virei e fui embora, mas decidi ficar. Afinal, pessoas que fazem esse tipo de comentário para incomodar só fazem isso por insegurança.

Com o passar da noite, conversei com algumas outras pessoas que eu não via havia anos, mas que mantiveram contato com Yvonne. Fiquei sabendo que ela teve uma vida difícil, viveu relacionamentos abusivos. Seus dias de glória tinham sido aqueles dos tempos do colégio, quando ela foi rainha do baile, líder de torcida, piranha dos atletas mais famosos. Como ela me vê agora – ou, na verdade, finge me ver – está associado a como ela se vê. Antes de ir embora, fui dar um abraço em Yvonne. Dei meu cartão a ela e disse para me ligar uma hora dessas para tomarmos um café. Ela foi pega de surpresa e ficou emocionada. Talvez, com o tempo, possamos nos ver de um jeito diferente, *melhor*."

"Esse é o objetivo, ver a si mesmo e aos outros de um jeito melhor, não como realmente somos, com verrugas e tudo?", pergunto. "Quando eu saía com alguma garota nos tempos do colégio, minha mãe sempre me dizia: 'Seja sua melhor versão'. Eu pensava: 'Não estou indo a uma entrevista de emprego. Não estou procurando o amor eterno. Vou sair com alguém, só isso. Não posso só ser minha versão boa e divertida e torcer para dar uns beijos, talvez deixar de ser virgem? Tenho que mirar o padrão mais alto e ser minha melhor versão?'."

"Para dar uns beijos, ou mais que isso, as pessoas precisam gostar de você, enxergá-lo de um jeito favorável – não como a melhor versão em uma entrevista de emprego, mas de um jeito romântico", diz Chrissie, que acabou de se formar em Filosofia na Christopher Newport University, perto dali – mais de trinta anos depois de se matricular e ter que abandonar o curso para cuidar do pai inválido. "Jean-Paul Sartre disse que você deve tentar ser seu eu autêntico, esteja em que contexto estiver. Ele cita o exemplo de uma jovem que deixa o namorado segurar sua mão. Ao 'não consentir nem resistir', sendo passiva diante do gesto do namorado, Sartre diz que ela não é autêntica, porque a mensagem que envia ao namorado é que, seja ele um cavalheiro ou um cafajeste, por mim, tudo bem, pode fazer o que quiser comigo."

Chandra está incrédula. "Toda essa mensagem só porque deixou o namorado segurar a mão dela? Eu deixava o garoto segurar minha mão no primeiro encontro, às vezes até me beijar, mas se ele achasse que poderia ir além da primeira etapa, acabava se arrependendo de ter achado."

"Opinião de quem sabe", eu disse. "Você não era uma Yvonne Westfield."

A gargalhada rouca de Chandra fez outras pessoas próximas sorrirem. Logo ela fica séria e diz: "Uma imagem é, em parte, algo que você projeta. O que projetar em dado momento é o que realmente é para as pessoas em sua presença nesse momento. É preciso ter consciência disso e agir de maneira consciente. Nesse sentido, as atitudes de Zaya, sejam elas boas ou ruins, com outras pessoas também dizem algo sobre mim. As atitudes dela refletem-se em mim, em quem sou como pessoa, mãe, refletem quais são meus valores, como a criei. Da mesma maneira, minhas atitudes se refletem nela e em como ela se vê".

"Mas meu ex, e espero nunca mais vê-lo enquanto eu for viva, era um mestre das máscaras", ela conta. "Não vi quem ele realmente era até um pouco tempo depois de ter dito o sim no altar. Aí a máscara caiu. A diferença entre a imagem que meu ex projeta em público – a de um santo – e em particular – a encarnação do mal – é chocante."

"Isso me faz pensar no meu pai", eu disse. "Ele era confiante na vida profissional. Era possível ver em sua postura. Não era uma imagem falsa ou distorcida que ele tentava projetar. O trabalho dava a ele muita autoestima. Na vida privada, especialmente em casa, ele pisava um terreno menos estável. Quando não se sentia confiante, a língua presa que ele havia desenvolvido na infância – resultado do tormento constante a que foi submetido por colegas de escola por causa do forte sotaque grego – voltava. Ele não tinha pai que o defendesse – meu avô morreu quando meu pai tinha sete anos –, e a mãe não falava muito inglês. Mas isso me faz pensar se seu eu autêntico varia, dependendo do ambiente e de a pessoa estar em sua zona de conforto."

"Certamente varia", diz Gabrielle. "Se meu filho Crispin se sente confortável na companhia de alguém, ele fala até fazer a orelha da pessoa arder. Mas pode levar muito tempo para ele chegar a essa zona de conforto com alguém. Quatro meses depois de ter começado o primeiro ano, ele ainda não falava muito na sala de aula. As duas versões são seus 'eus autênticos'."

Ela continua: "Como você sabe, em outubro meu pai morreu depois de sofrer um infarto fulminante. Ele era viúvo e estava morando conosco, enquanto Bob servia no Afeganistão. Meu pai e Crispin eram muito próximos. Quando Crispin voltou à escola na semana seguinte à morte do avô, recebi um telefonema me pedindo para ir até lá conversar com a professora dele. Ela me contou que, na hora do almoço, Crispin tinha começado a chorar e não parava de chamar o avô. Ele não explicava por que estava tão perturbado. Falei que o avô que ele tanto amava tinha acabado de falecer, e que certamente era esse o motivo do nervosismo".

"A professora não deu muita importância para a explicação. Ela sabia aonde queria chegar. Disse que Crispin não fazia contato visual enquanto ela tentava acalmá-lo e descobrir qual era o problema. Depois ela falou: 'Ele nunca se comunicou muito comigo. Estou convencida de que ele tem Asperger. Precisa verificar essa possibilidade imediatamente'. Uma professora que tinha conhecido meu filho recentemente havia feito um 'diagnóstico'. Crispin estava de luto! Sentia uma tristeza imensa, e a ansiedade e a preocupação com o pai cresceram a partir disso. Atribuir a ele um rótulo inadequado – só porque ele não sabia como lidar com aquela enxurrada de dor – era uma grave injustiça. Pedi a transferência de Crispin para outra turma. A antiga professora ficou ofendida e não reconheceu mais nossa presença – ela, que tinha reclamado de falta de contato visual. Incapaz de lidar com a tristeza profunda de Crispin, ela viu o que realmente queria ver nele – e que não era verdade – para racionalizar sua incapacidade de reagir a ele."

Algum tempo depois, Chrissie diz: "Eu me sentia culpada por projetar meus medos e inseguranças nos meus filhos. Alguns dias atrás, vim aqui com a Madison. Parecia que o parquinho era só nosso. Pouco tempo depois, porém, uma menina pequena chegou com a mãe e correu para se juntar a Madison no tanque de areia. A menina cochichou alguma coisa na orelha de Madison. Olhei para a mãe da criança. Ela tinha se afastado para fumar um cigarro, nem prestava atenção ao que a filha estava fazendo. A menina – que se chamava Mia – seguia Madison pelo parque todo".

"Depois de um tempo, Madison subiu a escada de um escorregador muito alto. Mia se preparava para ir atrás dela. Mas Madison mudou de ideia e decidiu descer. O escorregador era muito alto para ela. Mia interpretou sua decisão de descer como uma indicação de que Madison não queria que ela a seguisse. Começou a soluçar e agir em reação do que certamente acreditava ser uma rejeição. Afastei Madison da situação imediatamente. Eu a peguei no colo e fugi, literalmente. Não consegui lidar com aquilo. Sempre fugi de encontros emocionais. Tenho certeza de que isso tem a ver com minha criação e como minha família os evitava a todo custo, já que eles levariam a uma explosão. Transferi todo esse medo para minha filha. Eu me convenci de que Madison também queria fugir. Ela não resistiu quando a peguei e levei embora. Quando chegamos ao abrigo do parquinho, perguntei a Madison se o choro da garotinha a tinha incomodado. Nem um pouco, ela respondeu. Perguntei, então, por que ela não falou nada quando a tirei de lá. Ela me disse: 'Eu sabia que você precisava sair de lá'. Então, perguntei se ela havia gostado da menininha. Ela respondeu que sim. Perguntei o que Mia tinha cochichado no ouvido dela. Ela contou: 'Quero ser sua amiga'. Eu deveria ter deixado Madison lidar com o choro de Mia."

"Voltamos ao parquinho. Mia estava sentada na caixa de areia, choramingando. A mãe dela continuava afastada, fumando e falando ao celular, sem nem tomar conhecimento do drama. Madison foi para a caixa de areia. Tirou uma escova de cabelo do bolso da jaqueta e começou a escovar o cabelo de Mia. Não tentou oferecer consolo, não tentou mudar sua disposição. Foi a coisa mais linda. Ela deixou Mia ser quem era, deu a ela toda a sua atenção sem fazer nenhum julgamento." Ela faz uma pausa e pensa. "Sabe, Madison faz a mesma coisa comigo. Muitas vezes ela escovou meu cabelo, e eu pensei que era só uma coisa que estava fazendo para passar o tempo, quando, na verdade, ela estava ali disponível enquanto eu vivia um momento de tristeza. Estou só começando a aprender quem e o que ela realmente é. Deixei a imagem que tenho dela ser encoberta por minhas falhas."

Nesse momento, Madison pula da balança em movimento e corre para a mãe, que abre os braços para recebê-la. "Você é meu exemplo", Chrissie fala para a menina, afagando seu cabelo ondulado e ruivo. "Se um dia meu eu verdadeiro chegar perto de quem você realmente é, serei uma mãe feliz, uma pessoa melhor."

O eu através do espelho

Como realmente parecemos para nós mesmos? Perto da virada do século 20, o sociólogo americano Charles Cooley entrevistou muitas crianças para saber como elas construíam sua autoimagem. Ele concluiu que elas tomam por base como acreditam que os outros as percebem. Cooley (1864–1929) relata, em *Human Nature and the Social Order*, que o eu que cultivamos "pode ser chamado de o eu refletido ou espelhado":

> *Quando vemos nosso rosto, corpo e traje no espelho, e nos interessamos por eles por serem nossos, e ficamos satisfeitos ou não com eles de acordo com atenderem ou não ao que gostaríamos que fossem, também em imaginação percebemos na mente de outra pessoa um pensamento sobre nossa aparência, maneiras, objetivos, atos, caráter, amigos, e assim por diante, e somos afetados de várias maneiras por isso.*

Cooley defende que "a coisa que nos provoca orgulho ou vergonha não é o reflexo mecânico de nós mesmos, mas um sentimento imputado, o efeito imaginado desse reflexo sobre a mente de outra pessoa". Ele resume suas opiniões em um pequeno verso: "O reflexo de cada um no espelho vai mostrar àquele que por ele passar". A partir dessa perspectiva, estamos à mercê da crueldade ou da gentileza dos outros – ou, pelo menos, de como imaginamos que os outros nos veem e enxergam nossos atos – quando se trata de esculpirmos a nós mesmos.

Contemporâneo de Cooley, o filósofo, psicólogo e sociólogo George Herbert Mead (1863–1931) concorda com ele sobre o eu ser um fenômeno totalmente social. Para Mead, porém, nossa autoimagem é construída de maneira mais proativa. Como ele afirma em seu trabalho mais importante, *Mind, Self and Society*, ela é criada pela "adoção do papel do outro". Quando interagimos com outras pessoas, presumimos suas personas como nossas – experimentando efetivamente uma variedade de eus para ver qual nos serve – e verificamos se alguma delas, individualmente ou em combinação, pode servir para nós.

Os jovens são particularmente bons nisso. As crianças não só transformam em hábito assumir papéis de outros "reais", como também assumem o papel de personagens imaginados ou ficcionais. Janet Wilde Astington, do Institute of Child Study, está entre as principais especialistas em desenvolvimento que observam que brincadeiras de fingir, faz de conta, encenação, são exercícios de dualidade de crianças que estão cultivando e desenvolvendo a empatia e criando uma autoimagem satisfatória. Elas permitem que as crianças se coloquem no lugar do outro, experimentem estados alternativos de mente e bem-estar (ou mal-estar). Melhoram sua capacidade para entender diferentes conjuntos de crenças, valores e sentimentos.

Acontece que adultos podem seguir um caminho semelhante para o desenvolvimento de empatia. Um estudo publicado na edição de outubro de 2013 do jornal *Science* relata que quem lê ficção literária tem um desempenho significativamente melhor em testes que medem empatia, inteligência emocional e percepção social. Eles entram em mundos de faz de conta apropriados à idade e saem da experiência com uma habilidade mais aguçada para se conectar de maneira mais significativa com os outros e com eles mesmos.

Através de um espelho, sem nitidez

"Porque agora vemos pelo espelho em enigma." Esse trecho bíblico de Coríntios 1:13, citado com muita frequência, é usado para dizer que vemos apenas uma imagem turva de pessoas, lugares e coisas. O termo grego-helênico que há muito tempo foi traduzido para "*glass*" em inglês significa, na verdade, "espelho". Para o apóstolo Paulo, enxergar por um espelho em enigma é ter uma imagem turva ou escura de si mesmo, dos outros, do mundo. É semelhante a alguém preso na caverna de Platão, onde, na melhor das hipóteses, é possível ver sombras dos objetos reais. Como o apóstolo Paulo, Platão tinha uma visão pouco clara da habilidade das crianças para enxergar com clareza. Ambos acreditavam que só adultos tinham essa capacidade. Macbeth, de Shakespeare, é igualmente pessimista, e acredita que ninguém enxerga muito bem: "A vida não é senão uma sombra andante, um mau ator que gagueja e se agita em seu tempo sobre o palco, e depois não é mais ouvido".

Como é possível se ver com mais clareza? É inevitável que haja alguma distorção do "verdadeiro você", não só pelos outros, mas também por você mesmo?

O trecho inteiro daquela famosa passagem da Carta aos Coríntios é: "Porque agora vemos pelo espelho em enigma; mas então veremos face a face; agora conheço em parte, mas então conhecerei como também sou conhecido". A promessa feita é que, quanto mais conhecer os outros, mais você se conhecerá. O Édipo, de Sófocles, sabia melhor que ninguém que não era bem assim, não necessariamente. Édipo conseguiu solucionar o incômodo enigma do homem em geral, mas isso não o ajudou a solucionar o enigma dele mesmo, a ver quem ele realmente era. O que deixamos de ver pode ser trágico. Édipo não consegue ver o que está diante dele. Quando a verdade é revelada, ele fica tão desesperado que cega a si mesmo. No fim de *Édipo Rei*, depois que Édipo descobre que matou o pai e se casou com a mãe, o refrão compartilha sua história de alerta: "Conhecer até os grandes enigmas não significa saber tudo". Estamos a um passo da humildade, a um passo de descobrir uma verdade que pode pôr de joelhos o arrogante, o poderoso e o orgulhoso, ou que pode tornar o humilde ainda mais humilde. Ou, ao contrário, às vezes estamos a um passo de descobrir uma verdade que vai nos elevar, se pudermos ver as distorções intencionais dos outros que poderiam nos manter diminuídos.

Sócrates viveu um momento que mudou sua vida quando o Oráculo de Delfos avisou: "Conhece-te!". Desse momento em diante, ele se tornou um homem com um plano. Em *Alcebíades*, de Platão, Sócrates cogita para si mesmo e seu interlocutor: e se a ordem do Oráculo para ele tivesse sido "Vê a ti mesmo"? Como ele entenderia esse conselho? Sócrates tenta responder à própria pergunta. Ele ressalta que há "algo da natureza no espelho em seus próprios olhos", e assim, quando mais alguém olha dentro deles, há "uma espécie de imagem da pessoa que olha". Por essa perspectiva, cada um de nós serve como um espelho para o outro.

E se Hamlet tivesse dito "Ver ou não ver, eis a questão"? Vemos e não vemos. Vemos com lentes de amor, ou de ódio, ou de muitas outras emoções. Vemos algumas coisas, e somos cegos para outras, com base em nosso sistema de crenças, valores, influências culturais. Isso pode nos levar a enfatizar, exagerar, ignorar, diminuir ou distorcer certas qualidades que vemos nos outros.

Que tipo de espelho você é para os outros? Costuma desprezar quem tem características que despreza em si mesmo? Tem na mais alta conta aqueles que têm qualidades que você acredita ter, e que valoriza muito? Procura ver o melhor nos outros, até ser convencido do contrário? Ou desde o início pretende ver as pessoas como elas realmente são, com total objetividade? Se sim, isso requer refinadas habilidades de julgamento, ou se abster de julgar?

E quando você tenta se ver como realmente é? É um exercício inútil, ou essencial para o autoconhecimento, por mais que possa se decepcionar ao tentar? O ensaísta Phillip Lopate, em "Portrait of My Body" (Retrato do Meu Corpo), descreve o que vê quando se olha no espelho. A imagem diante dele expressa "tanto o esforço da super-realização intelectual quanto a tábula rasa da imaturidade... porque ainda é, no fundo, um menino no espelho. Um menino cada vez mais calvo:

> *Como foi que permaneci um menino durante todo esse tempo...? Eu me lembro, aos dezessete anos, de desenhar um autorretrato de mim mesmo enquanto olhava para o espelho... Ainda encontro no espelho aquela insegurança atormentada – encoberta por um blefe de cinismo, talvez, mas intocada por sabedoria. Então me aproximo do espelho, desconfiado, sem me animar tanto quanto me animaria até com o mais distante dos meus conhecidos; fico frente a frente com aquele idiota carrancudo.*

Meio como Ricardo III, de Shakespeare, que se recusa a "cortejar um espelho amoroso", Lopate acredita que deve tirar as luvas antes de ficar frente a frente com ele mesmo, se quiser fazer uma avaliação honesta que possa levar a maior desenvolvimento pessoal.

Esse blefe de que Lopate fala é uma máscara e, se é, deve ser removida para que ele descubra quem realmente é? "É preciso ter coragem para se interrogar", afirma Cornel West. "É preciso ter coragem para olhar no espelho e ver além do seu reflexo quem você realmente é quando tira a máscara, quando não está executando as mesmas velhas rotinas e os mesmos papéis sociais." As visões de West são inspiradas por Sartre, que dizia que aqueles que usam máscaras são intencionalmente falsos e devem se "desmascarar".

No período entre meus vinte, trinta e poucos anos, eu vivia a versão jornalista *freelancer* inconsequente. Nas raras ocasiões em que parava um momento para contemplar meu reflexo, sentia que estava olhando para alguém que havia conhecido, mas com quem agora mantinha apenas uma relação superficial. Desviava o olhar rapidamente. A ideia de me desmascarar causava medo. Eu não queria entender minhas contradições; como eu era, ao mesmo tempo, alguém que tinha muitas e poucas conquistas, como podia agir com virtude em um momento e com maldade pouco depois, como conseguia, de algum jeito, amadurecer e regredir. Foi preciso uma crise – o suicídio de um amigo querido – para eu me forçar ao autoconfronto sem hesitação. Também foram necessários outros espelhos, especialmente os que eram empunhados por pessoas interessadas que me ouviam sem me julgar e me ajudavam a ver de novos ângulos a pessoa que eu era, e a imaginar e planejar uma estratégia para esculpir a que eu queria ser. Sem elas, eu não teria atravessado aquele túnel de desespero. Levei a sério a exortação de Rilke na última linha de *Archaic Torso of Apollo* (O torso arcaico de Apolo): "Você precisa mudar sua vida". Isso me impeliu a sair de um mundo de barreiras autoimpostas e assumir riscos sublimes. Um deles foi abandonar a carreira no jornalismo e começar o Sócrates Café. Desde então, tenho adotado uma abordagem mais infantil para a busca pessoal, uma abordagem de "processo" em que a busca propriamente dita está na essência de quem eu sou.

Como é que é? O que é uma abordagem infantil de processo para o eu?

A famosa afirmação de René Descartes é que a única coisa que os adultos sabem com certeza é que têm um *self*, um eu, porque só criaturas pensantes têm um. Ele coloca deste jeito: "*Cogito ergo sum*". Penso, logo existo. Crianças, consideradas por Descartes e muitos outros de seu tempo como criaturas impensantes, não eram incluídas na categoria dos que tinham um *self*, ou alguma coisa parecida com isso. Embora as crianças tenham uma noção distinta de *self*, ela é tão diferente do tipo de *self* que os adultos têm e valorizam que eles se negam a reconhecê-la como tal. O *self* de uma criança é um *self* que procura, não no sentido de que elas buscam seu *self* como uma entidade, mas no sentido de que, ao questionar sobre o mundo e seu lugar nele, elas demonstram o *self* em ação. Sua filosofia de *self* é "questiono, logo existo".

Porém, até os filósofos mais respeitados dão pouca importância a essa noção do *self* infantil. William James, por exemplo, tinha certeza de que as crianças não podiam se conhecer, porque, segundo ele, elas não podiam nem imaginar o que era um *self*, para começar. Ele afirmava que suas primeiras identificações eram amplas e vagas, uma verdadeira "confusão crescente e barulhenta". Para James, só emergimos dessa "ausência de discriminação caótica e cinzenta" e esculpimos um *self* quando ficamos mais velhos. Até os observadores de crianças de mente mais aberta dizem que um *self* é algo que um indivíduo jovem aprende a ter com o tempo pela imitação dos adultos, por isso, certamente, uma criança não tem essa noção de *self*. Alison Gopnik, por exemplo, acredita que a maneira como as crianças se identificam com o universo transmite a seguinte mensagem: "perdemos a noção de *self*... ao nos tornarmos parte do mundo". Mas essa conexão íntima com o universo é, precisamente, o que compõe uma noção clara de *self* para os nossos pequenos.

Para John Dewey, "o *self* é algo não pronto, mas em contínua formação por meio de escolha de ação" – ou da falta dela. Muitas escolhas que fazemos não são conscientes, mas podem ter um impacto decisivo em nossa autoformação, ou no autodesenvolvimento. É possível que a autoformação esteja "além da escolha", em particular no começo da vida? O que é natural para bebês e crianças pequenas é um tipo de *self* no qual as escolhas são informadas por um impreciso sentimento de admiração. É um *self* que prospera com base em interdependência, interconectividade, que quase não pode evitar seu crescimento até ser corrompido pelos mais velhos, que limitam suas possibilidades de construção de um *self* e, consequentemente, também impõem limites rígidos à sua gama de escolhas.

Karl Jaspers acredita que o *self* é uma entidade fixa, mas sua posição sobre o assunto é, ainda assim, socrática, porque ele desafia o conhecimento recebido de que um *self* é apenas uma coisa que vem com a idade. Ele acredita que o que mais acontece é justamente o oposto, que nossa noção de *self* pode começar nítida e se tornar imprecisa com o tempo. Jaspers defende que as crianças têm uma consciência impressionante delas mesmas como *self*:

> *Não é incomum ouvir da boca de crianças palavras que penetram nas profundezas da filosofia. Uma criança exclama fascinada: "Fico tentando pensar que sou outra pessoa, mas sou sempre eu mesmo". Esse menino tocou em uma das fontes universais de certeza, a consciência de ser por meio da consciência de self. Ele está perplexo com o mistério de seu eu, esse mistério que não pode ser apreendido por nenhum outro meio.*

Charles Sanders Peirce (1839–1914), pai da tradição pragmática na filosofia americana, certamente valorizaria a impressionante fluidez do *self* na infância, para ele um sinal certo de *self* robusto. Ele afirma que "o círculo social do homem (por mais que essa expressão possa ser compreendida de forma ampla ou restrita) é uma espécie de pessoa livremente compactada, em alguns aspectos de posição mais elevada que a pessoa de um organismo individual". No mesmo sentido, o *self* da criança é como uma pessoa livremente compactada, mais aberta à experimentação, evolução, escultura. É um *self* sem limites fixados entre o mundo interno e externo. Tanto é que, por exemplo, quando outra pessoa em sua órbita está em sofrimento, eles se apoderam desse sofrimento, porque realmente acreditam realmente que a dor é igualmente deles. Se essa empatia sem limites é um bônus para questões de melhoria e crescimento pessoal, o *self* da criança, então, pode ser visto como superior ao tipo adulto mais atomístico.

Crise de identidade

"Com quem você deveria se identificar?" A pergunta é feita por Shir. A menina de dezessete anos está sentada de pernas cruzadas em um dos confortáveis sofás posicionados contra três paredes de uma sala comunitária.

Os cachos castanhos transbordam de uma touca de tricô e emolduram o rosto de grandes e intensos olhos azul-acinzentados.

Estou em um centro residencial para tratamento de abuso de substâncias que oferece muitos serviços para jovens adultos e adolescentes mais velhos, muitos deles sem-teto. Uma assistente social da região de Los Angeles que leu meus livros e comparece de vez em quando a uma reunião do Sócrates Café em uma biblioteca da área organizou o encontro para eu promover o diálogo ali. Ela não tinha certeza de que os jovens estariam abertos, já que não revelam muito deles mesmos nem ao pessoal da equipe. Eu disse que estava investigando temas que tinham a ver com identidade, e perguntei se eles tinham sugestões para uma questão que pudéssemos examinar com mais profundidade.

Depois de Shir propor sua pergunta, Ravi olha para ela com uma expressão intrigada. "Não seria 'Com quem *você* se identifica'?"

Shir balança a cabeça. "Minha mãe me expulsou de casa porque quem eu sou não está de acordo com seus valores religiosos. Para ela, a única possibilidade de reconciliação é eu deixar de ser *gay*. Tenho depressão e ansiedade. Queria poder ser quem ela quer que eu seja. Mas eu sou quem eu sou. Não deveria ser capaz de me identificar com isso?"

"Deveria", Ravi responde. "Você deveria ser capaz de dizer com orgulho 'eu sou quem sou'. Se você age de um jeito que contradiz quem e o que é, só para agradar outras pessoas, está se identificando com um falso eu."

A visão de Ravi é semelhante à de Sartre, que defendia que devemos fazer escolhas que são realmente nossas e agir a partir delas, sem influência externa, e só assim refletiremos nosso "eu verdadeiro". Sartre acredita que, se não for assim, não somos autênticos, refletimos um falso eu porque agimos de "má-fé".

Ravi diz: "Meus pais também acham que eu não deveria me identificar com quem e o que sou. Meu gênero é fluido. Em alguns dias sou menina, em outros, sou um garoto, em outros, andrógino".

"Não fui literalmente expulso de casa, mas era *persona non grata*. Queria me ajustar. Queria que eles me amassem. Mas quando me comporto somente de um jeito que merece a aprovação deles, não posso deixar de me odiar."

E continua: "Em um dia qualquer, eu poderia me apaixonar por qualquer pessoa em qualquer lugar do espectro de gêneros, desde que fosse uma pessoa gentil, bondosa, atenciosa – qualidades com que todos nós deveríamos nos identificar –, se não fosse tão crítico comigo. Isso me impede de formar relacionamentos próximos".

"Essa deveria ser a beleza da humanidade", diz Shir. "Você deveria poder ser quem é, ou quem quer ser, ou quem tentar ser, sem pedir desculpas, desde que não prejudique ninguém. Mas mesmo com alguns amigos, eu me sinto desconfortável com quem sou. Fui acusado de não ser 'suficientemente *gay*'. O que isso significa? Se fosse por eles, eu me identificaria com quem eles pensam que sou e agiria de acordo com isso. Mas não existe um jeito único de agir como *gay*, como não existe um jeito único de agir para quem é hétero, pansexual, assexual, fluido ou qualquer outra coisa."

A provocativa filósofa pós-estruturalista Judith Butler chega a dizer que não nascemos com um gênero específico. Ela considera gênero um artifício social que é fluido e sujeito a contínua oscilação ou mudança. Longe de ser um atributo inerente, Butler acredita que nossa cultura nos ensina a "representar" papéis específicos de gênero.

Adam, um rapaz alto, de fala mansa e ombros largos, está hipnotizado. Ele saiu da reserva navajo para ir viver na cidade vários meses antes, e morava em um prédio abandonado antes de ser admitido na instituição. "Todos que falaram até agora, vocês sabem quem são", ele diz, "e quem vocês são é bom. Como disse Hamlet: 'Sê a ti próprio fiel'. Ser fiel a você mesmo não é uma questão de 'dever', mas de 'necessidade'. Mas antes você precisa saber quem é. Estou me esforçando para isso. Há muito drama na vida de qualquer adolescente. Isso tem que ser multiplicado por mil quando se é um nativo americano. A pressão para viver de acordo com as expectativas de terceiros – dos pares, dos adultos navajos tradicionais, dos modernos, dos brancos –, isso sufoca."

"Ninguém deveria *ter* que se identificar com alguém", diz Quay não muito tempo depois. "Eu não me identifico com ninguém. 'Dever' nem tinha que entrar nessa história. Identificar-se significa que você consegue ver alguma coisa sua em alguém, que consegue se ver em alguém de algum jeito. Não consigo me ver em ninguém. Eu me sinto como um alienígena jogado em um planeta estranho."

"Você se identifica com outras pessoas que se sentem como você?", pergunto.

Quay não responde de imediato. Finalmente, ele diz: "Posso não interagir com outros solitários, mas acho que consigo me ver em alguns outros que seguem o próprio caminho, que estão fora de grupos, seja por opção, seja por serem rejeitados. Mas a pergunta é 'eu deveria?'".

"Eu escuto a música do grupo de *hip hop* Outkast", ele conta a seguir. "Ruben Bailey, fundador do grupo, fala sem rodeios, nas músicas, que seguir o próprio caminho não é fácil. Ruben afirma que as pessoas que garimpam suas músicas são, como ele, alheias ao grupo das pessoas normais e comuns. Seguem uma batida diferente. As pessoas comuns tratam gente como ele e eu como se fôssemos invisíveis ou leprosos. Mas nós, os *outcasts* (excluídos), devemos nos orgulhar de quanto somos diferentes da maioria, e uns dos outros. Não somos diferentes só para ser diferente, mas porque ousamos ser quem somos. Não sei bem como explicar isso, mas devemos nos identificar com a determinação de sermos nós mesmos, mesmo que isso signifique a rejeição do resto do mundo."

Depois de uma pausa breve, Rodolfo fala: "Eu me perdi na minha namorada. Quando ela terminou o namoro, senti que era uma pessoa sem rosto". Ele parece aflito e triste. "Ela me fazia sentir muito bem, cara, me fazia pensar que eu era o que tinha de melhor. Sempre estive do lado de fora olhando para dentro, até começarmos a namorar. Quando ela terminou... cara, eu fiquei muito mal. Não deveria ter me identificado tanto com ela, não deveria ter me perdido naquele relacionamento."

O que Rodolfo conta traz à lembrança uma passagem de *O bom soldado*, de Ford Madox Ford: "Temos todos muito medo, somos todos muito sozinhos, precisamos muito da confirmação externa de nosso valor para existir". Essa necessidade é especialmente intensa em um relacionamento amoroso, em decorrência da "intensidade do desejo" e do "anseio por identificação com a mulher amada. Ele quer ver com os mesmos olhos, tocar com o mesmo tato, ouvir com os mesmos ouvidos, perder sua identidade, ser envolvido, ser apoiado".

"Quando eu era mais novo, me perdi de um jeito diferente, em uma gangue", Rodolfo revela. "Naquela situação eu também não tinha um rosto. Não precisava assumir a responsabilidade por meus atos. Então arrumei uma namorada, me apaixonei, ela me ajudou a entrar na linha. Mas acabei me perdendo de novo, dessa vez nessa pessoa."

Os outros escutam com atenção, sérios e compassivos, apesar de suas dificuldades pessoais. "Você tem de ser capaz de – deve, precisa ser capaz de – ter uma identidade sólida para poder suportar ficar totalmente sozinho, se isso acontecer", Rodolfo nos diz. "Só então pode se identificar com outras pessoas, e essas pessoas com você, do jeito certo, a partir de uma base de autoestima. Se não adotar essa abordagem, e as pessoas com quem se identifica o abandonarem, você vai fazer qualquer coisa, encarar qualquer coisa para fugir de olhar para si mesmo."

Isso acaba levando Shir a dizer: "Eu me identifiquei com Amy Winehouse. Ela era totalmente honesta consigo mesma". Shir se refere à cantora e música retrô que ganhou um Grammy e teve uma história de abuso de drogas antes de morrer, em julho de 2011. "Ela era uma rebelde, uma compositora de canções, uma artista performática que vivia no limite. Transformou suas experiências de vida incrivelmente difíceis em lindas letras sobre dor, sofrimento, amor e perda. Como aspirante a artista, tento fazer a mesma coisa."

Ela continua: "Ela contou com orgulho, na canção 'Rehab', que as pessoas tentavam tirá-la das drogas, mas ela se recusava a sair. Essa recusa – o 'não, não, não' – se tornou um hino para mim e meus amigos. Quando ela morreu, vítima de uma *overdose*, aquilo foi meu toque de despertar. Eu estava trilhando o mesmo caminho, celebrando o lado sombrio. Ela disse naquela canção que sempre sobreviveria, sempre voltaria, por mais que se pusesse à beira do abismo muitas vezes. Mas não voltou. Ela caiu nesse abismo".

Shir reflete um pouco antes de retomar o foco. "Não me identifico mais com Amy completamente. Entendi que não devia. Tem muita coisa que ainda quero viver nesse mundo. Mas sabe, ela fez mais em seus 27 anos do que a maioria faz em uma vida longa. Ascendeu de suas origens humildes para a fama e, melhor ainda, deixou algumas canções especiais. Mesmo assim, não quero que minha história tenha um fim trágico. Ainda acredito que, como Amy, devo despejar minha dor e meu sofrimento nas letras que componho, mas devo fazer isso sem drogas ou álcool."

"Antes eu pensava que merecia ser usada e abusada", Marina conta depois de um tempo, interrompendo o que parecia ser sua solicitação silenciosa de participar apenas como ouvinte. "As drogas entorpeciam meus sentidos a ponto de eu não perceber que era usada e abusada. Agora que não uso mais nada, e estou em terapia, entendo quando minha imagem corporal tem a ver com como eu me via de um jeito negativo, e vejo a relação entre minha autoimagem ruim e o uso de drogas. Se não gosto do que tem do lado de fora de mim, isso afeta como me sinto em relação ao que tenho aqui dentro."

"Desde que eu tinha treze anos, minha mãe sempre disse que eu precisava de plástica no nariz, no queixo, nos seios", ela continua contando. "Esse era um dos jeitos mais eficientes que ela tinha para me fazer sentir mal sobre como eu sou. Estou me esforçando para entender a lição, apreender a verdade de que não deveria me identificar com como minha mãe – ou qualquer outra pessoa que me vê fisicamente imperfeita, ou imperfeita de qualquer outro jeito – me vê. É como eu me vejo que importa."

Isso faz Adam dizer: "Sou obcecado por atividade física desde o começo da adolescência. Nos últimos anos, porém, os treinos não eram mais suficientes para ter um corpo esculpido. Quero um corpo 'perfeito'. Virei um fanático por esteroides e hormônios nessa tentativa de esculpir o corpo que vejo nas capas de revistas. Quanto mais tento parecer perfeito – me ajustar à imagem de perfeição que a gente vê nos filmes ou anúncios –, menos perfeito me sinto, porque meu físico não é como o daquelas imagens. Fiquei anoréxico. Mudei todos os hábitos saudáveis para tentar ter determinada aparência".

"Você não deve se identificar com essas imagens de corpo ideal que vê por aí", ele prossegue. "As pessoas que exibem essas imagens, ninguém sabe se elas são realmente desse jeito. Mesmo que sejam, você nunca vai se sentir adequado se passar o tempo todo comparando sua forma física com a de outras pessoas. Isso vai fazer você se sentir inferior. Nunca é uma boa identificação – é um 'veto' que se deve ter em relação a identificação."

Depois de um momento, Quay se manifesta: "Eu era muito próximo da minha mãe. Ela não entende por que eu me isolei. Já disse que ela precisa parar de se preocupar comigo, cuidar da vida dela. Mas ela se nega qualquer tipo de vida satisfatória até que, e a menos que, eu me endireite. Eu a faço muito infeliz, transformo a vida dela em um inferno. Minha dor e meu sofrimento são dela".

"Se alguém perguntar à minha mãe se ela deve se identificar comigo, ela vai achar a pergunta maluca", ele continua. "Ela vai responder: 'Deveria? *Eu me identifico.* Ele é meu filho, sangue do meu sangue'. Para ela, isso vai além do dever. Quando olha para mim e me vê sofrendo, é como se ela estivesse em sofrimento. Eu deveria tentar me identificar mais com o que é estar no lugar da minha mãe, com a dor que ela sente por mim."

A filósofa, crítica social e ativista política Simone Weil (1909–1943) usa o termo "atenção" para conotar o tipo de cuidado que só se pode ter quando se faz uma tentativa autêntica de identificação tão completa com outra pessoa que os sofrimentos dela são seus. Para Weil, essa atenção é "um jeito de olhar para si mesmo e para o outro" ao mesmo tempo.

Mikeia se mantém na periferia do grupo, apoiada à porta de entrada da sala comunitária, acompanhando a discussão de braços cruzados, com uma atitude defensiva. Agora, porém, ela se sente impelida a dizer: "Janice, que dirige esse programa, me ajudou a garantir que meu bebê não seja tirado de mim definitivamente. O bebê está em um lar transitório a pouco mais de um quilômetro daqui. Tive uma recaída logo depois que Sophia nasceu. Janice tomou providências para eu ter direito a visitas regulares. Ela me defende. Eu a tomo como exemplo, porque ela não quer se impor como exemplo para mim. Ela me trata como igual. Você só deve se identificar com quem vê, e com quem vê você, como igual".

"Se eu – *quando* – chegar ao outro lado, vou trabalhar para me tornar conselheira para dependentes químicos, como Janice. Não tenho a menor ideia de quais são as experiências de vida dela. Ela nunca me contou, e eu nunca perguntei. Mas que mundo seria esse se todos nós nos identificássemos com o jeito de olhar sempre para todo mundo de frente, como um igual?"

Mikeia entra na sala, senta-se na beirada de um dos sofás e mostra para o grupo uma foto de sua linda filha. Quando a foto volta para ela depois de percorrer todo o grupo, ela a estuda como se estivesse se comunicando com a criança. "Eu me identifico com Sophia. Não sei se 'dever' faz parte disso. Olho para ela, e vejo essa criatura indefesa em mim também. Mas tenho que ser forte por ela, por nós duas, na verdade. Meu bebê é pureza e inocência. Algumas pessoas podem pensar que não tenho essas qualidades. Mas todos nós temos. Fomos todos bebês um dia, e esse bebê sempre vai fazer parte de nós. Quando Sophia olha nos meus olhos, seu olhar é de amor incondicional, e sei que é isso que ela vê em meu rosto também."

"Um dia vou contar para Sophia sobre meus tempos de dificuldade, como fui jogada como uma bola de praia de um lar transitório para outro desde que era pequena. Quero que ela conheça essa história de alguém que, basicamente, precisou se criar sozinha, que foi maltratada muitas vezes e que cometeu alguns erros por desespero – mas só depois que eu superar tudo isso, para que ela se identifique com as qualidades de perseverança e determinação que me ajudaram a superar o passado."

Agora que Mikeia começou a falar, as palavras jorram. "Eu me identifico com todas as outras que são mães – todas que são *boas* mães – por mais que sejamos diferentes em outras áreas da vida ou nas experiências que tivemos." Mikeia faz contato visual com cada um de nós, depois diz: "Com quem cada um aqui deveria se identificar? Com todas aquelas pessoas que talvez cometam um milhão de erros por dia, mas fazem o melhor que podem para viver e amar do jeito certo".

Identidade, vida e morte

Como aponta com aptidão o intelectual e provocador socrático Cornel West, identidade "é muitas vezes um assunto para conversa calma e discussão acadêmica". Por outro lado, para aqueles que vivem às margens e os completamente excluídos, "identidade é uma questão de vida ou morte. Identidade tem a ver com quem é o indivíduo e como ele se move do útero ao túmulo – os desejos fundamentais de proteção, reconhecimento e associação em um mundo frio e cruel". A mensagem com que muitos adolescentes, entre outros, considerados diferentes de maneiras inaceitáveis são bombardeados é: "você não é como nós, e isso não é bom". Nessas circunstâncias, seus gritos elementares por proteção, reconhecimento e associação não são ouvidos.

De acordo com o filósofo canadense Charles Taylor, autoridade em políticas de identidade, o devido reconhecimento de nossos semelhantes "não é só uma cortesia que devemos às pessoas. É uma necessidade humana vital". Taylor afirma que devemos reconhecer e celebrar o fato de que "cada um de nós tem um jeito original de ser humano: cada pessoa tem sua própria 'medida'. Tem determinado jeito de ser humano que é o *meu* jeito". Porém, aqueles cuja natureza se desvia muito da norma preconcebida são informados de que seu jeito de ser humano é o jeito errado.

Taylor aponta que há muito *erro* de reconhecimento intencional, que alguns são vistos deliberadamente por lentes distorcidas, e que isso os leva a criar uma "imagem confinadora, diminuidora ou desprezível deles mesmos". Como os que são vítimas desse erro de reconhecimento o combatem? Na avaliação de Taylor, pelo diálogo: "Definimos nossa identidade sempre em diálogo com, às vezes em luta contra, as coisas que as pessoas importantes em nossa vida querem ver em nós", e temos que deixar claro "quem somos [e] 'de onde estamos vindo'. É o histórico em comparação ao qual nossos gostos, desejos, opiniões e aspirações fazem sentido". Mas isso só pode ser realizado se essas pessoas importantes na vida do indivíduo não fecham a porta para esse diálogo. Se elas se recusam a se abrir para as tentativas francas e sinceras daqueles que querem expressar de onde estão vindo, isso pode prejudicar a capacidade de eles formarem gostos, desejos, opiniões e aspirações de forma a construir uma identidade saudável.

Em *Cosmopolitanism: Ethics in a World of Strangers*, o filósofo de Princeton Kwame Anthony Appiah apresenta uma filosofia de reconhecimento que enfatiza nossas obrigações uns com os outros, como indivíduos ligados e como membros da raça humana. Para Appiah, devemos celebrar o "valor não só da vida humana, mas de vidas humanas em particular". O acadêmico natural da Inglaterra, hoje cidadão dos Estados Unidos, cujo pai ganense esteve na linha de frente da luta pela independência de seu país, afirma que nascemos para ressuscitar um etos de "cosmopolitismo". Praticado primeiro pelos cínicos gregos – membros de uma antiga escola que acreditava que o propósito da vida era viver em virtude –, um princípio básico do cosmopolitismo é que, embora possamos ter várias diferenças derivadas de identidades religiosa, cultural e nacional às quais aderimos, temos, ainda assim, "laços de identidade" fundamentais que nos unem, e que é melhor aprendermos a apreciar e celebrar quando nos vemos todos como cidadãos do mundo. Appiah afirma que, sempre que o cosmopolitismo foi difundido na história da humanidade – como durante o Iluminismo do fim do século 17 e início do século 18 –, ele foi o trampolim de progresso humano sem precedentes. Para reviver esse etos nos tempos modernos, Appiah nos incentiva a criar um tipo de autoidentidade que é um "projeto de vida" contínuo, de forma que seja "não um roteiro muito imutável", mas sempre capaz de novos desdobramentos – e de desdobramentos *melhores*, quanto mais nos abrirmos para novas possibilidades de identidade encontrando e nos comunicando com outras pessoas que não sejam como nós.

"A responsabilidade final por cada vida", diz Appiah, "é sempre responsabilidade da pessoa a quem a vida pertence." Porém, para que essa responsabilidade seja plenamente exercitada, a sociedade deve se empenhar para criar o tipo de condições férteis que tornem isso possível.

Oi, estranho

Um participante do diálogo disse que se sentia "como um alienígena jogado em um planeta estranho". Isso faz parte do percurso, não só entre adolescentes, mas também para pessoas de qualquer idade, de acordo com Roger Scruton, o respeitado filósofo moderno inglês que se especializou em questões culturais e estéticas. "Não estamos à vontade no mundo, e assim o desabrigo é uma verdade profunda sobre nossa condição", propõe. Tanto é que, para Scruton, "nós 'caímos' em um mundo onde somos estranhos".

Alienação bem pode ser parte da condição humana. No entanto, para quem somos mais estranhos? Uns para os outros? Para nós mesmos? Todas as formas de "desabrigo" são criadas da mesma maneira? Alguns têm a sorte de "cair" em um mundo no qual têm uma aterrissagem macia e amorosa, e depois são criados em um ambiente de fortalecimento. Nosso tipo de desabrigo é diferente daquele, digamos, dos jovens forçados a sair de casa por quem comanda o galinheiro, porque são considerados diferentes de um jeito vexatório. Esses são submetidos a profundas e duras verdades sobre como os adultos se condicionam a serem intolerantes, inclusive com os próprios descendentes, se a natureza deles não está de acordo com seus valores – levando, muitas vezes, a uma forma extrema de alienação que atrofia, em vez de promover crescimento.

De acordo com Walter Kaufmann, a alienação é o preço que pagamos por nos expormos. Alienação, que Kaufmann caracteriza em *Without Guilt and Justice* como nossa segunda infância... é parte do crescimento.

> *Autoconsciência não pode se desenvolver sem isso. Não só o mundo é o "outro"... como o mundo também é extremamente estranho e cruel. Daí, com o aumento da percepção, qualquer pessoa sensível vai ter um profundo sentimento de afastamento. Ao ver como a sociedade é repleta de desonestidade, estupidez e brutalidade, ele se sente alienado da sociedade, e ao ver como a maioria de seus semelhantes não se incomoda profundamente com tudo isso, ele se sente alienado deles.*

É mais comum, porém, que adolescentes sejam levados a se sentir alienados *deles mesmos*. Ignorância, desonestidade e estupidez praticadas com eles, especialmente por aqueles que os criaram, pode causar uma espécie de autoalienação que jamais deveria fazer parte do crescimento de alguém, já que pode levar à criação de uma forma atrofiada de autoconsciência.

Hegel tinha uma visão cor-de-rosa da unidade familiar, que ele considerava um casulo contra a alienação. Para ele, só quando uma criança deixa o ninho familiar para se defender no mundo exterior a alienação entra em cena. Hegel não reconhece a trágica realidade de que a unidade familiar pode, às vezes, servir de incubadora para uma forma prejudicial de alienação que pode empurrar o jovem para um desespero profundo. Mesmo assim, Hegel considera o elo entre pai e filho sacrossanto, e por isso "a pior coisa que pode acontecer às crianças... é esse elo... se afrouxar ou até ser cortado, causando assim ódio, desprezo e má vontade. Quem faz isso prejudica a moralidade".

As pessoas que deliberadamente agem com os jovens de forma a levá-los a pensar menos deles mesmos, só por serem quem são, prejudicam não só a moralidade, mas também a humanidade? Hegel queria nos convencer de que o elo que existe entre todo pai e filho é "o leite materno da moralidade com que o homem é nutrido". De acordo com seu ponto de vista, pais que se separam por vontade própria dos filhos por eles não estarem em concordância com suas expectativas e seus valores causam uma espécie de dano que, seguindo a metáfora de Hegel, é o leite materno da imoralidade.

Autoinsatisfação

Quando Sócrates considerou a determinação do oráculo de Delfos "Conhece-te a ti mesmo", esse foi um reconhecimento tácito de que ele não considerava o *self* uma entidade pronta, mas algo a que se tinha que buscar. A cruzada para se conhecer foi promovida por uma insatisfação com o pouco que ele sabia sobre quem era naquele momento. A inquietação de Sócrates provou ser contagiosa para seus interlocutores, muitos deles adolescentes e jovens. Quando foi condenado e sentenciado à morte, uma das duas acusações contra ele era de ter corrompido a juventude ateniense. Ele foi o primeiro a admitir que seus inquéritos compartilhados às vezes alimentavam o fogo do florescente descontentamento dos jovens com eles mesmos e com a direção que a sociedade estava tomando.

Um dos instigadores do julgamento contra ele foi Ânito, um poderoso político da classe média. No julgamento de Sócrates, Ânito o acusou abertamente de semear discórdia entre ele e seu filho. Sócrates reconheceu uma "associação com o filho de Ânito" e declarou que "não o achava desprovido de atitude". O que enfureceu Ânito não foi a possibilidade de ter havido intimidade física entre seu filho e Sócrates, mas a de que o relacionamento de seu filho com o velho ateniense o tivesse levado a decidir que não queria mais seguir os passos do pai. Sabemos por Xenofonte (430–354 a.C.), historiador e filósofo grego, que Sócrates incentivou o filho de Ânito a não "continuar na ocupação servil [curtir peles] que o pai havia dado a ele".

A história não conta o que foi feito do filho de Ânito (a história não diz nem qual era o nome dele). Mas sabemos o que aconteceu com Atenas depois que Sócrates foi condenado e pôs fim à vida. É quase inconcebível, considerando o desenvolvimento sem paralelo alcançado pela cidade grega, que ela pudesse decair tão rapidamente, mas foi isso que aconteceu depois que ela foi dominada por adultos que praticavam abertamente desonestidade, brutalidade, estupidez. A tentativa bem-sucedida para se livrar de um dos últimos homens virtuosos mostra o quanto eles haviam decaído. Sócrates personificava a sociedade ateniense em seus dias de glória. Os que o condenaram foram alienados desses tempos; não queriam lembretes incômodos de tudo que sua sociedade havia sido. No mesmo sentido, os jovens de hoje são lembranças incômodas de quem podemos ser, e tendem a ser tratados como pedras nos sapatos dos adultos. Se seguirmos em sentido oposto e os mantivermos por perto, podemos ser inspirados a viver mais de acordo com nossos ideais, em vez de abandoná-los quando surgem as dificuldades.

É um belo dia na pessoalidade

"Todas as pessoas são humanas, e todos os humanos são pessoas?" A pergunta é de Lawson, treze anos.

Ao longo do tempo, descobri que existem poucos grupos de pessoas mais realizadas no mergulho socrático do que aquelas que estão terminando o ensino fundamental. Conheço a professora dos alunos, Marith Wilkins, há mais de trinta anos. Ela e eu fomos colegas e lecionamos para a turma no sexto ano na escola em Casco, Maine, onde ela dava aulas de estudos sociais e eu era instrutor de leitura e literatura em regime de meio período. Em vez de se aposentar, Marith decidiu continuar exercendo sua vocação, mas em um clima mais quente. Há três anos, ela voltou à cidade costeira de Beaufort, onde nasceu e cresceu. Quando fui à região para visitar parentes gregos, dei uma passada em sua sala de aula. Contei aos alunos sobre meu interesse em investigar uma questão que tinha alguma coisa a ver com o que significa "ser uma pessoa". Antes dessa visita, eu havia revisto perspectivas concorrentes propostas por filósofos – desde a visão do filósofo do século

6 a.C. Boécio, que dizia que uma pessoa é "qualquer substância individual de natureza racional", até a ideia de Descartes de que uma pessoa é qualquer criatura, humana ou não, que tenha consciência contínua. Queria saber com que ideias as crianças dali poderiam contribuir para o assunto, e que me ajudariam a seguir formulando uma filosofia da criação. Resumindo, Lawson propõe uma questão que é recompensa filosófica.

"Dizemos 'natureza humana'", Lawson diz agora, "mas nunca 'natureza pessoa'. Ou dizemos 'raça humana', mas nunca 'raça pessoa'. Dizemos 'ele é uma pessoa imoral', mas nunca 'ele é um humano imoral'. Isso significa que é possível ser um sem ser o outro?"

"Eles estão juntos, mas não são a mesma coisa. Dizer que você é humano é dizer que é parte de uma espécie", diz Kate. "Tipo, um ultranarcisista pode dizer, enquanto estuda seu corpo no espelho: 'Sou um espécime humano perfeito'. Ele nunca diria: 'Sou um espécime pessoa perfeito'. Quando ele faz a referência ao 'espécime humano', isso tem a ver principalmente com sua forma física comparada à de outros membros do *Homo sapiens.*"

"Por outro lado, dizer que você é uma pessoa é dizer alguma coisa sobre sua individualidade, sobre suas características de personalidade. Tipo, 'eu sou uma pessoa do povo'. Eu nunca diria 'eu sou um humano do povo'. Isso seria como dizer que sou um membro da espécie humana, que é povoada por muitos povos. Ou eu poderia dizer que sou uma 'boa pessoa', que tenho um código moral decente, e isso se pode dizer por como eu trato os outros. Eu não diria 'sou um bom humano', já que isso seria como se eu estivesse comparando um tipo de humano com outro tipo."

"O termo 'natureza humana' tem a ver com o que é básico a todos nós como humanos – o fato de todos termos uma natureza interna de algum tipo", diz Hyun Jin. "Mas quando começamos a olhar para nossa natureza individual, aí tem a ver com pessoalidade. A natureza de uma pessoa pode ser agressiva, pacífica, violenta, passiva, tímida, feliz, taciturna, uma mistura. Algumas partes de sua natureza podem ser fixas, e você pode conseguir mudar partes de sua natureza, seja por vontade pessoal, seja com medicação, ou com terapia, e, consequentemente, alterar sua persona."

"No meu caso, meu ex-namorado me ajudou a mudar minha natureza", diz Kate. "Antes eu era uma violeta murcha. Agora sou extrovertida, confiante. Continuei assim mesmo depois que terminamos o namoro."

"Ele a ajudou a descobrir sua verdadeira natureza?", pergunto.

Ela pensa um pouco antes de balançar a cabeça em uma resposta afirmativa. "Eu era uma violeta murcha, mas queria desabrochar. Tive sorte de encontrar alguém que me ajudou com isso."

Kelly diz: "Meu irmão mais velho tem síndrome de Down. Hoje em dia, quando os pais descobrem que o filho tem Down antes mesmo do parto, por meio de exames genéticos, muita gente escolhe abortar. Minha filha tem que viajar para longe para encontrar outras famílias que têm filhos com Down. Todas as outras crianças nessas reuniões se aproximam do Brian. Ele é um líder natural, mas também é uma criança permanente, em alguns aspectos. Ele é honesto e confiante, aberto e bondoso. Queria que todo mundo tivesse essas características como parte de sua natureza".

"A natureza humana das crianças não é como a natureza humana dos adultos", Lawson fala pouco depois. "Você quase nunca leu na vida real sobre crianças guerreando com outras crianças. Você lê sobre essas coisas em obras de ficção, geralmente, como em *O senhor das moscas*, em que o autor quer nos convencer de que, se ficassem sozinhas, longe do alcance dos adultos, as crianças se comportariam como pequenos selvagens. Mas nossa natureza é basicamente mais pacífica que a dos adultos. Temos os encrenqueiros e algumas crianças que são capazes de coisas cruéis, mas, no geral, são os adultos que agem como Golding descreve."

"Isso não os torna mais humanos que os adultos?", pergunta Kelly, cuja natureza é se manter quieta, ouvir atentamente até ter considerado vários pontos de vista.

"Não mais humanos, mas modelos melhores do que os humanos deveriam se esforçar para ser." E ela diz: "Preciso confessar que, embora seja definitivamente pacífica por natureza na maioria das ocasiões, quando um dos meus irmãos é alvo de provocação ou é machucado, cuidado; sou uma defensora decidida".

"Minha compreensão é que, para ser uma pessoa, você tem que ser racional, precisa ter consciência de si mesmo e ser capaz de se comunicar em uma linguagem", Rowan fala em seguida. "Em 2013 o governo da Índia deu aos golfinhos *status* de pessoalidade não humana. Foi a primeira nação no mundo a reconhecer que os golfinhos têm as características de pessoas."

O famoso e controverso filósofo moral australiano Peter Singer, por exemplo, acredita que vários animais correspondem aos critérios de pessoalidade. Por exemplo, ele afirma que os "grandes macacos são seres autoconscientes, racionais, com relacionamentos pessoais próximos e vida emocional rica", e por isso devem ser considerados como dotados de pessoalidade e ter todos os direitos legais que isso implica – ou, pelo menos, os adultos da espécie, já que ele não considera crianças como pessoas totalmente desenvolvidas que correspondem a esses critérios. Ele afirma que "características como racionalidade, autonomia e autoconsciência" só aparecem com o tempo. Tem certeza de que "crianças não têm essas características". No entanto, as crianças têm uma habilidade demonstrada para tudo, desde criar mapas casuais até solucionar problemas, ter empatia, habilidades que requeiram capacidade de raciocínio, um grau de autonomia, uma consciência complexa – critérios-chave para a pessoalidade.

Kelly se manifesta: "Também é possível ser uma pessoa sem ser um humano no mundo da ficção. Estou lendo *Crepúsculo*". Ela se refere à popular saga de Stephanie Meyer sobre vampiros. "Um vampiro é único; ele começa como humano e pessoa, e permanece uma pessoa, uma pessoa-vampiro, depois que deixa de ser humano. Bella, uma das personagens principais, era patética em sua vida humana. Era socialmente desajeitada e propensa a acidentes. Tem uma passagem", Kelly desliza o dedo indicador pelo *tablet* até encontrar o trecho que está procurando, "em que Bella diz: 'Eu sabia um pouco sobre o que seria quando não fosse mais humana... Por muitos anos, meu maior traço de personalidade seria ser *sedenta*. Ia demorar até eu poder ser *eu* de novo'." Kelly olha para nós. "Bella está se enganando. Ela ainda pode ter traços de personalidade, mas não são mais traços humanos. Ela nunca mais será 'eu de novo', porque não é mais humana. A última coisa que fez como humana foi sexo com o vampiro Edward. Bella queria ter a experiência como humana. Isso mostra que, no fundo, ela sabia que, assim que se tornasse um vampiro, não seria 'eu de novo'. Ela fez sexo antes de", Kate lê novamente, "'trocar meu corpo quente, quebrável, dominado por feromônios por algo bonito, forte'. Grande parte do que é ser humano tem a ver com ser fisicamente frágil. Ela nunca mais será assim."

"Por isso os romances sobre vampiros são tão populares entre nós, humanos", diz Lawson. "Eles nos dão a chance de fantasiar sobre como seria ser imortal, ter força sobre-humana e não ser mais vulnerável e carente, exceto pela necessidade de sangue humano."

"Se você pode ser uma pessoa sem ser humano, é possível ser humano sem ser uma pessoa?", pergunto depois de um tempo.

"Eu me preocupo com como a tecnologia pode roubar a identidade de alguém", diz Kate depois de uma pausa. "A vida digital do meu pai dominou sua pessoa. Ele não desliga. Não tem mais tempo para ser só ele, estar com ele, ou com o resto da família." Depois de pensar mais um pouco, ela continua: "A tecnologia está se tornando a identidade dele. Ele não tem mais uma noção de ser quem é. Sem essa noção, você ainda é uma pessoa?".

Martin Heidegger previu, há quase noventa anos, que a tecnologia acabaria governando todos os aspectos da existência humana. Ele não renunciou à tecnologia, mas conseguiu prever como ela tinha potencial para nos desumanizar. Heidegger nos incentivou a usar esse fenômeno abrangente – fosse ele na forma de um *e-reader*, de um computador vestível na forma de relógio ou óculos, óculos de realidade virtual – a serviço da humanidade, ou ele nos dominaria e tornaria obsoletos nossa humanidade e nós mesmos.

Depois de uma pausa contemplativa, Hyun Jin nos diz: "Quando você se torna humano? Quando também é capaz de se tornar uma pessoa, ou quando é de fato uma 'pessoa que sente'?".

Ela então acrescenta: "Minha mãe teve um natimorto com 22 semanas de gestação. Ouvi quando ela e meu pai discutiam se deveriam fazer um funeral. Minha mãe sentia que tinha perdido sua bebezinha, a quem ela já chamava de Joon. De acordo com as crenças de minha mãe, Joon tinha uma alma desde o momento em que fora concebida, e já era um membro da família, como qualquer um de nós".

No mesmo sentido, para os pitagóricos, um grupo de filósofos esotéricos e metafísicos do século 5 a.C., a fertilização marca o começo da vida humana, porque é quando eles acreditam que a alma é criada. Para Aristóteles, por outro lado, a alma é criada na concepção, mas começa em estado vegetativo, e por isso ele acreditava ser permitido abortar no começo da gravidez, antes de a alma progredir para outros estados, de animal a humano.

"Para o meu pai", ela continua, "tínhamos perdido um feto, alguém que ainda não era humano, e por isso não teve oportunidade de se tornar uma pessoa. Meu pai acredita que uma pessoa não é uma pessoa enquanto não nasce." Igualmente, para os estoicos, a alma entra em um recém-nascido quando ele respira pela primeira vez, o chamado *pneuma*, ou "sopro da vida".

"Meu pai acabou cedendo à vontade da minha mãe", Hyun Jin conta a seguir, "fizemos um funeral." Ela então continua: "Minha mãe carregou Joon dentro dela durante todo aquele tempo. Mais ou menos com três meses e meio de gravidez, ela dizia coisas como 'Sinto Joon balançando dentro de mim como um macaquinho em um cipó. Esse macaquinho é uma pessoa da noite'".

"O macaquinho pode ser uma pessoa para sua mãe e não ser para você", diz Kate. "Tudo depende do olhar do observador. Se você atribui personalidade a um feto, o feto não é feto – é uma pessoa. E se é uma pessoa, é um humano totalmente desenvolvido, porque não se pode desenvolver qualidades individuais de pessoalidade sem ser antes um humano."

"Mesmo que a mãe de Hyun Jin só pensasse no feto como um feto, ele sempre teria sido parte de sua pessoalidade", diz Thaddeus. "Li um estudo que mostra que parte das células do feto em desenvolvimento deixam o útero e se dirigem para o cérebro da mãe. Mesmo que a mulher que carrega o feto sofra um aborto espontâneo ou provocado, essas células estarão sempre com ela, misturadas em seu cérebro. Essa é uma conexão profunda. Dá a ela novas possibilidades de pessoalidade."

"Às vezes vou ao cemitério com minha mãe", diz Hyun Jin. "Ela fala com Joon, conta sobre todos nós, o que estamos fazendo. Ainda estou tentando decidir se deveria vê-la como mais que um feto em desenvolvimento, se deveria vê-la como minha mãe a vê, como uma humana de verdade, nem tanto como uma pessoa. Mas sempre me pergunto o que ela teria feito com a vida, com a pessoa que teria se tornado, e como tê-la em minha vida teria influenciado a pessoa que estou me tornando."

Sobre natureza humana

Existe *uma coisa chamada natureza humana?*

Se o filósofo, ensaísta e intelectual público americano Ralph Waldo Emerson (1803–1882) merece credibilidade, não só a resposta é um enfático sim, como também nossa natureza original é pura como a neve. "A infância é o perpétuo messias, que chega aos braços de homens caídos e suplica-lhes para voltarem ao paraíso", ele afirma em seu ensaio "Natureza".

Em *A época da inocência*, da romancista Edith Wharton, ganhadora de um Pulitzer, o protagonista Newland Archer compartilha da opinião de Emerson de que temos uma natureza, mas sua visão sobre ela é menos cor-de-rosa. "A natureza humana destreinada não era franca e inocente", ele propõe. "Era cheia de meandros e defesas de uma malícia instintiva."

De acordo com Sartre, não temos uma natureza ou essência predeterminada. Pelo contrário, somos radicalmente livres para criar nossa própria natureza, por meio das escolhas que fazemos, independentemente de qualquer influência externa. Mas Sartre ressalta que devemos usar nossa liberdade de forma a também fortalecer a liberdade de qualquer outra pessoa. Em seu proeminente trabalho *O existencialismo é um humanismo*, ele discute que "todo homem se percebe ao perceber um tipo de humanidade" – ou desumanidade.

John Stuart Mill estava convencido de que o que consideramos natureza humana depende do momento, do clima e do ambiente cultural do indivíduo. Por exemplo, com relação à natureza da mulher, ele afirma, em seu provocativo trabalho de 1869 *A sujeição das mulheres*, que "o que hoje é chamado de a natureza das mulheres é uma coisa eminentemente artificial". Mill considerava as caracterizações de seu tempo da "natureza das mulheres" criadas pelo homem, com a intenção de manter as mulheres em estado de sujeição, de forma que os homens pudessem continuar "escraviza[ndo] suas mentes". Como ele sugeriu, "A sujeição das mulheres aos homens sendo um costume universal, qualquer distanciamento dele parece naturalmente antinatural... Mas alguma vez existiu uma dominação que não parecesse natural aos olhos de quem dominava?".

Mill era muito mais progressista sobre o assunto que a maioria de seus colegas filósofos homens ocidentais da época; eles seguiam a ideia de Aristóteles, que via as mulheres como seres tão inferiores quanto as crianças e os velhos. Considere este argumento de Aristóteles para justificar o domínio dos homens sobre as mulheres: "Os homens devem comandar as mulheres, porque nas mulheres a capacidade deliberativa do elemento racional é destituída de autoridade e facilmente superada pelo elemento irracional". Sua visão das mulheres é tão depreciativa que elas eram equivalentes a escravos, o que tornava ainda mais necessário que recebessem ordens dos homens: "Os senhores devem comandar os escravos, porque, embora escravos, em virtude do elemento racional de sua alma, possam ouvir e obedecer às ordens, eles não têm realmente a capacidade de deliberar".

O filósofo e médico inglês John Locke (1630–1704), considerado o pai do liberalismo clássico, propõe, em *Alguns pensamentos sobre a educação*, que não temos uma natureza como impulso. Ele acredita que nascemos com o impulso moralmente neutro de perseguir o que nos dá prazer e evitar o que nos causa dor. Com exceção dessa única tendência natural, "somos inteiramente destituídos de qualquer impulso". Jean-Jacques Rousseau, por outro lado, afirmou em *Emílio* a disposição com que cada um de nós é capaz de se aperfeiçoar mais ao longo da vida.

> *Cada indivíduo traz com ele ao nascer um temperamento distintivo, que determina seu espírito e caráter. Não há questão sobre mudar ou frear seu temperamento, apenas sobre treiná-lo e aperfeiçoá-lo.*

Rousseau considera esse temperamento inerentemente bom, mesmo que se revele de formas dramaticamente diferentes em cada um de nós. Ele chega a chamá-lo de "instinto divino", nossa "consciência para amar o bem, razão para conhecê-lo e liberdade para usá-lo". Se é assim, como tantos perdem essa natureza com o passar do tempo? Rousseau aponta os adultos como culpados. Ele afirma que os tipos de sociedades que eles constroem levam ao cultivo de uma disposição mental de cada um por si que deforma nossa natureza original. O que ele não aborda adequadamente é: se nossa natureza é tão boa – divina, de fato – no início, por que crescemos e nos tornamos adultos que constroem sociedades que não a refletem?

Essa questão não faria sentido para Jose Ortega y Gasset, porque o "homem, em poucas palavras, não tem natureza". Em vez disso, ele tem uma "história", construída com suas obras e seus atos. Ortega y Gasset afirma, em *História como sistema*, que o homem é "único no universo" porque é "uma entidade cujo ser consiste não do que já é, mas sim do que ainda não é". Por essa perspectiva, cada um de nós está no processo de se tornar mais, ou menos, ou outro, em relação ao que era em qualquer momento dado. Cada um de nós representa "possibilidades diversas: posso fazer isso ou aquilo... O homem é a entidade que se faz". Como tal, a mais árdua tarefa do homem "é determinar *o que* ele vai ser". Ao tratar dessa tarefa, o filósofo e teórico social francês Michel Foucault (1926–1984) argumenta que deveríamos nos esforçar "para criar-nos como uma obra de arte". De maneira semelhante, Henri-Louis Bergson (1859–1941), um dos mais influentes filósofos franceses do fim do século 19 e começo do século 20, afirma, em *A evolução criadora*, que, "para um ser consciente, existir é mudar, mudar é amadurecer, amadurecer é continuar se criando infinitamente". Mas o homem também é uma entidade capaz de *não* se criar, de ser um preguiçoso existencial. Um ser consciente pode tomar uma decisão consciente de não mudar, ou mudar de maneira regressiva e destrutiva. Mesmo para aqueles que criam continuamente, nem todos os atos de criação são inerentemente bons, como sugere Bergson. O homem também é o ser que pode criar de forma a desfazer, complicar.

Como nos libertamos do poder dessas propensões que nos induzem a negar os outros? Posto de forma mais positiva, como cultivamos melhor nossos impulsos criativos mais humanizadores?

A lição atemporal oferecida por Buda e Sócrates, por Epicuro, Dewey e Spinoza é que somos pacotes de hábitos, e podemos nos livrar daqueles que nos prejudicam, por mais teimosos e resistentes que sejam. Temos mais chances de sucesso à medida que entendemos que hábitos destrutivos praticados em relação a outras pessoas são também autodestrutivos. Em sua tocante meditação *Upheavals of Thought: The Intelligence of Emotions*, Martha Nussbaum aponta que quase todas as tradições éticas por eras e culturas igualam bom caráter a hábitos positivos de atitude e emoção. Isso significa que, se você quer agir de maneira virtuosa como indivíduo ou sociedade, deve entender como as emoções orientam suas atitudes, individual ou coletivamente. "Todas as emoções têm conteúdo ético", ela defende, "já que todas se relacionam com a avaliação de coisas e pessoas como extremamente importantes para o nosso bem-estar." Nussbaum afirma que emoções não são forças externas que perturbam nossos planos e pensamentos racionais, mas são – ou deveriam ser – parte e parcela deles, quando aprendemos como as explorar, avaliar e julgar racionalmente. Quando nos tornamos capazes disso, podemos transformar hábitos emocionais prejudiciais e substituí-los por outros saudáveis. Isso requer não só grande força de vontade, mas também imaginação, de forma que possamos nos ver atuando de novas maneiras, e depois mapear caminhos para chegar nisso. Primeiro e acima de tudo, precisamos decidir quais emoções devemos cultivar conscientemente, e quais devemos descartar. Para Nussbaum, se transformamos em hábito valorizar e praticar emoções como amor, compaixão e pesar – não só em relação aos de nosso círculo mais imediato, mas também com aqueles que não conhecemos e nunca conheceremos –, é inevitável criarmos sociedades mais humanas, já que nossas ações individuais e grupais refletirão, consequentemente, nossa profunda preocupação com os outros e nosso interesse por eles.

Segundo nascimento

Hannah Arendt faz a intrigante afirmação de que nossa chegada a este mundo como recém-nascidos não é o que mais importa em termos de pessoalidade. Embora nosso início como indivíduo seja "assegurado por cada novo nascimento", esse é só o primeiro passo; é preciso haver um processo de nascimento constante, um "segundo nascimento", que ela afirma que só podemos ter se desenvolvermos uma postura política no mundo e tivermos a liberdade de agir de acordo com essa postura. Esse é o momento do verdadeiro nascimento, diz Arendt, porque é o momento em que chega a possibilidade para a verdadeira criação e liberação do *self*.

Podemos ocupar nosso lugar como um *self* único entre outros no mundo. Como ela apresenta em *A condição humana*, "com palavra e atos nos inserimos no mundo humano, e essa inserção é como um segundo nascimento". Quando nos negam a capacidade de inserção, quando somos impedidos de ocupar nosso lugar à mesa política (ou mesa familiar, aliás) como alguém entre iguais, somos existencialmente natimortos; não podemos nos tornar pessoas plenamente desenvolvidas. Os que são alvos de atos deliberados de rejeição e exclusão nunca serão tratados como iguais, a menos que e até que os que negam a eles seu lugar à mesa entendam que também estão se impedindo de ser pessoas plenamente desenvolvidas. Seus atos de desumanidade impedem o desenvolvimento não só de outras pessoas, mas também deles mesmos.

06

Minha doce criança

Bebê a bordo

É um domingo de primavera perfeito, típico de cartão-postal. Ceci e eu estamos em um bistrô francês na periferia da Rittenhouse Square, Filadélfia. Sentamo-nos ao lado de grandes janelas abertas, e estamos de mãos dadas sobre a mesa enquanto nos dedicamos a um passatempo que está entre os favoritos, observar as pessoas. Hoje tem muita gente para olhar, com praticamente todos os habitantes da cidade andando ao ar livre depois de um longo e rigoroso inverno.

Estamos comemorando quinze anos de casados. Ceci está grávida de 33 semanas, e sua barriga redonda é uma beleza de se ver. A mais nova adição à nova família, Cybele Margarita – cujos nomes vêm da deusa grega da natureza, fertilidade e cura e da minha mãe, respectivamente –, logo fará sua estreia.

Vários meses depois de ter sofrido um aborto espontâneo, Ceci marcou uma consulta para colocar o DIU, depois de termos decidido que seria melhor que nossa família continuasse com apenas três pessoas. Porém, um membro da família não havia sido consultado. Cali não ficou feliz com nossa decisão. Ela podia não saber ainda como uma criança era feita, mas sabe que cabe a nós fazer uma, e deixou claro que queria que continuássemos tentando. Ceci e eu explicamos a ela como tínhamos tomado essa decisão. De braços cruzados e fazendo bico, Cali era a imagem da desaprovação. A consulta de Ceci havia sido marcada para coincidir com o período menstrual. Ele não aconteceu. Compramos um teste de gravidez. "Ah, sim", ela anunciou. Mostrou um bastão, e lá estava a linha cor-de-rosa, sinal certo de "hormônio da gravidez" em abundância.

Eu comemorei por dentro – diferentemente da primeira vez, em novembro de 2005, quando Ceci saiu do banheiro de um posto de caminhoneiros na interestadual do Arizona brandindo o teste de gravidez como se fosse um bastão. Cali estava a caminho. Dessa vez, quando entendeu que a linha cor-de-rosa no bastão significava que mamãe estava grávida, Cali deu um grito de pura euforia. Depois ficou séria, mas não triste. "Vamos perder o bebê de novo?", ela perguntou. Cali tinha tido muitas perdas nos últimos seis meses, e depois o aborto de Ceci. Eu não sabia bem se Ceci havia feito a coisa certa ao garantir para Cali que os grupos de células, que já cresciam exponencialmente e se diferenciavam dentro de seu útero, resultariam em um irmãozinho ou irmãzinha. Mas agora entendo que ela teve um motivo para isso.

Irene passa por nós na rua. Ela empurra dois *poodles* brancos em um carrinho chique de bebê. Essa imagem não é incomum na Filadélfia, onde as pessoas disputam quem mima mais seu animal de estimação. Há mais ou menos um ano, comecei um Sócrates Café na área central de Filadélfia. Em nossa reunião inaugural, ninguém menos que Irene – sócia-fundadora do primeiro Sócrates Café que comecei em Montclair, Nova Jersey, em 1996, entrou atrasada, bem quando nosso diálogo começava a engrenar. Parei o que estava dizendo no meio da frase, pulei da banqueta giratória em que estava sentado e atravessei o grupo que me rodeava para ir abraçar Irene como só se abraça amigos que não vemos há muito tempo. Antes que eu pudesse perguntar que diabo ela estava fazendo ali, Irene me contou o que fazia na Filadélfia: tinha ido morar com as duas irmãs, Esther, 86 anos, e Ethel, 89, que moravam juntas havia quinze anos, desde que ficaram viúvas, na casa em que cresceram, no centro da cidade. Durante anos, as irmãs haviam incentivado Irene, caçula do trio, com 83 anos, a ir morar com elas, e finalmente ela havia aceitado o convite.

Irene era a única irmã que tinha saído da Filadélfia. Teve uma carreira memorável em Nova York como cantora em cabarés e também em um ou outro musical fora da Broadway. Ela havia se casado sete vezes. Nunca teve filhos. Irene gostava de dizer que seu filho era o palco.

Ceci e eu a chamamos. Irene aciona os freios do carrinho e deixa os dois cachorros ganindo enquanto entra no bistrô. Sempre alvo de todas as atenções, ela entra no restaurante com um floreio, as roupas chamativas, a maquiagem generosa e o cabelo vermelho e armado ressaltando sua aura maior que a vida. Ela recusa nosso convite para sentar depois que contamos que é nosso aniversário de casamento. Irene fica parada ao lado da mesa e diz: "E pensar que esse romance começou na única semana em que não fui ao Sócrates Café". No Sócrates Café em questão, Ceci foi a única que compareceu. Naquela noite, exploramos "O que é amor?", proposta de Ceci, que tinha chegado recentemente aos Estados Unidos para fazer um mestrado em educação. Nós nos casamos menos de dois anos depois. Acabamos morando por mais de uma década em Chiapas, no México, indo e voltando constantemente, enquanto Ceci retomava seu ativismo pelos direitos indígenas, e onde presidi uma série de diálogos que mudaram vidas.

Irene toca o abdome de Ceci. Ela sente movimento sob a palma – um pé, um joelho, talvez um cotovelo –, cumprimentos de Cybele. Seu rosto se ilumina. "Ah, nossa."

Pouco depois ela diz: "Recém-nascidos são um sinal de esperança, de novos começos". E olha para mim antes de continuar: "Em um dos primeiros Sócrates Café que você organizou em Montclair, discutimos a questão 'Quais são os melhores começos?'. A pessoa que propôs a pergunta estava grávida. Ela estava curiosa e nervosa em relação a um capítulo de vida que chegava ao fim e outro que começava. Lembro-me de uma resposta de uma mulher que havia conseguido criar cinco filhos sozinha. Ela disse que os bebês eram o melhor tipo de começo, porque representam novas possibilidades para a própria humanidade".

"Fico feliz por terem decidido ter outro", ela acrescenta em seguida. "O mundo precisa de mais Phillips." Depois se inclina, dá um abraço em cada um de nós e vai embora.

Fico em silêncio. Depois de um tempo, Ceci pergunta: "Que é? O que foi?".

Não quero criar uma nuvem no céu do nosso dia especial. Por um lado, estou me perguntando se o mundo realmente precisa de mais Phillips. Por outro, tenho um pensamento agridoce, me dou conta de que essa é a última criança que o amor da minha vida e eu vamos conceber. "Queria que ainda houvesse tempo para o pequeno Christopher Amado", conto a Ceci. Se tivéssemos um menino, esse era o nome que tínhamos escolhido havia muito tempo. Amado é o nome do avô de Ceci. "*Você* é meu Christopher Amado", ela diz. Seus olhos e o sorriso me envolvem; eles falam de afeto, amor, conforto.

Ceci nasceu seis semanas antes do previsto em um hospital público na Cidade do México. Sua condição era tão precária que um padre foi chamado para dar o último sacramento. É impossível imaginar minha vida sem ela. Por mais que os tempos fossem difíceis, com Ceci como minha parceira a vida era uma empreitada mágica. Penso no dia em que fizemos nossos votos na prefeitura de São Francisco, tantos anos atrás. Não tínhamos dinheiro nem para um fotógrafo; as únicas imagens que temos são as que ficaram gravadas na memória: naquele dia, no fim da primavera de 1998, Ceci usava um vestido branco costurado à mão por uma indígena, o mesmo vestido que ela usava no dia em que nos conhecemos. Ela ficou parada na minha frente, balançando ligeiramente para frente e para trás, os olhos grandes, castanhos e expressivos, úmidos e cheios de euforia. Estendemos os braços para dar as mãos e recitar os votos que cada um de nós tinha preparado, as vozes transmitindo amor, alegria e antecipação. Fomos casados por um juiz que tinha saído, por incrível que pareça, de Montclair, Nova Jersey. O dia do nosso casamento foi uma experiência libertadora. Quando tivemos nossa primeira filha, aquilo me libertou ainda mais, expandindo minha noção de possibilidades de tudo que eu ainda poderia fazer e ser. Sem dúvida, o dia da chegada de Cybele será outro dia de libertação.

Penso em como Cybele vai parecer, em como vai ser. Sua irmã mais velha já fez essa reflexão em voz alta comigo, embora Cali se concentre em ser um vagão pessoal de acolhimento. Ela fez uma aula sobre como ser irmã de um bebê, sabe trocar fraldas como uma profissional e aprendeu manobras de ressuscitação para bebês. Em nosso aconchegante apartamento, onde berço e caminha para acompanhante estão prontos, Cali prendeu um cartaz de "Seja bem-vinda, Cybele" com um desenho da irmãzinha como ela a imagina, deitada em um berço, cercada pelos amorosos membros de sua família. Antes mesmo de ter entrado no mundo oficialmente, Cybele já preenche nossa família.

Mal posso esperar para conhecer Cybele pessoalmente, mal posso esperar para começar a jornada com ela, aprender e crescer a partir dela e com ela. Cybele é um novo começo para mim, para nossa família, e é um novo começo, como toda criança deveria ser, para o mundo.

Novo começo

A crença sincera de John Dewey é de que todo ser humano é arauto de um mundo de novas possibilidades.

> *Sempre me admirei com o interesse despertado por crianças pequenas pelas coisas que fazem e dizem. Por mais que descontemos o amor dedicado dos parentes, ainda resta alguma coisa. Essa alguma coisa é, eu acredito, o reconhecimento da originalidade; uma resposta ao fato de essas crianças... trazerem algo de novo ao mundo, um novo jeito de olhar para ele, um novo jeito de senti-lo. E o interesse nesse frescor... indica que os adultos estão procurando precisamente alguma coisa distintiva de individualidade. Estão fartos de repetição e duplicação, de opiniões estereotipadas e emoções que são cópias desbotadas de alguma coisa que outra pessoa já experimentou um dia.*

Não se discute que crianças desejadas são tratadas com dedicação. Mas a afirmação de Dewey de que nossos pequenos são indivíduos mais distintos e originais que os adultos é motivo para pensar. A individualidade tende a se tornar menos discriminada quando ficamos mais velhos? Se sim, por quê? Precisa ser assim?

Talvez a nossa resposta para as crianças que nos convidam a entrar em seu mundo como plenos participantes nos dê dicas de como podemos voltar à estrada para alcançar a genuína inovação de *self*. Quando mergulhamos no mundo de uma criança, um mundo feito de imaginação e fascínio sem limites, sentimos o mundo, o vemos, somos parte dele, de um jeito novo. Para Rachel Carson, assim como para Dewey, o mundo de uma criança é necessariamente "fresco e bonito, cheio de admiração e entusiasmo". Seu lamento é que, "para infortúnio da maioria de nós, essa visão nítida, verdadeiro instinto para o que é bonito e digno de admiração, se enfraqueça e até se apague antes de chegarmos à idade adulta". É o infortúnio de muitas crianças que esse seu verdadeiro instinto seja enfraquecido desde o começo. Nascidas em um mundo descuidado, elas são roubadas da chance de experimentar o fascínio e a admiração que estão entremeados em seu ser. O etos da *aretê* da antiga Grécia é baseado na crença de que nenhum de nós pode florescer plenamente a menos que criemos condições que permitam que outros também floresçam. De fato, "criar condições" é uma grande parte do que isso representa; é *aretê* na prática. Se o espírito de *aretê* fosse revivido e disseminado, cada dia representaria um mundo de novos começos para todos nós.

Que criança é essa

Em *Assim falou Zaratustra*, Friedrich Nietzsche descreve três tipos de espírito humano. Ele compara o primeiro ao do camelo. Obediente e ascético, o "espírito camelo" não questiona tradição e autoridade, mas concorda para seguir em frente. Resignada e ressentida, uma pessoa com o espírito camelo reclama do que lhe cabe na vida, mas não faz nenhum esforço para mudá-lo. O segundo tipo, de acordo com Nietzsche, é o "espírito leão". Alguém com esse espírito segue seu caminho dizendo "não" a todas as restrições que não lhe agradem. Essa é a medida de sua resistência às normas existentes; o espírito leão não cria nada. A maioria das pessoas, diz Nietzsche, tem esses dois espíritos.

Há um terceiro tipo, mais elevado, que Nietzsche considera o auge do ser humano: "o espírito criança" sopra vida nova à vida, cria possibilidades para a própria existência, para a existência humana, para o próprio universo. Ele tem uma atitude, uma postura e uma visão distintas que transcendem os modos convencionais de estar no mundo. Nietzsche descreve uma pessoa com o espírito criança como uma "roda dançante", uma "brincadeira", uma "alegria". Seus elogios conhecem poucos limites: "A criança é um novo começo, um esporte, uma roda automotiva, um primeiro movimento, um sagrado Sim". Alguém que se encaixa na descrição de um espírito criança pode até estabelecer valores novos. "Criar valores – até o leão é incapaz disso", Nietzsche declara. Um espírito criança ignora conceitos carregados de valores e vazios de cuidado como "pecado" ou "vergonha", que mantêm atrofiada uma pessoa ou sociedade, e os substitui por outros que afirmem mais a vida. Alguém com espírito criança enfrentou fundas e flechas, mas não só saiu ileso, como também saiu mais libertado: "Puro é seu olhar, e não há desgosto à espreita em sua boca... Ele se tornou uma criança, uma criança despertada".

Malala Yousafzai é um espírito criança em escala aumentada. A aluna de uma escola paquistanesa foi alvejada por tiros, pelo Talibã, na cabeça e no pescoço, aos quatorze anos, por seu ativismo defendendo os direitos de educação para crianças e os direitos das mulheres. Ela sobreviveu à tentativa de assassinato e, depois de intensiva reabilitação, tornou-se uma das mais amadas, passionais e efetivas defensoras do direito universal da criança à educação no mundo. Ao falar em público pela primeira vez depois do ataque, ela disse:

> *Os terroristas achavam que mudariam meus objetivos e impediriam minhas ambições, mas nada mudou na minha vida, exceto isto: fraqueza, medo e impotência morreram. Nasceram força, poder e coragem... Não estou contra ninguém, nem estou aqui para falar em vingança pessoal contra o Talibã ou qualquer outro grupo terrorista. Estou aqui para falar em prol do direito de toda criança à educação. Quero educação para os filhos e filhos do Talibã e todos os terroristas e extremistas.*

Um espírito criança de qualquer idade e posição na vida é modelo de certo tipo de transformação. Cada um sentiu impotência, raiva, amargura, desespero, mas se recusa a ser identificado por eles. Se comparados a uma flor desabrochando, os buquês em que crescem são uma mistura ideal dos melhores atributos de uma criança e um adulto, jovem e bebê. As cruzes que tiveram de carregar não atrofiaram seu crescimento, mas tornaram seu espírito mais leve e mais radiante, deram a eles maior noção de possibilidade para eles mesmos e para a humanidade. Eles são, como Nietzsche afirma, "ainda crianças o bastante – uma eterna criança"!

Não preciso dizer que Nietzsche não era budista, mas ele acharia interessante a comparação dessa fé de pessoas que florescem diante de formidáveis obstáculos como uma lótus. A flor pequena e frágil começa sua existência no fundo de um lago escuro e turvo. Enfrenta elementos opressores para abrir caminho para a luz do sol lá em cima. Se consegue chegar à superfície, o lótus desabrocha lindamente. Do mesmo modo, homens que se libertam de maneira a também emancipar outras pessoas fizeram uma difícil jornada ascendente a partir de um lugar escuro bem lá embaixo. Nelson Mandela relatou "muitos momentos sombrios quando minha fé na humanidade foi duramente testada". Para Mandela, só se pode superar esses momentos "mantendo a cabeça voltada para o sol, os pés se movendo para a frente". Mandela diria a William James que, se você consegue fazer isso, experimenta "um segundo nascimento, um tipo mais profundo de ser consciente do que aquele de que podia desfrutar antes". No dia em que ele foi solto da prisão, muitos que haviam esperado durante horas do lado de fora dos portões para testemunhar a história usavam camisetas adornadas com uma imagem jovem de seu herói. Mas a expressão no rosto de Mandela naquele dia, aos 71 anos de idade, uma mistura de luz, exuberância e antecipação, o fez parecer mais jovem pessoalmente do que naquelas imagens estampadas.

O mais raro é uma civilização ser "criança". Porém, é possível apontar duas vezes, na história do Ocidente, em que a maioria dos membros de toda uma sociedade conseguiu a proeza – em Florença, nos séculos 14 e 15, e na antiga Atenas. Nietzsche oferece um panegírico para a "natureza infantil" dos gregos.

> *Eles vivem inconscientes da genialidade que produzem. Inimigos da restrição e da estupidez... Seu jeito de entender intuitivamente sofrimento, combinado a um temperamento radiante, genial e alegre.*

Profundidade de compreensão e glorificação das coisas corriqueiras (fogo, agricultura)... Não histórico... O indivíduo elevado a seus mais altos poderes pela cidade.

Eles eram exuberantemente infantis, com uma alegria de olhos arregalados que não era imune ao sofrimento, mas que o via como um fato da vida que podia, quando conduzido da maneira correta, levar a mais descobertas, apreciação, alegria. Eles "criançavam" plenamente, com novos botões figurativos brotando de outros mais profundos e frescos – o novo reabastecendo o velho, e vice-versa. Eram pais e filhos uns dos outros, originais um e todos, e o resultado foi um progresso sem precedentes em uma escala ampliada muitas vezes. A cidade ateniense experimentou um colapso integral de dentro para fora quando oligarcas convenceram o restante a deixá-los arar o solo da cidade por eles. Isso acabou atrofiando o crescimento de todos.

Depois que Atenas se tornou uma casca de seu antigo *self*, o progresso não foi completamente eliminado. Quando Sócrates chegou à vida adulta, ele era parte do que restava, a antítese de um adulto ateniense contemporâneo e seu "espírito esmagado pelo peso". Nietzsche o descreveu como um "gênio de coração... que suaviza almas duras e as deixa sentir um novo anseio". Ele era a definitiva "criançadulto". Os que desfrutavam de sua companhia eram contaminados por seu espírito, pelo anseio de ser mais do que eram em qualquer dado momento. Sócrates tinha o dom de adivinhar "o tesouro oculto e esquecido, a gota de bondade... de cujo toque todos saem mais ricos, sem terem encontrado graça nem fascinados, nem tão abençoados e oprimidos pelo bem de outro, mas mais ricos em si mesmos, abertos... menos seguros, talvez... mas cheios de esperança que ainda não tem nome".

Como uma criança que adora ouvir a mesma histórias muitas vezes, o acadêmico Laszlo Versenyi escreve, em *Socratic Humanism*, que as questões que Sócrates debatia com outros eram "meramente maneiras diferentes de fazer a mesma pergunta fundamental" – a saber: "O que é homem?" – e que Sócrates "não só fazia a mesma pergunta, mas também o mesmo sobre o mesmo... dando voltas em torno do mesmo centro, abordando a mesma coisa de direções aparentemente diferentes". Mesmo acreditando que Sócrates perguntava "O que o homem é capaz de se tornar?", concordo com Versenyi sobre Sócrates nunca ter se cansado de abordar a mesma questão – não porque (não mais do que faria uma criança) ele se encantava com a repetição por ela mesma, mas porque a cada investigação ele e seus companheiros investigadores descobriam novos pontos a serem ponderados, novos *insights* sobre o mundo como um todo e sobre eles mesmos.

O que você deve esperar – de si mesmo, de sua vida – quando está "criançando"? Viver a vida com abandono mais proposital. Ser cocriador do universo. Criar uma história sobre você mesmo que seja mais intencional que sem rumo, mais colorida que monótona, mais aberta que previsível. Dar à vida tudo que tem, mas temperar a franqueza com brincadeira, até caprichosamente, sabendo muito bem, como diz Puck, "quão tolos esses mortais podem ser".

Alcançar o elevado estado de espírito de uma criança parece muito assustador? Muito provavelmente, com alguma reflexão honesta, você vai descobrir que já "criançou" mais do que acredita. Para continuar em um grau ainda mais alto, torne-se o "trapezista dentro de você" e solte a barra. Você não precisa de nada a que se agarrar no ar da imaginação. A importante decisão que tem que tomar é aconteça o que acontecer, seguir em frente e para cima com resolução, apesar de momentos de desespero, medo, obstáculos. Quando decidi, em 1996, mudar radicalmente minha vida e, entre outras coisas, comecei o Sócrates Café num impulso e com uma prece, quase encerrei a aventura antes de ela começar. Em um momento de indecisão paralisante, tirei da carteira um pedaço de papel com uma citação de uma tradução de 1835 de *Fausto*, de Goethe. Os versos do empresário no "diálogo preliminar" da peça diziam em parte:

Indecisão traz seus atrasos,
E dias se perdem lamentando dias perdidos.
És sincero? Agarra este minuto;
O que podes fazer, ou sonhas poder fazer, comece;
Ousadia tem em si genialidade, poder e magia.

Interrompi novas hesitações e parei de postergar. Desde então, me tornei mais apto a perceber a vida enquanto a vivo. Mas Emily Webb, uma personagem central em *Nossa cidade*, de Thornton Wilder, depois de ter tido a epifania de que muitos nunca examinam realmente como seguem pela vida vivendo seus dias, pergunta-se se isso é possível: "Será que algum ser humano percebe a vida enquanto a vive – todo, todo minuto?". O poeta e romancista russo Boris Pasternak, ganhador de um Nobel, tem essa resposta. Ele comenta que "poucos sabem e sentem o que os constrói, os forma e os liga uns aos outros. A vida deixa poucas pessoas enxergarem o que faz com elas". Talvez seja por isso que poucos se importam em saber continuamente o que a vida está fazendo com eles além dos anos de sua infância. Ou talvez você só possa saber o que a vida faz com você fazendo algo com a vida, construindo-a como ela o constrói, e de um jeito que o ligue mais aos outros, e à própria vida, mesmo enquanto se sente menos seguro, mais aberto. Para essa pessoa, como Nietzsche afirma em *Além do bem e do mal*, "o mundo se torna mais profundo; sempre novas estrelas, sempre novos enigmas e imagens tornam-se visíveis para ela". Essa pessoa está em estado regular de chegada e partida. Completa o círculo muitas vezes, mesmo retornando a um ponto de partida que nunca é o mesmo, porque ela nunca é a mesma. O ponto de cada jornada pessoal significativa é voltar a si mesmo, entender-se mais profundamente, e de um jeito que o faça decolar mais uma vez. Uma pessoa que pratica essa filosofia vive de acordo com esta passagem de *Quatro quartetos*, de T. S. Elliot:

O que chamamos princípio é quase sempre o fim
E alcançar um fim é alcançar um princípio.
Fim é o lugar de onde partimos

Não cessaremos nunca de explorar
E o fim de toda a nossa exploração
Será chegar ao ponto de partida
E o lugar reconhecer ainda

O livro dos Salmos, capítulo 103:15-16, nos diz que "quanto ao homem, os seus dias são como a erva, como a flor do campo assim floresce. Passando por ela o vento, logo se vai, e o seu lugar não será mais conhecido". Mas o lugar ainda é conhecido. O que dizemos, fazemos e criamos tem um efeito de onda que persiste por muito tempo depois que partimos. O que temos de fazer é o máximo possível para garantir que nossos dias sejam passados mantendo o campo humano em flor de maneiras que nutram todos e tudo. Ao agir assim, como diz o escritor *underground* Charles Bukowski, "as pessoas parecem flores, enfim".

E com o bebê somos quatro

São pouco mais de quatro da manhã quando Cybele chora com um tom de lamento. Depois de ser embalada por uns trinta minutos, ela finalmente adormece. Estamos meio reclinados no sofá da sala. Cybele está deitada sobre meu peito, os braços abertos dos dois lados do corpo. Com pouco menos de um mês, ela ainda não está sintonizada com a diferença entre dia e noite. Estou deixando a mamãe descansar. Mas quando ela está com fome, está com fome, e isso a faz acordar depois de uma hora e meia.

Nossa bebê de olhos cor de safira, cabelos castanho-avermelhados e as covinhas mais fofas (se me permitem comentar) nasceu no dia 2 de julho. Ceci e eu chegamos à maternidade do Pennsylvania Hospital, o mais antigo do país, em cima da hora. A bolsa d'água rompeu durante a viagem de táxi. O motorista não só recusou o dinheiro extra que ofereci para a limpeza do assento, como também recusou o pagamento da corrida. "Faço parte da sua história de parto", ele disse. "Isso não tem preço." Uma vez no quarto, Ceci pôs em ação seus conhecimentos sobre parto natural e o treinamento em *mindfulness*. Ela estava dentro de si mesma, mas inteiramente presente, atravessando a fronteira que divide os dois estados como uma artista virtuosa completamente em seu ambiente. Noventa minutos mais tarde, ela trouxe Cybele ao mundo. Uma parteira e eu estávamos lá para pegá-la. Colocamos Cybele sobre o peito da mamãe, onde ela começou a mamar imediatamente.

Mamar é o que o bebê quer agora. Eu a levo para Ceci. Meio dormindo, ela sorri, vira de lado e acomoda Cybele, que encontra o seio, mama um pouco e adormece ainda mamando. Do outro lado está Cali. Mesmo dormindo, ela estica o braço e toca a cabeça da irmãzinha. Na primeira vez que viu Cybele, Cali disse: "Este é o momento mais especial de toda a minha vida". Olho demoradamente para minhas pequenas musas. Ser pai não é para os fracos. Nem ser criança, na verdade. Embora torça para ainda ter um longo caminho a trilhar nessa coisa chamada vida, me pego pensando como elas vão se lembrar de mim. Serei lembrado por elas principalmente pelos atos de que mais me arrependo, ou por aqueles de que mais me orgulho? Elas ficarão felizes por Ceci e eu as termos trazido ao mundo?

Esses pensamentos não me ajudam a dormir. Vou para o escritório trabalhar neste livro. Demoro um pouco para perceber que Cali entrou. "Por que não está dormindo?", pergunto. Ela dá de ombros. Está pensando em alguma coisa, mas não se sente preparada para compartilhar. Depois de um tempo, ela diz: "Papai, acha que a mulher e o bebê que estavam no hospital no quarto com a mamãe e Cybele estão bem?".

Uma mulher que havia dado à luz dois dias antes foi nossa vizinha por um breve período, enquanto estava no quarto onde Ceci e Cybele passaram a primeira noite (e onde Cali e eu ficamos até a madrugada, graças a uma enfermeira simpática que ignorou as regras). Quando entramos, ela estava falando com uma assistente social. Suplicava para ela deixá-la ficar no hospital por mais uma noite. Disse que ainda não estava preparada para ir para casa, que ainda sentia desconforto. Pela conversa, deduzi que ela morava com um filho adolescente que criava sozinha. A assistente social disse que era impossível atender ao pedido, porque já haviam permitido que ela ficasse uma noite além do normal. Quando a funcionária saiu, ela pegou o telefone e falou com o filho. Pediu para ele levar o único aparelho de ar condicionado do apartamento para o quarto dela, para que ela e o bebê pudessem descansar da insuportável humidade quando chegassem em casa naquela noite. O menino deve ter recusado. Ela o xingou muito, desligou o telefone e começou a chorar.

Fez a mala sem pressa, ainda chorando, porém, baixinho. A caminho da porta, se desculpou por seu vocabulário. Eu não sabia o que dizer. Cali sabia o que fazer. Ofereceu alguns biscoitos à mulher e deu a ela dois crisântemos do arranjo ao lado da cama, onde Ceci e Cybele já dormiam profundamente, ambos presentes de minha mãe. A expressão da mulher era de incredulidade. Ela aceitou os presentes e abraçou Cali com força. Normalmente, Cali não gosta de abraços demorados, mas se deixou abraçar por um bom tempo. Cali entende, de algum jeito, que a qualquer momento pode ser a vez dela, ou nossa vez, como família, de precisar muito de cuidado e atenção.

Duas semanas antes do parto, Ceci e Cali tinham ido fazer compras na loja do Exército da Salvação no centro de Filadélfia. No dia seguinte, de manhã, exatamente na hora em que elas haviam estado lá, o prédio desabou, matando seis pessoas e ferindo quatorze. Entre os mortos havia universitários, um casal recém-casado e um funcionário que tinha começado no emprego novo naquele dia. Por sorte minha família não estava na loja. Nunca vou poder sentir a dor daqueles que perderam pessoas amadas, mas, por um instante, a enormidade da perda é palpável. E se o impensável tivesse acontecido? Eu ia querer continuar vivendo, mais ainda, ia querer continuar tentando fazer alguma coisa significativa com o tempo que me restasse? "Criançar" não pareceria repentinamente absurdo, até insano?

Vários anos antes disso, amigos queridos perderam seus dois filhos – o biológico, Harrison, e Mara, adotada quando era bebê – em um acidente de automóvel. Perto de se formarem na faculdade, eles voltavam para casa para um fim de semana durante o período em que estudavam para as provas. A pessoa que bateu na traseira do carro deles trocava mensagens pelo celular enquanto dirigia a mais de 130 quilômetros por hora em uma interestadual. Ele não viu o carro que estava diante do dele parar por causa de um acidente, e não teve tempo para frear. De algum jeito, esse motorista escapou com ferimentos leves, mas tirou a vida de Harrison e Mara – e roubou o futuro de Emmanuel e Tracy, pais deles. Embora ainda estejam ultrajados com a gravidade e o absurdo do que aconteceu e continuem sofrendo profundamente, eles criaram uma fundação que tem o nome dos filhos. As doações são direcionadas para as causas que Harrison e Mara defendiam com mais fervor. Eles também se juntaram a um grupo de pais cujos filhos tiveram a vida tragicamente interrompida. Estavam lá para apoiar uns aos outros de um jeito que ninguém mais poderia fazer.

Alguns dias depois do nascimento de Cybele, Emmanuel telefonou. Ele sabia que Ceci daria à luz por aqueles dias, e queria saber como estávamos. Sua alegria genuína com nossas boas notícias encheu meu coração de gratidão, que se misturou a uma grande dor por ele e sua esposa. Ele me contou que iria para a China com Tracey para passar vários meses trabalhando como voluntários no orfanato onde haviam adotado Mara. Queriam passar um tempo no lugar onde ela havia recebido carinho e cuidados nos primeiros três meses de sua vida, e queriam ser úteis, um pequeno gesto de gratidão pela alegria que Mara tinha dado a eles. Se algum dia eu enfrentar semelhantes circunstâncias impensáveis, serei capaz de tanta generosidade?

Friedrich Nietzsche elogiou nossas tentativas de dar significado e valor ao sofrimento. Enquanto Walter Kaufmann, o mais importante estudioso de Nietzsche, não mediu esforços para distanciar sua filosofia da de Nietzsche, ele filosofa de um jeito "nietzschiano" quando afirma que deveríamos "tentar construir algo a partir do sofrimento, apreciar nossos triunfos e suportar as derrotas sem ressentimento". Kaufmann até acredita que existe uma arte nessa construção: "O grande artista é o homem que torna de maneira mais óbvia suas dores em vantagem, que deixa o sofrimento aprofundar sua compreensão e sensibilidade, que cresce através de suas dores". As palavras de Kaufmann fazem todo o sentido depois que começo este livro, quando eu era alvo de atos quase inimagináveis de crueldade – inclusive um que me negava a oportunidade de me despedir de meu pai. Com o tempo, esses atos aprofundaram minha compreensão e sensibilidade de como algumas pessoas podem estar tão perturbadas e prejudicadas que não só tentam causar sofrimento aos outros, mas também sentem prazer com isso. O maior teste é ter empatia por aqueles que são incapazes dela. Acima de tudo, esses atos aprofundaram meu reconhecimento por ter em minha família fontes constantes de amor e empatia de que outros são privados. Se você consegue passar nesse teste, um novo tipo de arte de viver nasce dele.

Digo a Cali que também queria saber se a mulher e o bebê estão bem. Queria ter perguntado seu nome e endereço. Queria ter oferecido alguma ajuda. Levo Cali de volta para o quarto. Sento-me na beirada da cama e faço cafuné até ela dormir. Logo Cali suspira profundamente, um som de contentamento que ela emite desde que era bebê. Nesse momento, penso em todos os que vivem em circunstâncias que não permitem esse tipo de som.

Cali, de sua parte, está decidida a fazer tudo o que puder para transformar nosso mundo em um lugar onde todos os corações batam em uníssono. Sua filosofia de cuidado é semelhante à de Confúcio (551–479 a.C.), o filósofo chinês que ensinou que atos aparentemente pequenos – como dar biscoitos, flores e um abraço a uma mulher em crise – têm um efeito de onda que muda o curso da vida de alguém, que muda o curso do mundo como um todo. Cali é uma criança típica no sentido em que vive de acordo com a visão de Rousseau: "Seres humanos, por natureza, não são reis, nem nobres, nem cortesãos, nem ricos. Todos nasceram nus e pobres, todos estão sujeitos aos infortúnios da vida, a dificuldades, males, necessidade, sofrimentos de todos os tipos". Embora alguns sofram mais infortúnios da vida que outros, estamos todos a um passo da humildade. Ninguém sabe quando a tragédia pode atravessar seu caminho. De algum jeito, Cali, como Rousseau propõe, "entende bem que o destino daquelas pessoas infelizes pode ser [seu]". Mas ela também entende que quer, do fundo do coração, tornar o destino dessas pessoas mais feliz. Se esse espírito criança corriqueiro dela e da maioria das crianças contagiar todos nós, que mundo será o nosso!

Degustação da obra

Sócrates Café

de Christopher Phillips

I

Qual é a pergunta?

Posso lhe fazer uma pergunta?

— SÓCRATES

"A Psiquiatria é o estupro da musa!".

A explosão me arranca de meu devaneio com um solavanco. Estou empoleirado em um banquinho giratório no meio de cerca de quarenta e cinco pessoas sentadas em bancos e cadeiras de ferro forjado rebuscado em um café *art déco* de San Francisco. É uma noite de terça-feira no meio do verão, e estamos lá pela metade daquele encontro semanal específico. Estamos tentando responder à pergunta: "O que é insanidade?".

O diálogo começou com base em exemplos concretos, que rapidamente pediram mais e mais perguntas. Hitler era insano? Ou a própria sociedade da época era insana e ele apenas aproveitou-se dela com sanidade fria e calculista? Jack London era insano? E Edgar Allan Poe? E Van Gogh? A insanidade foi uma chave para o talento deles? Alguém que sacrifica sua saúde pela arte é insano? Ou esse esbanjamento é a essência da sanidade? Arriscar a vida por algo em que se acredita configura sanidade mental? Ou por algo em que não se acredita? Um homem de negócios que trabalha o dia inteiro em algo que detesta demonstra sanidade mental? Uma sociedade que tenta prolongar perpetuamente a vida de doentes terminais está maluca? Uma sociedade que não usa seus recursos com parcimônia está fora de si? É maluquice ter milhares de armas nucleares a postos para lançamento — uma ação que aniquilaria o planeta? Como pode alguém ser mentalmente são neste mundo? Ou o próprio universo é insano? Como o conceito de insanidade relaciona-se a conceitos como irracionalidade, excentricidade, lunatismo e loucura? É possível ser mentalmente são e insano ao mesmo tempo? É impossível *não* ser? É possível ser *completamente* são ou *completamente* insano? Quais são os critérios para determinar a insanidade de alguém ou alguma coisa? Existe realmente essa coisa de insanidade?

Perguntas, perguntas, perguntas. Elas perturbam. Provocam. Estimulam. Intimidam. Fazem você se sentir como se estivesse um pouquinho doido, pelo menos temporariamente. Tanto que às vezes fico certo de que o chão está balançando e se movendo sob os nossos pés. Mas não por causa de um terremoto.

Bem-vindo ao Sócrates Café.

Embora seja o auge do verão, a noite é fria. Não importa. O pátio está lotado. O grupo variado de investigadores filosóficos — *beatniks* envelhecidos, empresários, estudantes, comerciários, professores universitários e de escola, quiromantes, burocratas e sem-teto, entre outros — está amontoado no meio de um jardim recoberto de hera. De certa forma, a reunião lembra vagamente um serviço de igreja — para heréticos. E o que nos conecta é o amor pelo questionamento e a paixão por desafiar até mesmo nossos mais caros pressupostos. Toda a atenção agora está presa ao homem alto e esquálido que investiu contra a Psiquiatria. Ele fez isso logo depois de um psiquiatra dizer com ar de autoridade que o único antídoto contra a insanidade é o tratamento psiquiátrico. Embora o psiquiatra em questão pareça irritado pelo comentário depreciativo sobre sua profissão, o crítico está sentado imóvel como uma pedra, o retrato da calma. Ele tem olhos azuis fundos que parecem olhar para dentro e um rosto esquelético que revela um levíssimo indício de sorriso. O cabelo ruivo brilhante está bem-penteado para trás, exceto por um cacho rebelde pendente na testa. Nesse momento, o único som que se pode ouvir enquanto olhamos para ele é o da água a escorrer na fonte de gárgula.

"O que você quer dizer com isso?", pergunto ao homem. "De que modo a Psiquiatria é o estupro da musa?"

Tenho o pressentimento de que ele esperava que a declaração provocasse um choque e nós deixássemos passar incontestada. Não no Sócrates Café.

Aqui defendemos o éthos de que não basta ter a coragem de suas convicções: você também deve ter a coragem de ter suas convicções *desafiadas*.

Leva um tempo para ele fixar o olhar em mim. "Platão falou de um tipo de loucura divina que definiu como 'possessão pelas Musas'", ele enfim diz, escolhendo as palavras com cuidado. "Platão disse que ter essa loucura era indispensável para a produção da melhor poesia. Mas os psiquiatras querem modificar nosso comportamento, querem que sejamos pessoas moderadas. Querem destruir nossa musa."

"Sou assistente social psiquiátrico", intervém um homem rapidamente. Espero que ele também se ofenda com a crítica aos psiquiatras. Todavia, em vez disso, com um meio sorriso pensativo, ele diz: "Me preocupo muito com os efeitos a longo prazo das medicações antipsicóticas nas pessoas. Assim como psiquiatras tentam 'curar' crianças com distúrbio do *deficit* de atenção dando Ritalina, acho que drogas como Haldol, Zymexa e o velho Thorazine são prescritas com frequência alarmante para adultos por causa do desejo da sociedade de controlar o comportamento. Comportamento moderado é o deus de nosso sistema de saúde mental. Para mim isso é de arrepiar".

"Não é melhor ser insano do que deixar que matem o artista em você?", o homem de rosto esquelético pergunta ao aliado inesperado.

"Mas trata-se de uma escolha entre moderação e sanidade?", pergunto. "Não podemos ser um pouquinho insanos, ou de certo modo insanos, sem ser completamente insanos?" No diálogo *Fédon*, de Platão, Sócrates diz que uma *combinação* de sobriedade e loucura impele a alma a filosofar, e estou me indagando se o mesmo é válido para a arte. Será que não podemos ajustar a insanidade de uma forma que nos permita ficar ainda mais em contato com nossa musa e com isso ser ainda mais criativos do que do contrário poderíamos?"

Mas então começo a me indagar se sei do que estou falando. Pareço ser a última pessoa apta para diferenciar sanidade de insanidade. Faz um bom tempo que estou na missão bastante bizarra de tirar a Filosofia das universidades e levá-la de volta "para o povo", onde quer que ele esteja. Quase sempre faço isso de graça. Aparentemente, o que eu faço é visto como inovador demais, diferente demais, fora da norma demais... *maluco* demais. Então, seja de graça ou por alguma ninharia, eu facilito discussões filosóficas que chamo de "Sócrates Café". Vou a cafés, lanchonetes e pequenos restaurantes. Vou a creches, jardins de infância, escolas de ensino fundamental e de ensino médio, escolas para crianças especiais. Vou a centros de terceira idade, casas de repouso e residenciais assistidos. Estive em uma igreja, um centro de cuidados paliativos para doentes terminais e um presídio. Viajo pelo país — de Memphis a Manhattan, de Washington State a Washington, D.C. — para travar diálogos filosóficos e ajudar outros a darem início a um Sócrates Café. Pago todas as despesas do meu próprio bolso, ganhando um dólar aqui e ali por outros meios. Com frequência me pergunto: "Sou maluco por fazer isso?". Mas não vem ao caso. Não quero lucrar com isso. Não se trata de dinheiro. É uma vocação.

Livros para mudar o mundo. O seu mundo.

Para conhecer os nossos próximos lançamentos
e títulos disponíveis, acesse:

www.**citadeleditora**.com.br

/**citadeleditora**

@**citadeleditora**

@**citadeleditora**

Citadel - Grupo Editorial

Para mais informações ou dúvidas sobre a obra,
entre em contato conosco através do e-mail:

contato@**citadeleditora**.com.br